10
18
12, AVENUE D'ITALIE, PARIS XIII

Sur l'auteur

Marié à une journaliste indienne, Tarquin Hall vit entre Londres et Delhi. Auteur, reporter en Inde pour l'Associated Press pendant plusieurs années et globe-trotter invétéré, Tarquin Hall écrit *Salaam London* en 2007 : son retour aux sources drolatique et chaotique à Brick Lane, après dix années de journalisme en Afrique, Amérique, Asie et Proche-Orient. *L'homme qui exauce les vœux* est son premier roman.

TARQUIN HALL

L'HOMME QUI EXAUCE LES VŒUX

Traduit de l'anglais
par Anne-Marie CARRIÈRE

INÉDIT

« Domaine policier »

Titre original :
The Case of the Missing Servant

ISBN 978-2-264-04761-8

À la mémoire de grand-papa Briggs

1

Installé dans la chambre d'une pension de famille de Defence Colony, Vish Puri, fondateur et directeur de l'agence Détectives Très Privés, dévorait les *pakoras*[1] au piment vert enveloppés dans un sachet en papier huileux qu'il venait d'acheter dans la rue. Puri était censé se méfier comme de la peste des aliments frits et des friandises indiennes dont il raffolait ; le Dr Mohan lui avait intimé, lors du dernier bilan, l'ordre d'oublier définitivement la riche nourriture de son Pendjab natal.

— Votre tension a augmenté, et avec elle les risques de crise cardiaque et de diabète. Vous avez cinquante et un ans. Attention au surpoids…

Puri réfléchit au sinistre avertissement du médecin tout en plantant ses canines dans un pakora chaud et croustillant ; ses papilles frissonnèrent de plaisir sous les assauts conjoints de la pâte salée, du chili ardent et de la sauce chutney rouge acidulée dans laquelle il avait plongé l'en-cas interdit. Il éprouvait une satisfaction perverse à défier les ordres du Dr Mohan.

Cependant, il redoutait la réaction de son épouse si, par malheur, elle découvrait qu'il grignotait entre les repas – et, comble de la traîtrise, de la nourriture

1. Les mots en italique dont le sens n'apparaît pas nettement dans le contexte sont traités dans le glossaire en fin de volume. (*N.d.T.*)

« étrangère », non cuisinée à la maison ! Il prit donc soin de ne laisser aucune trace de graisse sur ses vêtements. Sitôt les pakoras engloutis, il se débarrassa de l'emballage, se lava les mains et vérifia qu'aucun résidu accusateur ne se trouvait glissé sous ses ongles ou entre ses dents. Puis il suça quelques graines d'aneth pour parfumer son haleine, tout en surveillant la maison située de l'autre côté de la rue.

Defence Colony, au sud de Delhi, était, par rapport aux standards habituels de la ville, un quartier paisible et particulièrement propre. Cette zone résidentielle, férocement gardée, hébergeait militaires, médecins, ingénieurs, *babus* et quelques journalistes. Ses habitants s'étaient arrangés pour que leur communauté demeure exempte d'industries, de commerces et de tous détritus humains ordinaires. Ils pouvaient se promener dans des artères bien balayées et déambuler dans les jardins publics sans crainte d'être harcelés par des mendiants estropiés, ou d'avoir à louvoyer entre soudeurs travaillant à même le trottoir et bouchers halal égorgeant la volaille.

La plupart des familles de Defence Colony, originaires du Pendjab, s'étaient réfugiées à Delhi après la dramatique partition du sous-continent indien en 1947. S'étant enrichies au fil des décennies, elles se faisaient bâtir de grosses villas carrées en béton, ceintes de hauts murs et closes par d'imposantes grilles de fer forgé.

Chacun de ces petits fiefs employait des légions de serviteurs. Par exemple, les résidents du numéro 76, bloc D, surveillé par Vish Puri, utilisaient les services de sept personnes à plein temps : deux chauffeurs, un cuisinier, une lingère, un garçon de courses et deux agents de sécurité. Trois de ces employés vivaient sur place et partageaient le *barsaati* sur le toit. Le gardien de nuit dormait dans la guérite devant l'entrée principale, même si, à proprement parler, il n'était pas supposé y dormir.

La famille employait aussi à mi-temps une femme chargée de la vaisselle, une autre du ménage, un jardinier, et un *pressing-wallah* qui avait dressé sa planche à l'ombre du margousier en bas de la rue. Armé d'un gros fer empli de charbons brûlants, il repassait les vêtements les plus divers, saris en soie, *salwars* de cotonnade et blue-jeans.

De son poste d'observation, Puri avait vue sur le toit du numéro 76, où une fille à la peau sombre étendait des sous-vêtements sur le fil à linge. Le jardinier arrosait les fleurs en pots sur le balcon du premier étage et la femme de ménage lavait la cour dallée de marbre à grande eau, gâchant des litres du précieux liquide. Dehors, dans la rue, le cuisinier inspectait les piments verts du vendeur ambulant qui, derrière sa charrette de légumes, poussait de tonitruants *subzi-wallah !*

Puri avait posté deux de ses meilleurs équipiers, Tubelight[1] et Flush[2], à faire le guet dans la rue. En bon Pendjabi, Puri attribuait un sobriquet à ses employés, à ses proches et aux membres de sa famille ; il appelait son épouse Rumpi[3], son nouveau chauffeur Handbrake[4], et le garçon de bureau Door Stop[5], à cause de sa fainéantise.

Tubelight était ainsi nommé parce qu'il était un gros dormeur et avait du mal à émerger le matin. Âgé de quarante-trois ans, borgne, les cheveux teints au henné, il descendait d'une lignée de voleurs professionnels ; depuis l'enfance, il était passé expert dans l'art de forcer les serrures, les coffres-forts et les voitures.

1. Néon. (*N.d.T.*)
2. Chasse d'eau. (*N.d.T.*)
3. Belle croupe. (*N.d.T.*)
4. Frein à main. (*N.d.T.*)
5. Cale-porte. (*N.d.T.*)

Quant à Flush, trente-deux ans, maigre, le nez chaussé de lunettes rondes à triple foyer, il devait son surnom au fait qu'il avait été le premier à posséder des toilettes dans son village reculé du fin fond de l'État de l'Haryana. Roi de l'informatique et de l'électronique, cet ancien agent des services secrets indiens avait réussi l'exploit de placer un micro miniature dans le dentier de l'ambassadeur du Pakistan.

À quelques kilomètres de là, le troisième membre de l'équipe de Puri, Facecream[1], une belle et fougueuse Népalaise, attendait la fin de l'après-midi pour intervenir de façon décisive. Adolescente, elle avait fui sa famille pour rejoindre les rangs des maoïstes ; mais vite déçue par la cause révolutionnaire, elle s'était réfugiée en Inde. Spécialiste du travestissement, elle se faisait passer un jour pour un balayeur de rue et le lendemain usait de son physique irrésistible pour piéger les hommes.

Puri, lui aussi, était affublé de plusieurs sobriquets. Son père s'était toujours adressé à lui par son prénom complet, Vishwas, que le détective avait raccourci en Vish, car, en sabir anglo-hindi, Vish Puri signifiait à peu près « l'homme qui exauce les vœux ». Le reste de sa famille et ses amis l'appelaient Chubby, « Joufflu », surnom plus affectueux que moqueur – bien que le Dr Mohan eût fort indélicatement fait remarquer à son patient qu'il ferait bien de perdre une quinzaine de kilos.

De son côté, Puri tenait à ce que ses employés l'appellent « chef » ou « patron », histoire de ne pas oublier qui dirigeait l'agence. Selon lui, il convenait de garder un système fortement hiérarchisé, car les Indiens étaient habitués à obéir aux ordres. Comme il se plaisait à le dire : « Si tout le monde se prenait pour Napoléon, où irait-on ? »

1. Crème de beauté. (*N.d.T.*)

Il empoigna son talkie-walkie.

— Où en est notre charlot ? Terminé.

— Il prend son temps, chef, répondit Flush, qui ajouta, un peu à retardement : Terminé.

Installé à l'arrière de l'Hindustan Ambassador de Puri, il surveillait ce qui se passait au numéro 76 grâce aux mouchards que l'équipe avait placés quelques heures plus tôt au domicile de la cible ; il écoutait également les conversations téléphoniques. De son côté, Tubelight, accoutré en chauffeur d'autorickshaw – vêtements graisseux et *chappals* en caoutchouc –, était accroupi sur un trottoir en compagnie de quelques *rickshaw-wallahs* qui tapaient le carton en fumant des *bidis*.

Puri, qui se targuait d'être un champion du travestissement, ne portait rien d'inhabituel pour l'opération du jour ; pourtant, on vous aurait pardonné si, le voyant pour la première fois, vous l'aviez cru réellement déguisé en détective : moustache en guidon de vélo bien cirée (qu'il gardait depuis l'armée), casquette de tweed en provenance directe de la chapellerie Bates, Jermyn Street, Piccadilly, et lunettes de soleil d'aviateur adaptées à sa vue.

Bien que l'on fût au mois de novembre, il avait opté pour une tenue de safari grise, taillée sur mesure, comme ses chemises et ses costumes, par M. M. A. Pathan, de Connaught Place, dont le grand-père avait habillé Muhammad Ali Jinnah, le fondateur du Pakistan.

« On dirait que je sors de chez un tailleur de Savile Row, songea le détective en s'admirant dans une glace. Vraiment *pukka*, très classe. »

Le costume, parfaitement adapté à sa silhouette courtaude, parvenait à masquer son embonpoint. Puri était particulièrement fier des boutons en argent frappés d'une tête de cerf.

Il s'assit sur sa chaise pliante et attendit patiemment. Ramesh Goel n'allait pas tarder à sortir de chez lui. Tout ce qu'il avait appris sur cet individu laissait supposer qu'il ne résisterait pas longtemps à la tentation.

Puri l'avait croisé au premier jour de l'opération, quand il s'était présenté à la porte de la résidence de la famille Goel, déguisé en réparateur de téléphone. Cette rencontre, bien que brève, avait révélé au détective tout ce qu'il avait besoin de savoir : Ramesh Goel, cheveux en brosse et démarche nonchalante, manquait de force morale, comme beaucoup de jeunes gens de la classe moyenne. L'infidélité y allait bon train, le nombre de divorces augmentait tous les jours, les parents âgés étaient maltraités et abandonnés dans des maisons de retraite ; les fils oubliaient leurs responsabilités vis-à-vis des anciens, et même de la société.

« Des milliers d'hommes et de femmes travaillent côte à côte dans des centres d'appels ou des sociétés d'informatique ; cette proximité les conduit à des liaisons sans lendemain », s'était plaint Puri dans sa dernière lettre au courrier des lecteurs du *Times of India*, lettre que l'honorable rédacteur en chef avait jugée digne d'être publiée. « Un environnement dans lequel ils sont livrés à eux-mêmes, sans surveillance familiale ni code moral ; la pression du groupe y atteint son plus haut niveau. Les jeunes filles ont des aventures avant le mariage et les épouses des liaisons hors mariage – voire très en dehors. Voilà pourquoi tant d'unions se délitent lamentablement. Il faut voir là l'influence néfaste d'une Amérique qui prône le matérialisme, l'individualisme et oublie les valeurs de la famille. Révolue, l'époque où les hommes étaient heureux de servir la société ! Le sens du devoir part à vau-l'eau. Aujourd'hui, l'Indien moyen veut une existence cinq étoiles : montres de luxe, cuisine italienne, vacances à Dubaï et appartement princier à partager avec une créature de rêve. Désormais les jeunes Indiens adoptent les coutumes des étrangers. »

Soixante-ans après que Gandhi leur eut fait plier bagage, les Occidentaux revenaient conquérir le pays.

— Chef ? Ici Flush. Terminé.

La voix de son acolyte vint tirer Puri de ses tristes pensées.

— Je suis là. Terminé.

— Contact établi avec Mouse[1], chef. Elle se prépare à partir. Terminé.

Mouse était le nom de code pour Ramesh Goel.

Le détective dégringola les escaliers de la pension, se précipita dans la rue et, hors d'haleine, rejoignit Flush à l'intérieur de l'Ambassador.

Au même moment, Tubelight rangea son jeu de cartes, s'excusa brièvement auprès des rickshaw-wallahs, empocha ses gains (environ soixante roupies, pas si mal pour une heure de jeu) et enfourcha l'engin à trois roues qu'il avait loué pour la journée à son cousin Bhagat.

Quelques minutes plus tard, les grilles de la résidence des Goel s'ouvrirent pour laisser sortir une Indica rouge qui tourna aussitôt sur la droite. Tubelight attendit cinq secondes et la prit en filature. L'Ambassador de Puri, conduite par Handbrake, ne tarda pas à les suivre.

L'équipe se tenait à distance de l'Indica qui filait à vive allure sur Old Ring Road. Le détective n'avait quasiment aucun doute quant à la destination de sa cible.

— Ce guignol a peut-être fréquenté les universités anglaises, n'empêche qu'il vole vers Vish Puri comme

1. La Souris. (*N.d.T.*)

le papillon de nuit vers la flamme, fit-il en souriant jusqu'aux oreilles.

Flush, qui tenait son employeur en haute estime et avait appris à tolérer sa vantardise, répondit par un laconique :

— Oui, chef.

L'Ambassador et le triporteur se relayaient pour suivre l'Indica rouge dans les rues du sud de Delhi ; on était à l'heure de pointe et la circulation les aidait à rester inaperçus. Autos, motos, vélos, rickshaws, camions, charrettes, chars à bœuf, vaches sacrées, engins hybrides à peine en état de rouler et défiant toute description, rivalisaient pour occuper la chaussée. Comme des autotamponneuses à la fête foraine, les véhicules se coupaient la route, grignotant centimètre par centimètre tout l'espace possible, transformant une trois voies en une quatre voies et demie. Les avertisseurs beuglaient en permanence dans une cacophonie digne d'une fanfare d'école primaire. Les plus bruyants étaient les bus Blueline, conduits par des fumeurs de *charas* déchaînés qui touchaient des primes s'ils embarquaient un maximum de passagers, quitte à ce que ceux-ci finissent morts ou estropiés. Puri les traitait de *goondas*, de voyous, sachant que le pire qui pouvait leur arriver était de passer quelques heures au dépôt à boire du *chai*. Politiciens et babus propriétaires des compagnies de bus avaient les forces de l'ordre dans leur poche. Le tarif en cours pour effacer une accusation d'homicide des registres de police se montait à environ trois mille roupies.

Le détective observait l'un de ces bus tout cabossés qui se frayait lourdement un chemin dans les embouteillages, comme un vieil éléphant de guerre blessé, les flancs couverts des cicatrices d'anciennes batailles. Des visages pressés contre les vitres éraflées jetaient des regards curieux, parfois envieux ou méprisants, vers les intérieurs cossus des berlines de luxe circulant dans les rues de Delhi. Les trajets en bus étaient l'occasion pour les plus démunis d'avoir un aperçu furtif du mode de vie des centaines de milliers de nouveaux riches. Pour Vish Puri, ces scènes rappelaient de manière significative la disparité économique grandissante de la société indienne.

— Mouse tourne à droite, patron, remarqua Handbrake.

Puri hocha la tête.

— Tubelight, va te mettre devant lui, ordonna-t-il dans son talkie-walkie. Nous, on reste derrière. Terminé.

L'Indica rouge passa au-dessus de l'échangeur autoroutier situé devant l'Institut des sciences médicales et poursuivit sa route en direction de Sarojini Nagar. Sans la présence de tombes antiques et de quelques monuments rappelant l'ancienne Delhi, emprisonnés entre des tours de béton et de verre miroitant, Puri n'aurait jamais reconnu le quartier.

Dans son enfance, la capitale vivait à un rythme lent et provincial. Mais au cours de ces dix dernières années, il avait vu la métropole s'étendre comme les tentacules d'une pieuvre, vers l'est et le sud, avec toujours plus de routes, de centres commerciaux, d'immeubles sortant de terre en quelques jours, tels des champignons après la pluie. Cette prospérité vertigineuse attirait des millions de miséreux analphabètes et non qualifiés, venus des États pauvres du nord de l'Inde. L'explosion démographique – la capitale comptait désormais plus de seize millions d'habitants – s'accompagnait d'une augmentation considérable de la criminalité. La conurbation d'Old Delhi, de New Delhi et de ses nombreuses banlieues s'appelait Territoires de la capitale nationale, ou, comme les journaux l'avaient facétieusement rebaptisée, Territoires du crime national.

Pour Vish Puri, cela signifiait davantage de travail. L'agence Détectives Très Privés n'avait jamais été aussi surchargée de missions. Mais Puri ne les acceptait pas toutes. Certains jours même, son incurable optimisme vacillait. Parfois, bloqué dans des embouteillages assourdissants, il se demandait s'il ne devait pas se reconvertir en travailleur social.

Sa tendre épouse, Rumpi, faisait tout pour le dissuader de jeter l'éponge, lui rappelant sans cesse que l'Inde faisait de grands progrès et qu'il rendait déjà de grands services à la société. L'enquête en cours en était un exemple parmi d'autres : il s'apprêtait à sauver une jeune fille du sort terrible qui l'attendait, et à démasquer un individu sans scrupules.

Oui, dans une dizaine de minutes, Ramesh Goel serait obligé de rendre des comptes.

Puri s'assura que Handbrake restait à distance de l'Indica rouge dans la dernière étape de son voyage sur Africa Avenue, direction Safdarjung Enclave. Comme il le supposait, l'Indica s'engagea dans le bloc A.

Alors qu'il stoppait devant le A 2/12, Ramesh Goel fut filmé à son insu à l'aide d'un long objectif placé à un poste d'observation avoisinant. Il avait beau se dissimuler sous une casquette de base-ball, des lunettes de soleil, un imperméable sombre et utiliser un faux nom – Romey Butter –, il s'était fait avoir.

2

Vish Puri n'était guère pressé de conclure l'affaire Ramesh Goel. Il n'éprouvait aucun plaisir à annoncer une mauvaise nouvelle à un client, surtout à un homme d'affaires aussi prospère et puissant que Sanjay Singla.

— Mais que faire ? demanda-t-il à sa fidèle secrétaire, Elizabeth Rani, qui travaillait pour lui depuis que l'agence s'était installée au-dessus de la librairie Bahri et fils, dans Khan Market, au sud de Delhi, en 1988. Je vous le dis, madame Rani, c'est une bonne chose que Sanjay Singla soit venu me voir. Imaginez les soucis que je lui épargne ! Ce maudit Ramesh Goel se serait enfui avec toute sa fortune ! Un type sacrément retors, si vous voulez mon avis. Aucun doute là-dessus !

Elizabeth Rani, qui avait perdu son mari dans un accident de voiture en 1987 et élevé seule ses trois enfants, exprimait rarement ses sentiments. Elle n'était guère attirée par les mystères, les intrigues et les complots, se perdant souvent dans l'enchevêtrement complexe des enquêtes de son employeur, d'autant que ce dernier en poursuivait souvent deux ou trois en même temps. Son travail consistait à tenir l'agenda de son patron, répondre au téléphone, ranger les dossiers et s'assurer que Door Stop, le garçon de bureau, ne subtilisait pas le lait et le sucre.

Il était aussi, officieusement, dans ses attributions d'écouter avec patience les exposés interminables de Puri et, parfois, de flatter en douceur son ego.

— Vous avez fait du beau travail, monsieur, dit-elle en plaçant le dossier Ramesh Goel sur le bureau du détective. Tous mes compliments.

Puri fit pivoter son fauteuil et lui adressa un sourire béat.

— Vous êtes trop bonne, madame Rani ! Mais vous avez raison, j'avoue sans fard que l'opération a été couronnée de succès. Préparée et conduite avec professionnalisme et discrétion. Encore une belle réussite pour notre agence !

Elizabeth attendit posément qu'il ait fini de se lancer des fleurs avant de lui transmettre les messages de la journée.

— Monsieur, un certain Ajay Kasliwal a appelé. Il voudrait vous faire part d'une affaire très urgente. Il propose de vous rencontrer ce soir à dix-neuf heures, au club. Puis-je confirmer le rendez-vous ?

— Vous a-t-il donné des références ?

— Il connaît Bunty Bannerjee.

Un sourire éclaira les traits du détective au souvenir de son ancien camarade de chambrée à l'académie militaire.

— Parfait. Dites à Kasliwal que je le retrouverai à dix-neuf heures, qu'il pleuve ou qu'il vente.

Elizabeth Rani se retira discrètement et retourna s'asseoir à son bureau. Elle s'apprêtait à boire une gorgée de thé quand on frappa à la porte. Outre les clients se présentaient à l'agence une armée de *wallahs*, ces petites gens chargés des innombrables tâches indispensables au bon déroulement de la vie quotidienne indienne. La secrétaire alla ouvrir : la livreuse de citrons verts et de piments se tenait sur le seuil, comme tous les lundis. Pour trois roupies par semaine, elle venait accrocher une guirlande de piments et de citrons au-dessus des entrées des commerces et des bureaux pour éloigner les mauvais esprits.

Elizabeth Rani se chargeait aussi de faire l'aumône aux *hijras* au moment de leur grande fête en avril, quand ils mendient devant tous les commerces du quartier. Elle veillait en outre à ce que le polisseur fasse bien briller la plaque de cuivre placée à côté de la sonnette sur laquelle on pouvait lire, gravé sous une torche électrique, emblème de l'agence :

SARL Détectives Très Privés
Vish Puri, Directeur Général
Lauréat d'un prix international
et de six prix nationaux
« Notre devise : la confidentialité »

Pendant ce temps, Puri compulsait le dossier Ramesh Goel ; satisfait de constater qu'il était en ordre et bien classé, il se prépara à l'arrivée de son client, Sanjay Singla.

Il prit un miroir de poche dans l'un des tiroirs de son bureau, s'inspecta avec soin, frisa sa moustache et redressa sa casquette (il ne l'ôtait que dans l'intimité de sa chambre à coucher). Puis il embrassa la pièce du regard pour vérifier que chaque chose était à sa place.

Ce petit bureau n'avait rien d'original. Contrairement à la nouvelle génération de détectives, qui affichaient une prédilection pour les canapés en cuir, les meubles suédois en pin verni et les cloisons vitrées, Puri demeurait fidèle au mobilier et à la décoration d'origine, remontant à l'ouverture de l'agence, à la fin des années 1980. Il aimait penser qu'ils traduisaient une longue expérience, une fiabilité un peu désuète et un caractère plutôt hors du commun.

Il conservait avec amour des objets rappelant certaines de ses plus fameuses affaires. Parmi eux, une matraque offerte par la gendarmerie nationale française en reconnaissance de son aide précieuse dans la recherche de l'épouse de l'ambassadeur de France (et pour le remercier de sa discrétion quant à la liaison de ladite épouse avec le cuisinier de l'ambassade). Une place particulière était réservée sur le mur, derrière son grand bureau, à la plaque décernée en 1999 par la Fédération mondiale des détectives privés au « Super Limier » Vish Puri, pour sa réussite dans la résolution de l'affaire de la disparition de l'Éléphant de polo.

Mais le point de convergence de tous les regards était l'autel installé dans un coin de la pièce au-dessus duquel trônaient deux portraits auréolés de guirlandes de soucis jaunes et orange. Le premier représentait le gourou de Puri, Chanakya, penseur et stratège, précurseur, trois cents ans avant l'ère chrétienne, des techniques d'espionnage et d'investigation. L'autre était une photo du défunt père du détective, Om Chander Puri, posant dans son uniforme d'officier, le jour où il fut promu détective, en 1963.

Puri leva les yeux vers le visage de son Papa-*ji* ; il songeait aux précieux conseils que celui-ci lui avait prodigués, lorsque la voix de sa secrétaire retentit dans l'interphone :

— Monsieur, Singla-ji est arrivé.

Sans répondre, Puri pressa le bouton situé sous son bureau, qui activait l'ouverture de la porte blindée. Quelques instants plus tard, un homme entra dans la pièce, grand, sûr de lui, empestant l'after-shave.

Puri se leva pour aller à sa rencontre et lui serra la main.

— *Namashkar*, monsieur. C'est très aimable à vous d'être venu. Je vous en prie, prenez place.

Cet empressement ne signifiait nullement que Puri était intimidé par la présence de ce distingué personnage dans son bureau. Seul le respect de l'âge et de la hiérarchie sociale expliquait la déférence qu'il témoignait à son client, l'un des plus riches industriels du pays et d'au moins cinq ans son aîné. La société indienne ne tenait guère en haute estime les détectives privés, à peine plus considérés que les agents de sécurité ; nombre d'entre eux n'étaient d'ailleurs que des escrocs ou des maîtres chanteurs prêts à vendre père et mère pour quelques milliers de roupies. Ce métier ne possédait pas l'aura de celui du médecin ou de l'ingénieur, et les gens n'appréciaient pas les compétences qu'il requérait à leur juste valeur. Pour preuve, Singla s'adressa à Puri comme il l'aurait fait à un cadre moyen.

— Alors ? lança-t-il d'une voix tonitruante, en tripotant ses manchettes de chemise.

Puri choisit de ne pas répondre directement à la question.

— Un peu de chai, monsieur ?

Son interlocuteur balaya l'air comme s'il chassait une mouche.

— De l'eau, peut-être ?

— Rien, rien, s'impatienta le visiteur. Venons-en aux faits. Qu'avez-vous découvert ? Rien de mauvais, j'espère. J'apprécie ce jeune homme, Puri, et je me targue de savoir juger les gens. Ramesh me rappelle le garçon que j'étais. Un fonceur.

Lors de leur précédente rencontre, Singla avait clairement fait part à Puri de ses réserves à l'idée d'utiliser les services d'un détective privé. « L'espionnage est un sale métier », avait-il conclu. Mais, dans l'intérêt de sa fille, il avait fini par accepter de faire filer son futur gendre. Après tout, il savait peu de choses les concernant, lui et sa famille.

Le premier contact entre les Singla et les Goel avait eu lieu deux mois auparavant. En Inde, un mariage représentait bien davantage que l'union d'un garçon et d'une fille. Il s'agissait de l'alliance de deux lignages.

Jadis, personne n'aurait fait appel aux services de Puri. Les familles se rencontraient dans le cercle de leurs communautés. Le cas échéant, elles menaient elles-mêmes leur propre enquête : mères et tantes s'enquéraient auprès des voisins et des amis de la moralité des futurs fiancés, des finances et de la réputation de leurs belles-familles respectives. Les brahmanes faisaient aussi les présentations et comparaient les horoscopes.

Aujourd'hui, les riches Indiens des villes ne peuvent plus compter sur ces pratiques ancestrales. La plupart ne connaissent même pas leurs voisins. Ils vivent dans des villas entourées de hauts murs, à Jor Bagh et Golf Links, ou dans des appartements huppés de Greater Kailash et Noida. Leur vie sociale tourne autour de leur travail ; ils ne se retrouvent que pour des réunions ou des mariages dans la bonne société.

Et pourtant les mariages arrangés demeurent sacrosaints. Aujourd'hui encore, parmi les familles les plus riches de Delhi, peu de parents donnent leur bénédiction à un « mariage d'amour », même si les promis appartiennent à la même caste et partagent une religion commune. Il est toujours considéré comme irrespectueux pour les jeunes gens de choisir leur futur conjoint ; seuls les parents possèdent la sagesse et la prévoyance nécessaires à une tâche aussi vitale et délicate. De plus en plus, les citadins comptent sur les annonces matrimoniales des journaux et des sites Internet pour dénicher les futurs époux de leurs enfants.

L'annonce qu'avaient passée les Singla dans l'*Indian Express* disait ceci :

Famille d'industriels de Delhi-Sud,
revenus élevés, cherche beau parti pour sa fille.
Simple, mince, douce, végétarienne,
cultivée. 1,53 m, 50 kg. Peau claire. Mastère
de gestion aux États-Unis. Non *manglik*.
Née en juillet 1976
(fait beaucoup plus jeune). Engagée
dans les affaires, mais ne tient pas
à faire carrière. Recherche médecin/industriel
diplômé d'une université indienne ou étrangère.
Prière d'envoyer références, photo
et horoscope. Stricte confidentialité.

Les parents de Ramesh Goel avaient répondu à l'annonce en envoyant toutes les références requises et une photographie de leur rejeton.

Le profil de Ramesh, vingt-neuf ans, correspondait à tous les critères recherchés. Membre de la communauté *Agrawal*, il avait suivi ses études à Cambridge. La famille n'était pas richissime, mais pour les Singla, caste et statut social demeuraient les priorités.

Tout de suite, Ramesh avait plu à leur fille, Vimi. En voyant sa photo, elle avait roucoulé : « Il est mignon, non ? » Peu de temps après, les deux familles prenaient le thé dans la villa des Singla, à Sundar Nagar. La rencontre fut un succès. Les parents trouvèrent un terrain d'entente et consentirent à ce que les jeunes gens puissent se voir sans chaperon. Ils sortirent ensemble deux fois, la première pour aller au restaurant, la seconde, quelques jours plus tard, au bowling. La semaine suivante, ils étaient d'accord pour se marier. Les astrologues furent consultés et la date du mariage fixée.

Mais moins d'un mois avant le grand jour, Sanjay Singla, agissant sur les conseils avisés d'un ami, décida de passer au crible la vie de son futur gendre. C'est là que Vish Puri entra en scène. Au cours de leur première entrevue, au bureau de Singla, trois semaines plus tôt, il parvint à convaincre l'industriel du bien-fondé d'une enquête prénuptiale.

— Vous n'inviteriez pas un étranger chez vous, alors pourquoi proposer au premier venu de faire partie de votre famille ?

Il lui fit part de certaines affaires dont il s'était occupé par le passé. Dernièrement, en vérifiant les antécédents d'un Indien vivant à Londres et promis à la fille d'un homme d'affaires de Chandigarh, Puri avait découvert qu'il s'agissait d'un imposteur. Loin d'être, comme il le prétendait, propriétaire du restaurant *The Empress of India*[1], dans Romford Road, ce Neejlesh Anand de Woodford n'était qu'un commis de cuisine.

Il avait suffi d'un simple coup de fil pour résoudre l'affaire : Puri avait appelé son vieil ami l'inspecteur Ian Masters, retraité de Scotland Yard, pour lui demander d'aller y manger un curry à Upton Park dans l'est de Londres.

— Si je n'avais pas démasqué ce voyou, il serait parti avec la dot, laissant la jeune fille en disgrâce, et on n'aurait jamais plus entendu parler de lui.

Par disgrâce, il entendait mariée, sans enfants et repartie vivre chez ses parents, ou pire, livrée à elle-même.

La plupart des enquêtes prénuptiales ne posaient aucune difficulté. Toutefois, Puri se voyait régulièrement contraint d'en refuser, tant elles étaient nombreuses.

Celle de Ramesh Goel, en revanche, se révélait plus complexe : Singla avait dû payer le service le plus cher proposé par l'agence, le « Complet prénup-

1. L'Impératrice des Indes. (*N.d.T.*)

tial cinq étoiles ». Les comptes en banque des parents de Ramesh Goel avaient été épluchés avec minutie par des experts-comptables.

L'épais dossier posé sur le bureau du détective attestait les longues heures passées sur l'affaire : relevés bancaires, comptes rendus d'enregistrements téléphoniques, tickets de cartes de crédit, tous acquis par des moyens fort peu légaux.

Rien dans les opérations financières de la famille Goel ne prêtait à suspicion. Seules les preuves photographiques s'avéraient accablantes.

Puri étala une série de clichés sur le bureau, afin que son client puisse les examiner. Mis côte à côte, ils racontaient une histoire édifiante : deux nuits plus tôt, Goel s'était rendu dans une boîte à la mode avec des amis. Sur la piste, il avait croisé Facecream, perchée sur des talons aiguilles, vêtue d'une jupe de cuir ultra-courte et d'un petit haut moulant. Ils avaient dansé, puis Goel, se présentant sous le nom de Romey Butter, lui avait proposé de boire un verre. Devant son refus, il avait insisté.

— Allez, chérie, je vais te faire démarrer au quart de tour…

Après quelques Tequila rapido, ils étaient retournés danser, cette fois de manière plus sensuelle… À la fin de la soirée, Facecream, prétendant s'appeler Candy, lui avait donné son numéro de téléphone.

— Le soir suivant, expliqua Puri, Goel s'est présenté au domicile de la jeune femme, au 2/12, bloc A, Safdarjung Enclave. Après deux whiskys, il a commencé à vouloir folâtrer, disant – je le cite – et joignant le geste à la parole : « Tu veux voir mon gros engin, chérie ? » Malheureusement pour lui, Candy avait versé un somnifère dans son verre. Bientôt notre homme ronflait comme un sonneur. Une heure plus tard, il s'est réveillé nu dans un lit, convaincu d'avoir couché avec Candy, qui l'a assuré qu'il était « le meilleur coup qu'elle ait jamais connu ».

Goel avait alors parlé de son mariage, traitant sa fiancée, Vimi Singla, de « salope prétentieuse et stupide ». Il avait proposé à Candy de devenir sa maîtresse, ajoutant : « Je serai bientôt riche, chérie. Tu auras tout ce que tu voudras. »

Puri tendit le dernier cliché à son client. On y voyait Goel quittant l'appartement de Candy, un sourire radieux aux lèvres.

— Il y a autre chose, monsieur. Nous avons vérifié le cursus de Ramesh Goel. Certes, il a passé trois ans à Cambridge, mais sans assister à un seul cours. En réalité, il fréquentait un institut universitaire de technologie et passait son temps à boire et à courir les jupons.

Le détective s'interrompit pour reprendre sa respiration.

— Monsieur, comme je vous l'ai déjà signalé, mon travail consiste à rassembler des faits et présenter des preuves. C'est tout. Je suis détective privé, dans tous les sens du mot « privé ». La discrétion est ma devise. Soyez certain que notre affaire restera strictement confidentielle.

Il se cala contre le dossier de son fauteuil et attendit la réaction de Sanjay Singla. Elle vint enfin, en pendjabi.

— *Saala maaderchod !*

Sur ces mots peu aimables, l'industriel rassembla les clichés et les rangea en vrac dans le dossier.

— Vous m'enverrez la note, Puri, lança-t-il pardessus son épaule en se dirigeant vers la porte.

— Très bien, monsieur. Et si je peux vous être…

Sanjay Singla était déjà parti.

Il allait sans aucun doute rentrer chez lui faire annuler le mariage.

D'après ce que Puri avait lu dans les chroniques mondaines des journaux, son client en serait de sa poche pour des millions et des millions de roupies. La famille avait sûrement déjà réservé l'*Umaid Bhavan Palace* de Jodhpur, au Rajasthan, payé le voyage à Céline Dion et loué les fontaines de cristal Swarovski.

Le détective poussa un profond soupir.

La prochaine fois, la famille Singla songerait peut-être à consulter l'agence Détectives Très Privés avant d'envoyer quatre mille invitations avec en-tête en relief gravé à la feuille d'or.

3

Les semelles de caoutchouc des nouvelles chaussures de Puri crissaient sur le dallage de marbre du club Gymkhana. En l'entendant, Sunil, le réceptionniste, leva les yeux de derrière son comptoir. Le téléphone collé à l'oreille, il marmonnait de façon mécanique « *Ji*, madame, OK, madame, pas de problème, madame ». Il salua Puri d'un signe de tête, puis lui dit à voix basse, paume contre le récepteur :

— Un gentleman vous attend, monsieur.

Il arrivait parfois qu'un client potentiel attendît Puri au club. Les gens de la bonne société, soucieux de leur intimité, préféraient ne pas être vus entrant ou sortant du bureau d'un détective.

— M. Ajay Kasliwal, n'est-ce pas ?

— Oui, monsieur. Arrivé il y a une demi-heure.

Puri le remercia d'un hochement de tête et alla examiner le tableau d'affichage. Le secrétaire, le colonel à la retraite P.V.S. Gill, avait punaisé un nouvel avis, tapé sur le papier à en-tête du club, et passé au blanc au moins à cinq endroits :

AVIS

LA DIFFÉRENCE ENTRE UNE CHEMISE ET UNE CHEMISE DE BROUSSE EST LA SUIVANTE :

Contrairement à la chemise, le haut de la chemise de brousse ressemble à celui d'une saharienne

Phrase sibylline, et pourtant limpide aux yeux de Puri (persuadé que quiconque arrivant au club vêtu d'une chemise de brousse ou a fortiori d'une saharienne en comprendrait sur-le-champ la signification). Son regard glissa vers la note suivante, émanant du sous-secrétaire, qui rappelait que les *ayahs* n'étaient pas autorisées à pénétrer sur les courts de tennis. Le bibliothécaire en chef avait également affiché l'annonce d'une collecte destinée au rachat des œuvres complètes de Rabindranath Tagore, ces dernières ayant été « à la suite de circonstances regrettables et imprévues » totalement détruites par les rats.

Le détective passa alors à la lecture du menu du soir. Comme tous les mercredis, soupe *Mulligatawny* ou salade russe en entrée ; pour le plat principal, on pouvait choisir entre curry aux œufs, chou cuit au four avec accompagnement de frites ou *shepherd's pie*[1] ; en dessert, glace *tutti frutti* ou charlotte à la mangue.

La pensée d'une glace à la vanille et aux fruits confits titilla ses papilles de gourmand ; il regretta de ne pas être venu déjeuner au club. Car, suivant à la lettre les instructions du Dr Mohan, Rumpi garnissait tous les jours le *tiffin* de son époux d'un plat de lentilles et de salade.

Il se détourna à regret du menu pour parcourir la liste des nouveaux candidats à l'adhésion au club. Certains noms lui étaient connus, pour la plupart des fils ou filles de membres du Gymkhana. Quant aux autres, il les consigna dans son calepin.

1. Sorte de hachis Parmentier. (*N.d.T.*)

Pour rendre service au colonel Gill, Puri vérifiait les antécédents des postulants inconnus des cercles huppés de Delhi. Sa tâche se résumait à passer deux ou trois coups de téléphone discrets, faveur que Puri se faisait un plaisir d'accorder gracieusement – les critères de sélection se devant de rester draconiens. Récemment, quelques nouveaux venus avaient postulé ; parmi eux, un roi des boissons alcoolisées. Puri avait eu raison de retenir sa candidature : la veille, dans les pages « société » de l'*Hindustan Times*, on racontait qu'il venait d'acquérir la première Ferrari du pays.

Le détective glissa son calepin dans la poche intérieure de sa saharienne et quitta la réception.

D'habitude, il se rendait au bar en traversant la salle de bal, évitant ainsi de passer devant le bureau de la colonelle Gill, femme autoritaire et insupportable qui s'occupait de la gestion du club pendant que son époux jouait aux cartes dans la salle de rami. Elle considérait Puri comme un arriviste. Ce fils d'un simple policier de Delhi-Ouest ne devait son adhésion à cet établissement béni qu'à l'intervention de son épouse Rumpi, fille d'un colonel à la retraite lui-même membre du Gymkhana.

Hélas, ce jour-là on procédait à la réfection de la salle de bal : une dizaine de décorateurs couverts de peinture, debout sur des échafaudages de bambou tenus par des cordes, appliquaient des couches de blanc brillant, couleur uniformément utilisée à l'intérieur comme à l'extérieur du club. Puri n'eut donc d'autre choix que d'emprunter le couloir sur lequel donnait le bureau de Mme Gill.

Il avança à pas de loup, soucieux de ne pas faire crisser ses nouvelles chaussures, fabriquées sur mesure pour compenser une légère boiterie due à une jambe plus courte que l'autre. Les murs du couloir étaient décorés de photographies anciennes où l'on voyait des gentlemans britanniques en haut-de-forme et queue-de-pie prendre la pose dans des paysages champêtres. Toujours sur la pointe des pieds, Puri passa devant la salle de bridge, les toilettes des dames et la porte du bureau de Mme Gill, qui s'ouvrit à la volée, comme si la principale occupation de la colonelle était de guetter l'arrivée du détective.

— Quel est ce couinement étrange, monsieur Puri ? s'écria-t-elle d'une voix stridente. Vous en faites un raffut !

Ses chairs flasques débordaient des plis de son sari aux couleurs criardes.

— Je crains qu'il ne soit dû aux semelles de mes chaussures, madame.

Celle-ci jeta un regard dégoûté en direction des pieds responsables du délit.

— Monsieur Puri, le règlement concernant les chaussures est très clair. Référez-vous à la clause 29, paragraphe D : le port de chaussures de ville est obligatoire.

— Je porte des chaussures orthopédiques, madame.

— Ridicule ! Chaussures de ville uniquement ! fit la colonelle avant de battre en retraite dans son bureau.

Puri poursuivit son chemin, en se promettant de ne jamais remettre de souliers neufs pour venir au club. Il ne faisait pas bon se frotter à ces femmes du Pendjab ; elles pouvaient se montrer des adversaires bien plus redoutables que les caïds de la mafia de Bombay. Puri en avait fait l'expérience.

— Mon Dieu, vivre soixante ans auprès d'une pareille mégère, marmotta-t-il. Je me demande ce que le colonel a pu faire dans sa vie antérieure pour mériter une telle harpie.

Il poussa la porte du bar, heureux de pénétrer dans ce lieu paisible qui représentait à ses yeux le seul endroit civilisé de tout Delhi : un havre de sérénité où un gentleman pouvait déguster un ou deux verres de whisky en bonne compagnie – même si quelques-uns des membres faisaient mine de ne pas le connaître.

Le juge Suri était assis dans un coin de la salle, dans son fauteuil préféré, fumant la pipe et lisant la *Revue indienne de droit international*. Puri reconnut également Shonal Ganguly, professeur d'histoire à l'université de Delhi, accompagné de son épouse. Près de la cheminée, L.K. George somnolait, avachi dans son fauteuil. Cet ancien industriel, qui avait légué toute la fortune familiale à la Ligue de protection des vaches sacrées et de leur progéniture, vivait désormais dans une pension de famille décrépite de Racecourse Road. Puri aperçut également le général de division Duleep Singh, accoudé au bar en compagnie de son fils aîné, un chirurgien habitant le Maryland, et venu lui rendre visite.

Hormis les serveurs, la seule autre personne présente était un gentleman à l'allure distinguée, attablé près d'une porte-fenêtre, devant un verre vide. À le voir, le front plissé, plongé dans de sombres pensées, Puri se douta qu'il s'agissait là de son client.

— Monsieur, pouvez-vous me rappeler votre nom ? demanda-t-il en s'approchant de l'inconnu.

Le gentleman se leva pour lui serrer la main. Malgré la fraîcheur ambiante, sa paume était moite.

— Ajay Kasliwal. Monsieur Vish Puri, je suppose ? Heureux de vous rencontrer. Bunty Bannerjee m'a parlé de vous. Il m'a dit que je pouvais vous trouver ici presque tous les soirs. Au fait, il vous passe le bonjour.

— Comment va ce vieux gredin ? Il y a si longtemps que je ne l'ai pas vu !

— Très bien, ma foi. Pas de quoi se plaindre. Les tracas habituels, répondit Kasliwal avec un petit rire amusé.

— Tout va bien pour lui ?

— Parfaitement. Il prospère.

— Son entreprise tourne bien ?

— Ses affaires sont florissantes.

Puri invita Kasliwal à se rasseoir, avant de se laisser choir dans un fauteuil, dont le coussin, sous son poids, laissa échapper un soupir de vieux soufflet.

— Vous prendrez bien quelque chose ?

— Avec plaisir.

Puri claqua des doigts et, aussitôt, un serveur âgé, qui travaillait au club depuis bientôt quarante ans, s'approcha de la table. Le pauvre homme était un peu dur d'oreille et Puri dut hausser le ton pour passer la commande.

— Deux Royal Challenge-sodas et deux toasts au fromage, bien pimentés !

Le serveur hocha la tête, prit le verre vide de Kasliwal, plaça une coupelle de noix de cajou sur la table, dont il essuya lentement la surface. L'opération dura une bonne minute, ce qui permit à Puri d'étudier la physionomie de son client. Un quadragénaire issu d'un milieu privilégié et prenant soin de son apparence : ongles impeccables, lentilles de contact, cheveux poivre et sel rejetés en arrière. La montre, les chevalières en or et le stylo, en or lui aussi, dépassant de sa poche de chemise, ne laissaient aucun doute quant à sa fortune. Il émanait de lui sérieux et intelligence, mais, dans son regard sombre, Puri décela un certain combat intérieur.

— *Accha*, dit Kasliwal en se penchant en avant, sourcils froncés, quand le serveur se fut enfin retiré. Premièrement, Puri-ji, il vous faut comprendre une chose : je ne suis pas homme à céder à la panique.

Il parlait anglais avec un fort accent et avait tendance à rouler les « r ».

— Croyez-moi, j'ai dû vaincre de nombreux obstacles et relever bien des défis dans mon existence. Je peux vous l'affirmer sans me vanter. Et je me targue d'être un honnête homme. Demandez autour de vous, tout le monde vous le dira : Ajay Kasliwal est un homme honnête à cent pour cent ; cent cinquante pour cent même ! Puri-ji, on vous dit intègre et discret, c'est pourquoi je fais appel à vous. J'irai droit au but. Je me trouve dans une situation très délicate – je dirais même une situation critique, qui pourrait bien causer ma perte. J'ai donc sauté dans le premier avion pour venir vous voir…

— Vous êtes avocat à Jaipur, n'est-ce pas ? l'interrompit Puri.

Kasliwal parut déconcerté.

— C'est vrai, mais comment… ? Ah, Bunty vous a renseigné, je suppose.

Puri adorait impressionner ses clients par son sens de la déduction, en dépit de la simplicité de ses observations.

— Non, Bunty n'a rien à voir à l'affaire. Le monogramme de la Société des avocats indiens sur votre cravate et le style de votre serviette m'amènent à conclure que vous êtes un homme du barreau. Je remarque du sable rouge du Rajasthan sur vos chaussures. Vous avez mentionné que vous êtes venu en avion, et le réceptionniste m'a dit que vous étiez là depuis une demi-heure. J'en déduis que vous êtes arrivé par le vol de dix-sept heures en provenance de Jaipur.

— Étonnant ! se réjouit Kasliwal. Bunty m'avait prévenu que vous étiez doué, mais là, vraiment, je n'en reviens pas !

L'avocat se pencha un peu plus en avant, jetant des coups d'œil furtifs autour de lui pour s'assurer que personne ne les écoutait. Les serveurs s'activaient au bar et les membres du club ne leur prêtaient aucune attention.

— Hier, j'ai eu la visite de la police. Quelqu'un a porté plainte contre moi…

Il tendit à Puri la photocopie d'un rapport d'enquête préliminaire. Le détective le lut avec soin.

— On vous demande de présenter une dénommée Mary dans les sept jours qui viennent, c'est bien ça ? conclut-il en lui rendant le document. Qui est cette Mary ?

Avant que Kasliwal puisse répondre, le serveur revint avec les boissons et les toasts. Il déposa le tout sur la table, sans se presser, puis tendit la note à Puri. Le club n'acceptant pas les espèces, toutes les factures du bar et du restaurant devaient être contresignées. Ce procédé générait une paperasserie qui fournissait du travail à pas moins de quatre comptables ! Puri dut parapher la note pour les whiskys, une autre pour le double scotch que son client avait commandé en arrivant et une troisième pour les toasts, sans compter une signature sur le registre des invités.

Plusieurs minutes s'écoulèrent donc avant que Kasliwal puisse répondre à sa question.

— Mary était employée de maison, elle s'occupait du ménage, du linge…

— Où est-elle, aujourd'hui ?

— Je n'en ai pas la moindre idée. Elle nous a quittés voilà deux mois, peut-être trois. Une nuit, elle a disparu. Je n'étais pas à mon domicile ce soir-là. J'avais du travail.

Puri grignotait son toast tout en l'écoutant.

— Mon épouse dit que Mary a volé quelques babioles avant de s'enfuir. Le bruit court que…

Kasliwal but une gorgée de whisky.

— Il n'y a pas un mot de vrai là-dedans. Vous savez, Puri-ji, la rumeur…

— Certainement, monsieur Kasliwal. L'Inde est un gigantesque moulin à rumeurs. Dites-moi donc quel est ce bruit qui court.

— J'aurais mis Mary enceinte et me serais débarrassé d'elle.

— Mon Dieu !

— Une plainte a été déposée contre moi, et, comme vous le savez, la police doit ouvrir une enquête.

Puri sortit des poches de sa saharienne son calepin et l'un de ses quatre stylos. Il griffonna quelques notes avant de s'enquérir :

— A-t-on retrouvé un corps ?

— Grand Dieu non ! La police a fouillé la maison et les terrains alentour. Des journalistes sont venus jusqu'au seuil de ma porte interroger les domestiques.

— On dirait que quelqu'un cherche à ruiner votre réputation…

— Exactement ! Vous avez vu juste, Puri-ji !

L'avocat expliqua qu'au cours des dernières années il avait plaidé plusieurs affaires litigieuses devant la Cour suprême du Rajasthan. Il n'était pas le seul : beaucoup d'avocats intègres et même des particuliers n'hésitaient plus à passer par la justice, sur tout le territoire indien, pour demander des comptes aux autorités régionales et nationales jugées incompétentes.

— J'ai eu gain de cause contre la mafia de l'eau, et réussi à empêcher des forages illégaux dans les zones les plus sèches de l'État. Mais le système judiciaire est tellement corrompu que le match est inégal. Si bien qu'au début de cette année, j'ai décidé de m'attaquer aux juges eux-mêmes en lançant une campagne publique pour les contraindre à déclarer leurs revenus.

Puri sirotait son whisky. Du coin de l'œil il vit le général Duleep Singh et son fils quitter le bar.

— Vous avez dû vous faire pas mal d'ennemis en route.

— Au début, ils ont tenté de m'acheter, mais je ne suis pas du genre à trafiquer les balles. Je les ai envoyés sur les roses. Qu'ils aillent au diable ! Résultat, ils essaient de me coincer par tous les moyens. Ils ont sauté sur cette histoire d'employée disparue pour salir mon nom.

— Apparemment, il n'y a pas de preuves solides, donc vous n'avez pas trop de souci à vous faire.

— Allons, Puri-ji, nous sommes en Inde ! Ils peuvent me chercher noise pendant des années !

Puri acquiesça ; il savait les souffrances qu'une interminable procédure judiciaire peut infliger à une famille. La similitude entre le système judiciaire indien et la cour de justice anglaise décrite par Dickens dans *La Maison d'Âpre-Vent* était frappante.

— Les circonstances sont peu banales, dit-il enfin. Que puis-je faire pour vous ?

— Puri-ji, retrouvez-la, je vous en conjure !

— Quel est son nom de famille ? demanda le détective en mordant dans son toast.

Kasliwal haussa les épaules.

— Je l'ignore. Elle était là depuis deux mois. Une indigène, je crois.

— Avez-vous une photo d'elle, des objets personnels, une preuve de son identité ?

— Rien de tout cela, hélas !

— Elle avait des références ? La police de Jaipur avait contrôlé ses papiers ?

Kasliwal secoua la tête sans répondre.

— Monsieur, si je comprends bien, vous me demandez de retrouver une jeune indigène qui s'appelle Mary je-ne-sais-quoi et dont vous ignorez l'origine ?

— Exactement.

— Avec tout le respect que je vous dois, vous vous moquez de moi.

— J'aime beaucoup la plaisanterie, mais là je ne plaisante pas, je vous assure. Un professionnel aussi brillant que vous ne devrait avoir aucune difficulté à la localiser. Ce devrait être un jeu d'enfant.

Puri n'en croyait pas ses oreilles.

— Un jeu d'enfant ? Retrouver une gamine dans un pays qui compte un milliard d'habitants ? Cela va prendre un temps fou et coûter beaucoup d'argent, même avec le meilleur des détectives. Il ne suffira pas de la chercher dans l'annuaire !

Puri expliqua à son client qu'il se faisait payer à la journée et qu'il réclamait une avance de quinze jours, frais non compris. En entendant la somme réclamée, Kasliwal faillit avaler son whisky de travers.

— Tant que ça ? Allons, Puri-ji, il nous faut trouver un terrain d'entente. Vous savez, je suis un peu serré en ce moment.

— Je ne travaille pas pour des clopinettes, monsieur, et je n'ai pas l'habitude de marchander, affirma Puri en terminant son toast. Mon tarif n'est pas négociable.

Kasliwal réfléchit et sortit son chéquier en soupirant.

Puri vida son verre.

— Soyez assuré que je retrouverai cette jeune fille, par tous les moyens. Si je devais échouer, je vous rendrais votre argent, après déduction des frais. Ah, encore un détail…

L'avocat, occupé à rédiger le chèque, leva les yeux.

— Je n'accepte que les espèces, les chèques de banque ou les virements électroniques, expliqua le détective en souriant.

4

Un bruit d'eau gouttant dans le seau vide de la salle de bains réveilla Puri, vers six heures trente, heure à laquelle le secteur 4 recevait sa ration d'eau quotidienne. Chaque famille allait remplir casseroles, bouteilles, seaux, jerrycans, bref tout récipient susceptible de recueillir l'eau de la journée.

Puri se redressa contre ses oreillers et tourna la tête vers le lit jumeau ; il ne fut pas surpris de le voir vide. Au cours des vingt-six dernières années, Rumpi s'était toujours levée à cinq heures du matin, même au stade le plus avancé de ses trois grossesses pour chacune de ses filles. En épouse dévouée, elle quittait sa couche dès l'aube pour veiller au bon fonctionnement de la maisonnée. Elle devait être au rez-de-chaussée, en train de battre le beurre pour lui préparer ses *rotis* ; ou peut-être, dans la chambre voisine, enduisait-elle ses longs cheveux d'huile de moutarde.

Le détective tendit la main vers l'interrupteur, qui, tout comme le réveil et la pendule, était encastré dans la tête de lit en simili-acajou. La lumière refusant de s'allumer, Puri jeta un coup d'œil à la prise anti-moustiques, de lueur rouge : point. Le secteur 4 subissait encore un délestage d'électricité.

Il jura dans sa barbe, saisit sa torche et se leva. Ses chaussons monogrammés à ses initiales l'attendaient bien sagement, posés côte à côte, à l'endroit où il les avait placés la veille au soir. Il glissa ses pieds dans la doublure fourrée et attrapa sa robe de chambre en soie. Sa collection de casquettes de tweed (il en avait quatorze) était alignée sur l'étagère supérieure de la penderie. Il choisit celle à carreaux écossais, l'ajusta sur son crâne, puis s'examina dans la glace avant de redresser d'une pichenette le mouchoir de soie dépassant de la poche de la robe de chambre. Satisfait du résultat, il sortit sur le palier.

Le faisceau de sa lampe électrique balaya le dallage de marbre du vestibule, éclairant au passage l'imposant Ganesh en métal argenté et les pieds dorés du guéridon sur lequel trônait un vase de tournesols en plastique. Puri s'avança vers l'escalier et s'arrêta en entendant des fous rires monter de la cuisine. Il reconnut la voix du nouveau boy, Sweetu, qui, au lieu de vaquer à ses occupations, plaisantait avec Monica et Malika. Ne parvenant pas à saisir leur conversation, il fila sur la pointe des pieds vers son bureau, une pièce dans laquelle personne, excepté Rumpi qui le dépoussiérait tous les vendredis, n'était autorisé à entrer. Il n'existait que deux clés permettant d'ouvrir la porte ; l'une accrochée en permanence au porte-clés de Puri, l'autre cachée dans la pièce à prières, au fond d'un compartiment secret de l'autel.

Tout comme celui de l'agence, le bureau de Puri était meublé avec simplicité ; dans un coin, un coffre-fort résistant au feu contenait ses documents privés, des dossiers importants, des faux papiers, son testament, cent mille roupies en liquide, quelques bijoux appartenant à Rumpi (les autres se trouvant dans un coffre, à la banque) et un pistolet .32 IOF[1] chargé.

1. Copie du Colt .32, usinée dans les armureries de l'armée indienne. (*N.d.T.*)

Sitôt assis à son bureau, Puri prit dans l'un des tiroirs un récepteur à piles branché sur la fréquence du mouchard dissimulé dans la cuisine. Il l'alluma, enfonça l'écouteur dans son oreille gauche, régla le volume et se cala dans son fauteuil.

Rumpi réprouvait cette manie d'épier les domestiques, mais Puri avait pour principe de placer sur écoute tout nouvel employé, que ce soit chez lui ou à l'agence. Dans ses enquêtes, il comptait lui-même sur le petit personnel pour lui fournir des renseignements ; et il chargeait souvent ses agents d'infiltrer la domesticité des maisons qu'il devait surveiller. Comptant quelques ennemis dangereux et des concurrents indélicats, Puri protégeait farouchement sa vie privée : il devait s'assurer en permanence de la loyauté de ses employés et qu'aucun ne révélait involontairement des détails de ses affaires aux parties intéressées.

De plus, il savait les domestiques parfois très paresseux. Certains gamins venus des campagnes, comme Sweetu, s'imaginaient qu'en ville les gens n'avaient pas besoin de travailler et croyaient pouvoir en faire autant. Vivre dans un environnement moderne, luxueux comparé à leur habitat traditionnel, pouvait leur donner l'illusion des grandeurs. Le boy que Sweetu avait remplacé avait eu l'audace de culbuter une petite bonne dans le propre lit de Puri, un jour où Rumpi était allée rendre visite à sa sœur. Le détective, rentré plus tôt que prévu dans l'après-midi, les avait surpris en pleins ébats.

Il passa dix minutes à écouter les domestiques parler du dernier film de Shah Rukh Khan, dans lequel le célèbre acteur tenait deux rôles. Conversation bien innocente, mais, de toute évidence, ce fainéant de Sweetu empêchait Monica et Malika de travailler. Puri décida d'y mettre le holà et de réprimander le garçon. Il éteignit le récepteur, ferma la porte du bureau à double tour et sortit sur le palier.

— Sweetu ! s'égosilla-t-il. Sweetu !

Le boy, alerté par la voix du maître de maison, sortit de la cuisine en traînant des pieds.

— Bonjour, *sahib*, bredouilla-t-il.

— Alors, Sweetu, on feignasse ? Je ne te paye pas pour t'entendre discuter des exploits de Shah Rukh !

— Mais, sahib, je…

— Pas de discussion ! Et mon thé ?

— Sahib, y a pas d'électricité…

— Dis à Malika de me l'apporter sur le toit. Et que je ne vous entende plus jacasser !

Puri monta à l'étage, content de lui : un gamin de quinze ans, orphelin, avait parfois besoin d'être rappelé à l'ordre. Cependant, pour rien au monde Vish Puri n'aurait injurié, exploité ou maltraité ses employés, comme hélas il voyait beaucoup d'autres le faire. Du moment qu'ils se montraient loyaux et travailleurs, il s'occupait personnellement de leurs intérêts. Par exemple, il s'était débrouillé pour que Sweetu aille à l'école deux fois par semaine, afin d'apprendre à lire et à écrire. Dans quelques années, il l'aiderait à trouver une épouse convenable.

Chanakya ne lui avait-il pas enseigné qu'il était du devoir des privilégiés de veiller sur les défavorisés ?

Puri parvint sur le toit-terrasse de la maison. Le disque du soleil montait dans ce qui aurait dû être un ciel de pur azur, mais un voile opaque de poussière et de fumées recouvrait Delhi, étouffant la ville telle une malédiction védique.

Neuf ans plus tôt, pour échapper à la pollution du centre-ville, Puri avait acheté ce terrain, à Gurgaon, situé à plusieurs kilomètres des quartiers sud-ouest de la capitale. Il leur avait fallu presque deux ans pour construire le logis de leurs rêves, une maison de style hispanique, toute blanche, entièrement meublée en baroque pendjabi, avec de jolies avancées couvertes de tuiles orangées.

Sur le toit, Puri avait créé un jardin de plantes en pots, dont il s'occupait amoureusement tous les matins à l'aube.

À l'époque, où que l'on se tournât, on avait une vue à couper le souffle sur les champs de moutarde miroitant au soleil et, le soir, sur les ombres obliques des huttes de pisé. Les chevriers suivaient leurs troupeaux le long des sentiers qui délimitaient la terre en parcelles à la géométrie complexe. Les paysans labouraient avec des charrues en bois tirées par des bœufs, soulevant des nuages de poussière. Les femmes revenaient du puits, pieds nus, vêtues de couleurs éclatantes, de lourds pots de cuivre en équilibre sur la tête.

Loin du bourdonnement de la circulation citadine et du vrombissement des avions à l'approche de l'aéroport international Indira Gandhi, Puri était salué par le cri aigre des paons et le rire des enfants se lavant près du puits. Quand le vent était favorable, il apportait l'odeur des *chapattis* cuisant sur les feux de bouses séchées et le parfum du jasmin qui grimpait le long du mur.

Puri ignorait à l'époque qu'en construisant sa maison à Gurgaon, il était l'un des précurseurs d'un vaste mouvement de migration. Son déménagement du quartier de Pendjabi Bagh, à l'ouest de Delhi, avait coïncidé avec l'explosion des sociétés de services ayant suivi la libéralisation de l'économie. À la fin des années 1990, Gurgaon, devenue la grande banlieue de la capitale, connut un développement immobilier sans précédent. Tout d'abord, quelques tours de verre surgirent de terre le long de la route qui menait au Rajasthan. Puis, un par un, les paysans du coin vendirent leurs terres qui disparurent sous les traces des bulldozers et des tombereaux chargés de déblais.

À leur place, on vit fleurir des lotissements aux noms ronflants, gardés par des vigiles, comme en Floride ; chacun possédait école, centre médical, boutiques, clubs de remise en forme et galeries marchandes.

Des superstructures de béton surgirent à l'horizon comme des esquilles d'os échappées du corps de la terre. Bâtis par des ouvriers maigres et musclés qui rampaient comme des fourmis sur les échafaudages de bambou, ces immeubles hébergeaient les personnels des centres d'appels et des firmes de développement de logiciels. LE LUXE A UN NOM : RÉSIDENCE DU PARADIS, et DÉCOUVREZ LE MODE DE VIE D'UN PALAIS VÉNITIEN. D'innombrables panneaux publicitaires vantant ces merveilles immobilières invitaient les nouveaux riches à venir partager ce rêve.

Rêve construit sur le dos des classes défavorisées, arrivées à Gurgaon par dizaines de milliers des quatre coins du pays, et qui travaillaient pour un salaire de misère. Les autorités locales, pas plus que les promoteurs, ne leur ayant fourni de logements, ils s'étaient pour la plupart construit des baraques sur les chantiers, le long des briqueteries et des usines. On avait vu se développer un no man's land de bicoques en tôle ondulée, où les eaux usées couraient à même le sol.

Désormais, la famille Puri vivait entre un quartier de cinq cents maisons bâties le long de rues rectilignes, dont le nom se résumait à une lettre de l'alphabet suivie d'un numéro, et un bidonville dont la population laborieuse s'accroissait de jour en jour. Au nord, la vue était bouchée par des pylônes et, plus loin, par des barres d'immeubles de bureaux hérissées d'antennes satellites.

La pollution avait aussi fini par les rattraper. La nouvelle autoroute à quatre voies drainait une circulation intense, empoisonnant l'atmosphère de rejets de gaz d'échappement ; des norias de camions soulevaient en permanence des nuages de poussière.

Dans ces conditions, Vish Puri avait bien du mal à garder ses plantations en bonne santé. Chaque matin, il montait sur son toit armé d'un vaporisateur pour laver leur feuillage. Et chaque matin, il les trouvait couvertes d'une nouvelle couche de poussière.

Il s'occupait de son ficus quand Malika lui apporta du thé et des biscuits. Elle posa le plateau sur la table de jardin.

— *Namaste*, monsieur, dit-elle avec un sourire timide.

— Bonjour, Malika.

Puri était toujours content de voir la jeune femme, à leur service depuis six ans, toujours gaie, aimable, travailleuse, en dépit d'un mari alcoolique, d'une belle-mère acariâtre et de deux enfants en bas âge.

— Comment allez-vous, monsieur ? demanda-t-elle, toujours disposée à pratiquer l'anglais qu'elle apprenait en regardant des feuilletons américains à l'eau de rose sur Star TV.

— Je vais très bien, merci, répondit Puri. Et vous ?

Malika voulut répondre, se mit à pouffer de rire, rougit et partit en courant.

Le détective sourit et but un peu de thé avant de se remettre au travail. Il baigna le ficus puis se rendit à l'autre bout de la terrasse, qui donnait vers l'est, où poussaient six précieux plants de piments. Il les avait semés lui-même (les graines lui avaient été envoyées d'Assam par un ami ; c'étaient les piments les plus brûlants que Puri eût jamais goûtés). Il fut heureux de constater qu'après plusieurs semaines de soins et d'arrosages intensifs ils commençaient à porter des fruits.

Il vaporisa les feuilles de l'un des plants et les essuyait avec amour quand le pot lui explosa dans les mains. Une fraction de seconde plus tard, une balle siffla à ses oreilles et alla crever la citerne d'eau posée sur un socle derrière lui.

Non sans difficulté, étant donné sa corpulence, Puri parvint à se coucher à terre. Une troisième balle fit éclater un autre pot et Puri fut arrosé de terre et de tessons de poterie. Une quatrième, puis une cinquième balle vinrent se ficher dans le mur. Il resta cloué au sol, le front sur le dallage, le souffle court et le cœur battant à tout rompre.

Une sixième balle siffla au-dessus de sa tête, crevant la citerne pour la seconde fois. L'eau commença à couler à flots, trempant la belle robe de chambre en soie. Puri décida alors de ramper vers la cage d'escalier. S'il parvenait à son bureau, il pourrait prendre le pistolet rangé dans le coffre et poursuivre le tireur. Il lui vint à l'esprit qu'il aurait besoin d'enfiler des chaussures : il abîmerait ses beaux chaussons s'il devait se livrer à une chasse à l'homme dans les bidonvilles.

Au moment où il atteignait la porte, celle-ci s'ouvrit à la volée, le heurtant en plein front. Il vit double, puis ne vit plus rien du tout.

5

Quand il revint à lui, Rumpi, agenouillée à ses côtés, lui faisait respirer des sels, Malika et Monica l'observaient d'un air anxieux et, devant la porte maudite, Sweetu se tordait les mains de désespoir.

— Je l'ai pas fait exprès, sahib ! J'ai entendu des coups de feu, je suis monté en courant et j'ai poussé la porte… Je savais pas que vous étiez là ! Vous allez pas mourir, sahib…

Puri se sentait nauséeux, la tête lui tournait. Il lui fallut plusieurs minutes avant de pouvoir fixer ses pensées et chuchoter :

— Pour l'amour du ciel, Rumpi, dis à ce garçon de se taire et de disparaître de ma vue.

Rumpi tranquillisa Sweetu : le sahib allait bien. Il pouvait retourner travailler. Le garçon, rassuré, en conclut que la vie valait encore la peine d'être vécue et redescendit en cuisine, les deux jeunes femmes sur les talons.

Rumpi appliqua une poche de glace sur le front douloureux de son époux.

— Dieu merci, tu vas bien, Chubby, murmura-t-elle tendrement. J'ai cru que tu avais été tué.

— Si je n'avais pas eu le réflexe de me jeter à terre, tu aurais devant toi mon cadavre. Je rampais vers la porte quand cet idiot de Sweetu est arrivé.

Sinon, j'aurais pu rattraper le tireur, sans problème !

— Oh, Chubby, tu es injuste... Ce garçon n'y est pour rien. Il voulait juste t'aider. Comment te sens-tu ?

— Mieux, beaucoup mieux. Une bonne tasse de chai et je serai à nouveau frais comme la rose.

Puri se remit lentement sur son séant, prit la poche de glace des mains de sa femme et l'appliqua sur son front.

— Dis-moi, quelqu'un a-t-il vu le tireur ?

— Je ne crois pas. J'étais dans la salle de bains, et les autres à la cuisine. J'ai entendu les coups de feu, puis Sweetu qui hurlait que tu étais mort. Nous sommes toutes montées en courant.

— As-tu appelé la police ?

— J'ai essayé plusieurs fois, Chubby, mais je tombe toujours sur le même message : « Ce numéro n'est pas attribué. » Veux-tu que j'essaie à nouveau ?

— Oui, s'il te plaît. Il faut qu'ils viennent dresser un procès-verbal. À mon avis, ils ont encore oublié de régler leur facture de téléphone. J'ai entendu dire qu'ils avaient des années d'impayés ; leurs lignes ont dû être coupées. Si tu ne parviens pas à les joindre, envoie Sweetu leur dire qu'une espèce de voyou a tenté d'expédier Vish Puri sur le bûcher funéraire, mais qu'il a échoué.

Un officier, accompagné de quatre agents, arriva une heure plus tard. Après avoir arpenté le toit d'un pas lourd, ils conclurent que les tirs venaient du terrain en friche situé derrière la maison.

La fouille dudit terrain n'ayant rien donné, les policiers, comme on pouvait s'y attendre, tournèrent leur attention vers les domestiques.

— Neuf fois sur dix, l'assassin fait partie du personnel, affirma le gradé, péremptoire.

Il posa donc à Monica, Malika et Sweetu des questions très orientées qui n'aboutirent à rien. Tous trois ayant juré de leur innocence, l'officier annonça à Puri qu'il soupçonnait fortement un « complot domestique ». Sweetu était son principal suspect.

Puri décida de jouer le jeu.

— Vous pensez qu'il est dangereux ?

— J'aimerais l'embarquer au poste pour lui faire cracher la vérité !

Puri fit mine de réfléchir sérieusement à la proposition et déclara :

— Au fond, mieux vaut qu'il reste ici. Je le tiendrai à l'œil. Il finira bien par m'amener jusqu'au tireur…

Il raccompagna les policiers à la porte, regarda la voiture s'éloigner en songeant à leur stupidité crasse et remonta sur le toit.

L'examen minutieux des trous laissés par l'impact des balles dans la citerne et sur le mur prouvait que le tireur s'était positionné sur le toit de l'immeuble en construction situé à quelques mètres à l'est de la maison des Puri.

Cinq minutes plus tard, le détective inspectait les lieux : derrière le muret d'où l'homme avait fait feu, il trouva, parmi des éclats de briques et des mottes de béton durci, six douilles et quelques mégots. Il les ramassa, les enveloppa dans son mouchoir et redescendit du toit.

D'après les traces de bottes imprimées sur le sol, en tout point semblables à celles laissées dans la poussière du toit, Puri conclut que le tireur était entré et ressorti incognito par l'arrière de l'immeuble en construction.

Il passa une heure à interroger les voisins et leurs domestiques, en vain : personne n'avait rien remarqué d'anormal ce matin-là. Il retourna chez lui et, une fois installé dans le confortable canapé de cuir bleu du salon, consigna ses résultats :

1 – le tireur est resté à son poste au moins quinze minutes ;
2 – le tireur attendait sa cible ;
3 – le tireur a utilisé une arme fabriquée en Inde ;
4 – le tireur chausse du 43 ½.

Puri alla ensuite chercher le dossier des « suspects notoires » qu'il gardait dans le coffre-fort de son bureau. Il contenait des informations remises à jour sur tous les individus ayant de bonnes raisons de vouloir se débarrasser de lui, et qu'il jugeait très menaçants pour sa vie. Dans l'éventualité d'un trépas aussi brutal que prématuré, Rumpi avait pour ordre de remettre ce dossier en mains propres à son concurrent Hari Kumar. En dépit de leurs différends, ils avaient d'un commun accord pris l'engagement, si l'un d'eux mourait, de ne pas laisser son meurtrier s'en tirer.

Le dossier contenait des renseignements détaillés sur quatre individus. Le cinquième, un tueur en série surnommé Lucky[1], avait été rayé de la liste depuis sa récente pendaison.

« Pas si chanceux que ça », sourit Puri intérieurement, tout en parcourant les fiches des quatre suspects restants.

Jacques « Hannibal » Boyé, le Français tueur en série, purgeait une peine d'emprisonnement à perpétuité dans la prison de Tihar, pour meurtres et cannibalisme (il avait assassiné sept randonneurs canadiens avant de les manger).

1. Le Chanceux. (*N.d.T.*)

Krishna Rai, élu à l'Assemblée d'État du Bihar, dont Puri avait fait arrêter le fils pour homicide sur la personne d'une serveuse de bar.

Ratan Patel, directeur d'un groupe de presse, inculpé de délit d'initié. Condamné à six ans de prison.

Swami Nag, escroc notoire et assassin.

Sans l'ombre d'un doute, ce dernier représentait la menace la plus sérieuse : une annotation sur sa fiche disait « disparu, impossible à localiser ». Avant de prendre la fuite, l'homme avait juré « d'avoir la peau de Puri, par tous les moyens ».

Le détective décida d'appeler ses indicateurs habituels afin de tenter de repérer la planque de Swami Nag et de savoir si les trois autres suspects avaient récemment mis sa tête à prix. Il demanderait également à Tubelight de mener sa petite enquête ; celui-ci avait les meilleurs informateurs de la région.

Que pouvait-il faire de plus ? On pouvait trouver des centaines de tueurs à gages à Delhi, des gens ordinaires prêts à tout pour parvenir à nourrir leur famille. Inconnus des services de police, ils utilisaient des armes plus ou moins bricolées et d'origine inconnue.

Puri referma le dossier, le posa à côté de lui, puis en ouvrit un autre dans lequel étaient consignées les tentatives d'homicide dont il avait été victime.

Avec celle d'aujourd'hui, elles se montaient à douze.

En six occasions, on avait essayé de l'abattre, par deux fois on avait utilisé le poison (notamment un *samosa* bourré d'arsenic) et, au cours de l'enquête sur le « Pandit aux douze orteils », on avait tenté, alors qu'il prenait un virage en épingle à cheveux sur la route de Gulmarg, de pousser sa voiture dans un ravin. La tentative la plus ingénieuse avait été orchestrée par un meurtrier particulièrement fourbe (naturaliste de son métier), employé du parc national de Kaziranga, en Assam, qui avait discrètement aspergé les vêtements de Puri d'une phéromone qui attirait les rhinocéros unicornes (Puri apprit à ses dépens que ces tanks à pattes couraient très vite).

Mais celui qui avait failli transformer l'essai était un hijra qui, du haut d'un immeuble, avait poussé un tas de briques sur Vish Puri au moment où celui-ci passait dans la rue.

Rarement une journée s'écoulait sans que Puri ait l'occasion de relater l'une de ces péripéties : futur client, journaliste, enfant venu chercher de la documentation pour un projet scolaire, détective de Scotland Yard, tous avaient eu droit au récit de ses aventures. « Le danger est mon allié », confiait-il à ses auditeurs attentifs.

Promouvoir une image d'homme intrépide était certes vital à sa réputation de détective, mais Puri ne négligeait pas pour autant sa sécurité : l'Ambassador était un modèle personnalisé, avec vitres pare-balles et châssis renforcé de barres d'acier ; deux gros labradors et un vigile armé gardaient l'entrée de sa maison ; dans ses trajets entre domicile et bureau, il variait souvent d'itinéraire.

Jamais il n'oubliait d'apaiser les dieux : il se rendait au temple au moins une fois par semaine et célébrait toutes les grandes fêtes du pays.

Mais ces mesures de sécurité pouvaient malgré tout échouer. Puri n'avait pas vu plusieurs fois la mort en face sans être devenu un brin fataliste. Comme il se plaisait à le répéter : « Une lettre seulement sépare la vie du vide. »

Deux heures après la fusillade, le gros œuf de pigeon qu'il avait sur le front ayant cessé de le faire souffrir, Puri décida qu'il était suffisamment dispos pour se rendre en voiture à Jaipur. Mais Rumpi ne l'entendait pas de cette oreille.

— Chubby, tu dois te reposer ! lui dit-elle en pendjabi, langue qu'ils utilisaient ensemble.

Elle revenait de la cuisine avec une tasse de thé.

— Je suis en train de te préparer un bon *khichri.* Quand tu auras mangé, je te masserai le front avec de l'huile de moutarde.

Il se rassit docilement. Vingt-six années de mariage lui avaient appris qu'il était plus prudent d'accéder aux désirs de son épouse. En outre, l'idée de passer la journée à la maison n'était pas pour lui déplaire. Il pourrait rempoter ses plants de piments, regarder un match de cricket à la télévision et, dans la soirée, se rendre au temple.

Satisfaite, Rumpi retourna à ses fourneaux. Puri alluma la télévision, zappant sur toutes les chaînes satellites jusqu'à ce qu'il trouve le match retour Inde-Antilles qui se déroulait à Hyderabad. Les batteurs indiens s'étaient effondrés au match aller, les visiteurs ayant marqué 82 points. Le capitaine de l'équipe des Antilles, Brian Lara, avait presque atteint son demi-century[1].

Trente minutes plus tard, alors que Puri dégustait le riz aux lentilles accompagné de lait caillé et de pickles à la mangue bien acides, en se disant qu'après tout essuyer des coups de feu procurait certains privilèges, un klaxon meugla devant le portail, déclenchant les jappements des chiens.

1. Un batteur réalise un *century* lorsqu'il marque 100 points (*runs*) dans une seule et même manche d'un match de cricket. (*N.d.T.*)

Il entendit les grilles s'ouvrir et des pneus crisser sur le gravier. Deux portes claquèrent et des pas s'approchèrent de la maison. Quelques secondes plus tard, la voix de Mme Puri mère résonna dans le couloir.

— Namaste, Rumpi. Je suis venue aussi vite que j'ai pu, *na*. Mais avec toutes ces voitures, impossible d'avancer ! Au carrefour de Ring Road, les feux orange clignotaient, il y avait des bouchons partout. Et des policiers incapables, bien entendu ! Les gens klaxonnaient et hurlaient à qui mieux mieux. Bon, où est Chubby ? Il va bien ? Oui ? Alors, c'est le principal.

Puri poussa un soupir de résignation, regarda tendrement son téléviseur, comme un homme contraint de délaisser son amante, puis l'éteignit et se leva. Quand sa *Mummy-ji* entra dans la pièce, il se pencha en avant et lui toucha les pieds.

— Dieu merci, tu vas bien, mon fils, gémit-elle, les larmes aux yeux, en l'aidant à se redresser. Dès que j'ai appris la nouvelle, j'ai téléphoné, mais ta ligne était encombrée. Encore en dérangement, j'imagine ! Donc je me suis précipitée ici. Je me doutais que tout allait bien, mais Ritu Auntie a insisté pour que je vienne. Il faut mettre la main sur ce tireur et comme je n'ai pas grand-chose à faire…

Le fait que Ritu Auntie, la reine des cancanières, ait poussé Mummy à venir aux nouvelles n'avait rien de surprenant. Puri n'était pas davantage étonné que sa mère ait appris aussi vite l'événement. Bien que retraitée et vivant à une quinzaine de kilomètres de Gurgaon chez son fils aîné, elle jouissait d'un nombre impressionnant de relations féminines, disséminées en ville (et même plus loin), prêtes à alimenter son réseau d'espionnage.

Il ne faisait aucun doute pour lui que l'origine de la fuite venait de ses domestiques. L'un d'eux avait dû prévenir le marchand de légumes, qui s'était empressé de passer la nouvelle à l'un de ses clients, probablement chauffeur d'une maison avoisinante. Ce dernier en avait parlé à sa patronne, qui à son tour en informa sa cousine germaine, laquelle bien sûr appela sa vieille voisine qui avait fait la connaissance de Mummy lors d'une récente *kitty party* ; partenaires au bridge, elles avaient certainement échangé leur numéro de téléphone.

Puri savait d'expérience qu'il lui était impossible de cacher quoi que ce soit à sa mère. Il avait fini par se faire une raison. En revanche, il ne tolérait pas qu'elle mette le nez dans ses enquêtes. Pourtant, il fallait admettre que Mummy possédait un sixième sens. Plus d'une fois, son intuition s'était révélée juste. Mais aucune mère, ni aucune femme d'ailleurs, ne se mêlerait jamais des enquêtes de Vish Puri.

— Mummy-ji, tu n'aurais pas dû te déplacer pour si peu !

Puri prenait toujours une voix de petit garçon quand il s'adressait à sa maman.

— Ne t'inquiète pas. Tout va bien.

— Tsss, tsss, siffla-t-elle. Je vois bien que tu es très tendu. Tu as une sacrée bosse, na.

Elle s'assit du bout des fesses sur l'accoudoir du fauteuil situé près de la fenêtre et n'en bougea plus, raide comme la justice. En dépit de son départ précipité et de son périple dans les embouteillages, cette ancienne directrice d'école demeurait calme et posée. Ses cheveux gris argenté, qu'elle n'avait coupés qu'une fois dans sa vie, étaient réunis en chignon bien sage sur sa nuque. Le vert de son sari s'harmonisait à l'émeraude de ses boucles d'oreilles.

— Pour la tension, deux jours de repos complet minimum, renchérit-elle.

— Mummy-ji, je t'en prie. Je n'ai pas besoin de rester au lit, protesta Puri, qui s'était rassis sur le canapé. Vraiment, je vais bien.

Un ange passa. Le dossier « suspects notoires » était bien en vue sur le canapé. Pourvu que sa mère ne l'ait pas remarqué…

— Tu as des indices ? demanda brusquement Mummy.

Il opta pour le mensonge.

— Non, Mummy-ji.

— As-tu trouvé des cartouches vides ?

Deuxième mensonge.

— Non.

— As-tu passé au crible la scène du… euh, les lieux ?

— Bien sûr, Mummy-ji.

Il prit un ton sévère.

— Je t'en prie, ne te mêle pas de tout ça, veux-tu ?

— Je n'aurai de cesse que ce goonda soit mis sous les verrous, répondit-elle, agacée. Il a pris la fuite, mais on dit que l'assassin revient toujours sur les lieux de son crime. En attendant, je voulais te parler de quelque chose…

Elle hésita.

— Écoute-moi bien, Chubby. La nuit dernière, j'ai rêvé de toi…

Puri poussa un grognement, mais sa mère l'ignora.

— … une grande maison avec de nombreuses pièces… au Rajasthan, je crois. Il y a des paons, aussi… Tu marches dans un long couloir sombre. Tu tiens une lampe électrique, mais elle ne fonctionne pas. Au bout du couloir, une jeune fille… allongée par terre. Elle est morte. Il y a du sang partout. Un homme horrible surgit derrière toi… Il brandit un couteau et…

Elle s'interrompit, embarrassée.

— Et ensuite ? la pressa Puri.

— Je me suis réveillée. Désolée.

— Donc, je ne connaîtrai pas la fin du rêve ?

— Non, avoua-t-elle, penaude.

— Merci de me l'avoir raconté, dit-il d'un ton apaisant. Ne parlons plus de goondas, de couteaux ni de coups de revolver. Nous allons prendre le thé, et j'irai me reposer dans ma chambre. Tu as raison, je dois surveiller ma tension. Sweetu ! Sweetuuu !

Le garçon, qui se trouvait à la cuisine, apparut en moins de temps qu'il n'en faut pour le dire.

— Apporte un *masala chai* et des biscuits, ordonna Puri.

— Bien, sahib. Et qu'est-ce que je fais des affaires de la dame ?

— Pardon ? Quelles affaires ?

— Oui, j'ai apporté une malle de vêtements, expliqua Mummy. Je compte m'installer ici quelques jours. Il est de mon devoir de rester pour m'occuper de toi. Je suis ta mère, après tout. Quand tu seras sur pied, je m'en irai, promis. En attendant, je t'interdis d'aller au Rajasthan. Un grand danger t'y attend.

6

Le lendemain matin, à l'heure d'aller au bureau, Puri embrassa sa mère et Rumpi, sur le seuil de la porte. Il emportait sa mallette, sa gamelle d'acier inoxydable remplie de *daal* et un carton de dossiers.

Il n'avait dit à personne où il allait, pas même à Rumpi, de crainte de se faire chapitrer une nouvelle fois par sa mère.

— Nous quittons la capitale, annonça-t-il à Handbrake, sitôt franchi le portail.

Le chauffeur lui jeta un coup d'œil surpris dans le rétroviseur.

— Et où va-t-on, chef ?

— À Jaipur, fit Puri en se tâtant le front.

Pendant la nuit, la bosse avait pris une belle couleur violet foncé.

— Pas de valises, chef ?

— J'ai mis mon pyjama au fond du carton. Je ne pouvais pas en parler à la maison. Les commérages vont bon train…

Handbrake ne chercha pas à en savoir davantage. Il n'avait pas à poser de questions, ni à se plaindre de ce départ soudain qui ne lui laissait même pas le temps d'aller chercher des vêtements de rechange. Tel était le lot des chauffeurs indiens. Pourtant, il ne pouvait s'empêcher de se demander pourquoi Puri se montrait si secret. L'affaire avait-elle un rapport avec les coups de feu tirés la veille ?

Travailler au service de Puri s'était révélé très excitant. Handbrake avait débuté à son service le mois précédent et, depuis, il avait discrètement pisté des conjoints infidèles, filé un client soupçonné de bigamie, conduit son patron à une réunion au ministère de la Défense. La veille, ce dernier avait essuyé des coups de feu, et aujourd'hui, apparemment, il se lançait à la poursuite du tireur.

Handbrake n'en revenait toujours pas de sa chance. Pendant cinq ans, il avait travaillé pour une société de taxis basée derrière l'hôtel *Regal*, vivant sous une bâche au bord d'une route ; il dormait sur un *charpai* qu'il partageait à tour de rôle avec deux autres chauffeurs. Les horaires étaient exténuants et le gérant de la société de taxis, « Randy » Singh, un pingre qui ponctionnait un pourcentage abusif sur les courses.

Mais le plus dur pour Handbrake avait été de vivre éloigné de sa femme et de leur petite fille, restées chez son père, dans leur village des montagnes de l'Himachal Pradesh, à plus de dix heures de route de Delhi, vers le nord.

Mais la chance lui avait souri un après-midi après qu'il fut allé prier au temple Sai Baba, sur Lodhi Road. L'ancien chauffeur de Puri ayant brutalement donné sa démission pour raison de santé, Elizabeth Rani avait fait appel à une société de taxis afin qu'une voiture aille chercher Puri à Khan Market. Il se trouvait que le véhicule de Handbrake était libre ; il avait passé le reste de la journée à conduire le détective un peu partout dans Delhi.

Ce soir-là, Puri l'avait complimenté sur ses qualités de chauffeur et sa bonne connaissance des rues de la capitale avant de lui poser une série de questions.

Avait-il de la famille ? Handbrake lui avait alors parlé de sa femme et de la petite Sushma, dont l'absence lui pesait tellement.

Buvait-il ? Parfois, avait répondu le chauffeur, honteux en pensant à toutes les nuits où il avait tant éclusé de whisky qu'il ne se souvenait plus de rien le lendemain matin.

En dernier lieu, Puri lui avait demandé s'il avait remarqué la couleur de ses chaussettes.

— Oui. Blanches, avait répondu Handbrake, décontenancé.

— Quel journal ai-je lu aujourd'hui ?

— L'*Indian Express*.

Sans plus tergiverser, Puri lui avait proposé un travail à plein temps, au double de son salaire habituel, et lui avait donné deux mille roupies pour qu'il s'achète un costume neuf, se fasse couper les cheveux et tailler la barbe. Il lui avait même avancé cinq cents roupies pour louer une chambre à Gurgaon.

Le travail impliquait le respect de certaines règles : Handbrake ne devait parler à quiconque des affaires de l'agence – pas même à sa femme. S'il contrevenait une seule fois au règlement, il serait renvoyé. Interdiction également de boire pendant les heures de travail, de prendre son service le matin avec la gueule de bois, de tricher sur le prix de l'essence, de jouer de l'argent et de fréquenter les prostituées. Pas question non plus de dormir à l'arrière de la voiture en l'attendant. Et, dernier impératif : se raser tous les matins.

Le chauffeur acceptait de bon cœur toutes ces contraintes, sauf une : le respect du code de la route. Puri l'obligeait à ne pas louvoyer entre les véhicules, à mettre son clignotant avant de tourner, à laisser passer les femmes au volant ! Et quand Handbrake s'amusait à prendre les ronds-points à l'envers, à couper la route aux rickshaw-wallahs ou à remonter une rue en marche arrière, il se faisait sévèrement réprimander. Pis encore, s'il dépassait la limite de vitesse autorisée, Puri lui ordonnait de ralentir. Ce qui voulait dire se laisser dépasser, et ça, c'était très humiliant.

Par exemple, ce matin-là, en roulant vers Jaipur, Handbrake se sentait particulièrement frustré. La nouvelle route à péage – beau bitume noir, quatre voies dans les deux sens – était une invite irrésistible à l'excès de vitesse, même si y surgissaient encore tous les dangers classiques, troupeaux de chèvres, camions renversés ou ornières béantes.

De nombreux véhicules roulaient à cent cinquante à l'heure et Handbrake savait les Ambassador capables de rivaliser avec n'importe lequel d'entre eux. Avec leurs courbes désuètes, elles donnaient peut-être l'impression de se traîner, mais les derniers modèles étaient dotés de moteurs japonais.

Le chauffeur rongeait son frein, c'était le cas de le dire, sans jamais dépasser le cent. Quand des conducteurs lancés à pleine vitesse lui faisaient des appels de phares ou klaxonnaient pour manifester leur impatience, il se plaçait à contrecœur sur la file la plus lente, celle réservée aux tracteurs et aux chars à bœufs.

Bientôt les champs de moutarde et de canne à sucre de l'Haryana cédèrent la place aux maigres arbustes et au paysage désertique du Rajasthan. Quatre heures plus tard, ils atteignirent les collines rocheuses qui entouraient la Cité rose, passèrent à l'ombre des gigantesques murs crénelés et de l'imposante porte d'accès du fort Amber, puis longèrent le Jal Mahal, « Palais de l'eau » construit au milieu d'un lac.

Il était presque midi quand ils entrèrent dans la vieille ville. Les bazars installés au pied des remparts commençaient à s'éveiller. Abrités sous des bannes poussiéreuses, les savetiers accroupis brodaient des fils d'or et des paillettes sur des babouches en cuir ; les marchands d'épices trônaient au milieu de pyramides de poivre rouge moulu, de curcuma et de cumin broyés, évoquant les couleurs chaudes et vives de la palette d'un peintre. Les vendeurs de beignets allumaient leurs réchauds à gaz pour préparer leurs *jalebis* sucrés et collants dans des woks au cul noirci. Les vendeurs de *lassi* brisaient des pains de glace livrés dans des tombereaux tirés par des chameaux.

Devant quelques boutiques, des garçonnets qui, normalement, auraient dû être sur les bancs de l'école, balayaient et arrosaient les trottoirs pour empêcher la poussière de voleter. L'un d'eux tirait un paillasson jusque sur la chaussée, afin que les roues des véhicules fassent office de batteur à tapis.

À l'approche de la grande porte d'Ajmeri, Handbrake klaxonna pour se frayer un chemin, tout en observant la foule bigarrée qui passait à côté de sa vitre : rickshaw-wallahs secs et noueux pédalant en danseuse pour triompher du poids de clientes obèses ; Rajputs moustachus aux yeux de braise, les joues cuites par le soleil, du même rouge que leur turban ; paysannes maigres et robustes au nez orné d'un anneau en or, les bras chargés de bracelets en verre coloré ; jeunes Occidentaux cramoisis croulant sous d'énormes sacs à dos ; *sadhu* au corps couvert de poussière, comme un homme des cavernes.

Handbrake engagea l'Ambassador dans les rues larges au tracé rectiligne de l'ancien quartier britannique de Civil Lines, bordées de villas entourées de jardins clos.

Ajay Kasliwal habitait, au 42, Patel Marg, une vaste villa coloniale acquise par son grand-père, premier avocat indien du barreau du Rajasthan. La maison, qui portait son nom, Raj Kasliwal Bhavan, était située en retrait de la route, derrière deux épais piliers de grès rouge surmontés de *chhatris*. Une allée serpentait à travers un jardin bien entretenu où un jardinier, penché sur les plates-bandes, repiquait des soucis jaune d'or.

Handbrake arrêta l'Ambassador devant le perron flanqué de colonnades et sortit pour ouvrir la portière à son patron. Puri s'extirpa de la voiture en grimaçant. Engourdi par ces longues heures de voyage, il sentit ses genoux craquer sous son poids.

— J'en ai pour un bon moment, dit-il en tendant trente roupies au chauffeur. Va déjeuner et reviens plus tard. Et surtout, si tu téléphones à Delhi, ne dis à personne où tu es.

Il gravit les marches menant à une véranda meublée de rotin, ombragée par des stores en jonc, et actionna la sonnette en cuivre. La sonnerie retentit jusqu'au fond de la maison et bientôt la porte s'ouvrit en grand sur une jeune bonne dont les yeux brillaient au-dessus du *chunni* qui voilait en partie son visage.

— Ji ?

— Je viens voir Ajay Kasliwal, expliqua Puri en hindi.

La jeune fille hocha la tête, intimidée, et s'effaça pour le laisser entrer. Puis elle referma la porte et, sans un mot, précéda le visiteur dans un vestibule éclairé par une lampe manoir brun fumé. Les épais murs de granit et le dallage de pierre gardaient la fraîcheur à l'intérieur de la villa. On n'entendait que le léger frottement des chappals de la servante sur le sol, rythmé par le couinement des chaussures neuves de Puri. Arrivée devant la deuxième porte sur la gauche, la jeune fille s'arrêta et la lui désigna, effrayée, comme si elle montrait la tanière d'un tigre du Bengale.

— M. Kasliwal est là ? s'enquit Puri.

Elle secoua lentement la tête.

— Non. Madame, murmura-t-elle, les yeux baissés.

Puri poussa la porte et entra dans un grand salon, pâle reflet d'une splendeur passée : sofas démodés, fauteuils recouverts de jetés en coton crocheté, immense tapis persan aux teintes fanées, usé par endroits jusqu'à la corde. Le lustre de cristal aux pendeloques ternies ne diffusait qu'une faible lueur.

Mais ce triste décor n'empêchait pas la maîtresse de maison d'arborer un port altier. Vêtue d'un sari en soie de toute beauté, Mme Kasliwal trônait telle une princesse dans un vaste fauteuil près de la cheminée. Sans être belle, elle avait des traits volontaires, reflétant un caractère énergique. Elle portait sur elle trois symboles du mariage, à son cou le *mangal sutra* noir et or, le *bindi* rouge sur le front et le *sindoor*, ligne de poudre vermillon dans la raie des cheveux. Puri en conclut qu'elle devait être respectueuse des traditions.

— *Namashkar*, monsieur Puri, dit-elle en posant son tricot.

La voix était aimable, mais le ton impérieux.

— Quel honneur de recevoir chez nous un homme aussi célèbre que vous ! Le Sherlock Holmes indien, n'est-ce pas ainsi que l'on vous surnomme ?

Puri détestait être comparé au héros de Sir Arthur Conan Doyle ; celui-ci ne s'était-il pas contenté d'emprunter les techniques déductives inventées par Chanakya, au IVe siècle avant notre ère, et ce, sans jamais lui rendre hommage ? Il cacha toutefois son irritation et s'installa sur le canapé devant la cheminée, à la gauche de son hôtesse.

— Quelle jolie bosse vous avez là, monsieur Puri. Un voyou vous aurait-il rossé ?

— Oh ! rien d'aussi dramatique ! répliqua-t-il, pressé de changer de sujet. Vous avez une bien belle maison. Très ancienne, à n'en pas douter…

— On n'en bâtit plus de semblables, de nos jours, monsieur Puri. Elle appartient à notre famille depuis trois générations. Mais, mon Dieu, où ai-je la tête ? Voulez-vous boire quelque chose ? Du thé, peut-être ?

— Je ne dirais pas non, madame.

Mme Kasliwal agita une clochette posée sur la table basse, à côté d'une photographie d'un jeune homme en toge, prise lors d'une cérémonie de remise de diplômes universitaires.

— Il a l'air charmant, commenta Puri.

— C'est très gentil à vous, fit son hôtesse, rayonnante de fierté. C'est mon fils Bobby. Diplômé de St Stephen's[1], cette année. Un garçon très intelligent, et un fils attentionné.

— Vit-il chez vous ?

— Oui, mais en ce moment, il étudie en Angleterre, à la London School of Economics. D'ici deux ans il sera de retour et pourra intégrer le cabinet de Chippy.

Puri en déduisit que Chippy était le surnom d'Ajay Kasliwal.

— Si je comprends bien, il se destine au barreau, lui aussi ?

— Bobby a toujours rêvé d'être avocat, comme son père. Il est très idéaliste, vous savez. Il espère changer le monde ! Moi, je lui conseille de s'orienter vers le droit des affaires. C'est très lucratif.

On frappa à la porte. La jeune bonne apparut, portant un verre d'eau sur un plateau, qu'elle déposa devant

1. Célèbre université de Delhi. (*N.d.T.*)

le visiteur, sous l'œil vigilant de Mme Kasliwal, qui suivait chacun de ses gestes, sourcils froncés.

— Désirez-vous autre chose, madame ? demanda-t-elle timidement, quand Puri eut pris le verre.

— Apporte du thé, lança sèchement la maîtresse de maison.

La servante hocha la tête et se retira en silence, fermant la porte sans bruit.

— Monsieur Puri, j'aurais dû vous dire que Chippy a pris du retard dans ses rendez-vous, reprit Mme Kasliwal tandis que le détective buvait son eau à petites gorgées. Un travail urgent. Si vous voulez le voir, vous le trouverez au tribunal d'instance. Mais d'abord, vous vous restaurerez ici.

— Votre mari est un homme très occupé, fit Puri en souriant.

— Il ne s'arrête jamais ! Il enchaîne les plaidoiries. Beaucoup de gens viennent lui demander conseil et il ne sait pas dire non. Il est bien trop accommodant, à mon avis. Mais on ne change pas de tempérament, n'est-ce pas ? Vous ne trouverez pas homme plus respecté que lui dans tout le Rajasthan. Et issu d'une famille très aisée. Son grand-père et son père étaient des hommes éminents. Mais…

Mme Kasliwal baissa le ton.

— Franchement, monsieur Puri, je crains pour sa vie. Il se bat contre des hommes très puissants… Le jeu en vaut-il la chandelle, je vous le demande ? Parfois, il est préférable de réfléchir avant de s'engager, n'est-ce pas ?

— Certes, il faut être prudent, avança Puri, préférant rester neutre malgré l'admiration que suscitaient chez lui les convictions courageuses de son client.

— Exactement ! Un homme devrait d'abord songer à sa famille. Est-ce aux avocats de redresser le pays ? Monsieur Puri, si vous saviez les bruits terribles qui courent à son sujet ! Mais c'est la raison de votre venue, n'est-ce pas ? Vous allez blanchir la réputation de mon mari et de notre famille. Les gens s'imaginent des choses invraisemblables, ils ne font que médire.

— Vous pouvez compter sur l'agence Détectives Très Privés, madame.

— Comment allez-vous retrouver cette fille, monsieur Puri ? Elle peut être n'importe où ! Qui sait ce qu'elle est devenue ? Un jour elle est là et le lendemain, pffft, disparue ! Elle a dû s'acoquiner avec un voyou et maintenant elle en paie les conséquences.

Puri opina du chef.

— Il doit se trouver là-dessous quelque entourloupe…

— Ne m'en parlez pas, monsieur Puri ! C'est terrible, on ne peut pas lâcher les domestiques des yeux une seconde. On leur donne ça…

Elle joignit le geste à la parole.

— … un bon salaire, un logement décent, et ils se moquent de vous. Les chauffeurs culbutent les bonnes, les cuisinières volent le beurre, les *malis* se soûlent et s'endorment au pied des arbres. Et en plus, ils ont des exigences ! « Madame, donnez-moi une avance », « Madame, envoyez ma fille à l'école », « Madame, donnez-moi deux mille dollars pour que ma mère puisse être opérée du cœur ». Et puis quoi encore ? Devons-nous régler tous les problèmes du pays ? N'avons-nous pas une famille à nourrir, nous aussi ?

Puri ne répondit pas à cette diatribe. Il prit son calepin et demanda posément comment Mary était-elle entrée à leur service.

— Un jour, elle s'est présentée à la porte. J'avais justement besoin d'une bonne.

— Avez-vous des documents prouvant son identité, une photocopie de sa carte de rationnement[1], une photo ?

Mme Kasliwal le dévisagea avec une pitié amusée.

— Cher monsieur, pourquoi aurais-je une photographie de cette fille ?

— Connaissez-vous son nom de famille ?

— Pour quelle raison le lui aurais-je demandé, monsieur Puri ? Ce n'était qu'une bonne.

— Savez-vous quelque chose à son sujet, madame ? Vous donnait-elle satisfaction ?

— Pas du tout ! C'était une voleuse ! Un jour, mon peigne a disparu, le lendemain, deux cents roupies. Et elle est partie en emportant un cadre en argent !

— Comment pouvez-vous en être certaine ?

— Parce que, depuis son arrivée, les objets disparaissaient !

Ignorant les réflexions acrimonieuses de son hôtesse, le détective griffonna quelques notes sur son calepin.

— Quel jour a-t-elle disparu ?

— Dans la nuit du 21 août. Le 22 au matin, j'ai trouvé sa chambre vide.

— Avait-elle noué des contacts avec les autres membres de votre personnel ?

— Vous savez, ces chrétiens… Ils ne pensent qu'à la chose !

— Quelqu'un en particulier ?

— Pardi ! Entre elle et l'aide-cuisinier, il y avait anguille sous roche, j'en mettrais ma main au feu.

1. Document officiel où sont inscrits tous les membres d'une même famille et qui permet d'avoir accès à des magasins où l'on trouve des produits de base à des prix subventionnés. (*N.d.T.*)

Deux ou trois fois, j'ai vu Kamat sortir de sa chambre.

— Merci de votre coopération, madame Kasliwal. Oh ! une ou deux précisions supplémentaires : quand Mary est partie, vous ne lui aviez pas encore versé ses gages ?

Surprise par la question, la maîtresse de maison réfléchit.

— En effet, je les lui devais, dit-elle finalement.

— En êtes-vous certaine ?

— Sûre et certaine.

— Avez-vous signalé sa disparition à la police ?

— Qu'aurais-je pu leur dire, monsieur Puri ? Qu'une indigène du Bihar ou de je ne sais où avait pris la poudre d'escampette ? La police a d'autres chats à fouetter.

— Vous avez raison, madame. Les forces de l'ordre sont débordées, par les temps qui courent. Voilà pourquoi des batteurs remplaçants comme moi entrent dans le jeu pour marquer des points, conclut Puri en rangeant son calepin. Ah ! encore un détail : vous venez de dire « une fille du Bihar ». Tout à l'heure, vous prétendiez ignorer d'où elle venait.

— Ma langue aura fourché, monsieur Puri. Il est vrai que beaucoup de domestiques nous arrivent de ces régions arriérées… Comme elle avait la peau très foncée, j'ai supposé qu'elle venait de là-bas.

— La peau très foncée, dites-vous ?

— Comme du charbon, monsieur Puri, comme du charbon.

Après un excellent repas, Puri alla visiter l'aile des domestiques, une longue bâtisse de brique rouge cachée par une haie d'arbustes, au-delà de la pelouse. Elle se composait de cinq pièces et d'une salle d'eau commune. Salle d'eau était un bien grand mot pour un réduit comportant un robinet, un seau en fer et des toilettes à la turque.

Depuis la disparition de Mary, sa chambre était restée inhabitée ; un galetas crasseux, exempt de tout mobilier, hormis un pauvre matelas de coton jeté sur le sol, où la cendre de spirales antimoustiques se mêlait aux crottes de rats ; des posters de la Vierge Marie et du bel acteur bollywoodien Hrithik Roshan ornaient les murs. En hiver, sans chauffage, la pièce devait être une glacière et en été une fournaise.

Le détective y passa une dizaine de minutes, à la recherche d'indices. Il repéra, sur le rebord de la fenêtre, bien alignés, une dizaine de jolis cailloux colorés. Après avoir vérifié que Mme Kasliwal, qui l'attendait au-dehors, ne l'épiait pas, il les glissa prestement dans sa poche.

— Je n'ai rien trouvé, dit-il en émergeant de la pièce sombre.

Au passage, il nota que la porte, gauchie, ne fermait pas correctement.

Ils revinrent sur leurs pas en traversant la pelouse et rejoignirent la voiture garée sur le côté de la maison. Handbrake attendait, assis au volant.

— Encore une question, madame, reprit Puri. Où étiez-vous dans la soirée du 21 août ?

— Je jouais au bridge avec des amies, monsieur Puri.

— À quelle heure êtes-vous rentrée ?

— Tard, monsieur Puri. Minuit passé, si mes souvenirs sont exacts. Avant que vous ne me posiez la question, je n'ai appris l'absence de Mary que le lendemain matin.

— Mais ce soir-là, il devait bien y avoir du monde dans la maison ?

— Certainement, monsieur Puri. Quand le chat n'est pas là, les souris dansent. Je préfère ne pas imaginer ce qu'ils font !

— Pourriez-vous me fournir la liste des personnes présentes ?

— Bien sûr, monsieur Puri, laissez-moi les écrire pour vous :

Jaya, bonne à tout faire
Kamat, aide-cuisinier
Munnalal, chauffeur
Dalchan, jardinier

7

À l'extérieur du tribunal d'instance de Jaipur, des hommes tapaient sans discontinuer sur d'antiques machines à écrire posées sur de petites tables en bois. Le mitraillage incessant des minuscules touches, ponctué de la sonnette de retour du chariot, symbolisait à lui tout seul la pérennité de la bureaucratie indienne.

Debout derrière eux, plaignants, intimés, requérants veillaient à ce que leurs déclarations sous serment, convocations, testaments, demandes en mariage, titres de propriété soient correctement tapés, en respectant les alinéas. Les frais étaient inévitables – dix roupies la page –, le tribunal stipulant que tout document officiel devait être dactylographié. Manne exploitée comme il se doit par une mafia locale qui faisait en sorte qu'aucune machine à traitement de texte ne vienne déranger ses affaires.

Devant le tribunal les avocats recevaient eux aussi leurs clients en plein air. Chacun avait un bureau, sur lequel une plaque de cuivre, placée bien en évidence, mentionnait ses nom et qualité. Quelques chaises et un classeur métallique bourré d'énormes dossiers fermés par une ficelle complétaient l'installation.

Un petit monde de parasites tournait autour des hommes de loi, tels les poissons ventouses vivant aux crochets des requins : des *chai-wallahs* louvoyaient entre les rangées de tables avec des plateaux chargés de petits verres de thé au lait sucré en criant « *Chaiee, chaiee !* », des gamins crasseux armés de coffres en bois remplis de brosses, de chiffons et de boîtes de cirage vous proposaient de faire briller vos chaussures pour quatre roupies, et des vendeurs ambulants offraient des cacahuètes grillées enveloppées dans du papier journal.

Différents petits métiers s'étaient également installés à l'ombre d'un gros banian. Un barbier avait accroché un miroir sur le tronc noueux ; toute personne désirant se faire raser ou couper les cheveux avant de se présenter devant la justice n'avait qu'à prendre place sur une chaise haute. On trouvait même un téléphone doté d'un compteur relié à une batterie de voiture pompeusement baptisé « centre de télécommunications ».

Comme tous les lieux de rassemblement en Inde, le tribunal d'instance attirait son lot de mendiants et d'animaux divers. Un homme-tronc se déplaçait sur une planche à roulettes bricolée, tendant la main en quête d'une improbable aumône. Rats et corneilles se disputaient des gousses de cacahuètes, les chiens errants sommeillaient au soleil d'hiver. Puri traversa ce grouillement humain et animal d'un air dégoûté. Son aversion pour les cours de justice remontait à son adolescence : au milieu des années 1970, son père, injustement accusé de corruption, avait dû mener une bataille juridique interminable pour tenter de blanchir son nom. L'affaire avait duré presque quinze ans, ternissant à jamais sa réputation.

Le jeune Puri avait passé des journées entières à attendre devant la Haute Cour de Delhi ; il avait pu constater l'inefficacité d'un système judiciaire corrompu jusqu'à la moelle. Souvent il y retrouvait son cousin Amit, qui, de son côté, cherchait à démêler un conflit de propriété vieux de plus de vingt ans, qui entraînait la famille dans des litiges sans fin et des frais de justice exorbitants.

Selon un récent article de journal, il faudrait attendre au bas mot encore un demi-siècle pour régler tous les différends en souffrance, d'autant que, chaque jour, des centaines d'autres venaient s'y ajouter.

Tandis qu'il cherchait la salle d'audience où plaidait Ajay Kasliwal, Puri croisa de nombreuses victimes du système judiciaire patientant dans les couloirs du tribunal. Beaucoup, pauvres et illettrés, étaient dans l'incapacité de se faire représenter par un avocat digne de ce nom, ou de graisser la patte à d'innombrables intermédiaires avant d'avoir accès à la justice. Ils prenaient leur mal en patience, accroupis, résignés, impuissants face au perpétuel report de leur dossier, au jargon juridique incompréhensible et à la violation évidente de leurs droits fondamentaux.

Une foule d'avocats et de plaignants accompagnés de leur famille bloquait l'entrée de la salle d'audience n° 19. Puri finit par trouver une place libre sur un banc et décida d'attendre la sortie de Kasliwal. À ses côtés était assis un vieux paysan aux talons secs et craquelés qui avait sa vie durant labouré pieds nus une terre aride. Puri lui demanda ce qu'il faisait là.

— Une nuit, il y a trois ans, un voisin m'a volé mon buffle, expliqua le vieillard. Quand j'ai voulu porter plainte, les policiers m'ont bastonné. La cour a dit qu'il n'y avait pas de preuves et m'a ordonné de régler les frais de justice du voisin. Comme je n'ai pas les moyens de payer, je me bagarre avec ses avocats et, en plus, le mien me réclame aussi de l'argent. Chaque fois que je viens ici, c'est la même rengaine : les avocats ne sont pas là ou l'audience est reportée.

Ça fait trois ans que ça dure, la note s'allonge, je dois deux mille roupies que je ne peux pas payer. Bientôt, je serai ruiné, on saisira ma terre et je n'aurai pas d'autre choix que de me pendre.

Quelle tristesse de penser que, cinquante ans après l'indépendance du pays, la vie d'un homme et de sa famille tenait à une somme équivalant au prix d'un repas au restaurant !... Puri faillit sortir son portefeuille, mais il savait que ce ne serait qu'une goutte d'eau dans l'océan de l'injustice. Il fallait de profondes réformes. Peut-être qu'en aidant un avocat intègre comme Ajay Kasliwal, il arriverait à faire avancer les choses.

— L'affaire est reportée, soupira ce dernier en jouant des coudes à contre-courant de la foule qui se pressait pour pénétrer dans la salle d'audience. C'est la troisième, cette semaine.

— Pour quel motif ?

— Le témoin principal devait comparaître devant le juge, mais apparemment celui-ci s'est laissé soudoyer par la partie adverse.

Les deux hommes quittèrent le bâtiment pour se rendre à la Haute Cour du Rajasthan où se trouvait le bureau de l'avocat.

— Le problème, poursuivit Kasliwal, c'est qu'il est très difficile de rester honnête avec ce système. Nous sommes l'objet de pressions et de tentations... Tout le monde est impliqué. Ces salauds s'entraident pour protéger leurs intérêts et craignent qu'une pomme saine ne gâte tout le panier. Ils ne veulent pas de gens intègres comme moi, qui refusent de piper les dés. C'est une coalition d'ampleur nationale. Je me bats contre tout le système, Puri-ji. Je suis cerné de toute part. Mais nous devons extirper le mal à la racine. Comment l'Inde peut-elle espérer gagner un statut de superpuissance, avec la corruption générale qui nous prend à la gorge comme une main monstrueuse ? Cela dit, je lutterai contre la corruption jusqu'à mon dernier souffle.

Le cabinet de Kasliwal était sobrement meublé : une table, quelques chaises et, au mur, un portrait de Gandhi. Du dernier tiroir de son bureau, il sortit une bouteille de Royal Challenge.

— Un bon poison, plaisanta-t-il en tendant à Puri un verre auquel il ajouta du soda.

Ils trinquèrent et s'assirent face à face.

— Puri-ji, une chose est sûre : vous êtes un homme droit. À la vôtre ! Advienne que pourra ! Buvons à notre amitié !

Le détective avala une gorgée, puis reposa son verre, pensif.

— Trop de soda, Puri-ji ?

— Non, non, c'est excellent !

— Quelque chose vous tracasse ?

— En effet. Avant de poursuivre l'enquête, j'aimerais mettre les points sur les « i » avec vous. Un détective se doit d'être minutieux et ne négliger aucun détail. Pour atteindre la vérité, il va là où il n'est pas le bienvenu et pose des questions auxquelles ses clients ne tiennent pas à répondre. Il explore les recoins les plus sombres et découvre parfois des squelettes dans les placards, ou dans des malles…

— Auriez-vous déjà découvert quelque chose, Puri-ji ?

— Pas encore, mais…

Puri tapota le bout de son gros nez.

— J'ai toute confiance en lui. Un vrai radar. Mieux qu'un radar, en fait. Et il me dit que quelque chose de terrible est arrivé. Les circonstances de la disparition de Mary m'intriguent. Quelle servante s'en irait sans avoir touché ses gages, aussi minimes soient-ils ?

Il se plongea dans la contemplation de son whisky.

— Si vous tenez vraiment à connaître la vérité, vous devez m'autoriser à fureter partout dans vos affaires, votre intimité… et celle de votre famille.

— Nous n'avons rien à cacher, Puri-ji.

Le détective vida son verre, le replaça sur le bureau, puis reprit d'un ton grave :

— Supposons un instant que vous ayez… fait des bêtises avec cette Mary…

Kasliwal sursauta.

— Vous plaisantez, j'espère ?

— Monsieur, je dois tout savoir, fit Puri en le fixant droit dans les yeux.

— Il ne s'est rien passé, je le jure.

— Mais avez-vous cherché à gagner sa confiance ?

— Écoutez, j'admets qu'elle n'était pas désagréable à regarder, mais je ne l'ai jamais touchée. Mon père m'a toujours dit de ne pas batifoler avec les domestiques.

— Et avec les autres ?

L'avocat se leva, soudain très agité, et se mit à arpenter son bureau.

— Asseyez-vous, monsieur. On ne peut jamais rien cacher bien longtemps à Vish Puri.

— Que ce soit bien clair : vous ne saurez rien de ma vie privée.

— Monsieur, je travaille pour vous. La confidentialité est ma devise. Tout ceci restera entre nous.

Kasliwal s'arrêta devant la fenêtre et regarda la cour intérieure. Après un long silence, il se retourna.

— J'avoue que je ne me contente pas de la cuisine préparée à la maison. J'aime goûter aux plats plus épicés.

Puri ne réagit pas. Devant son silence, l'avocat ajouta :

— Allons, Puri-ji, vous savez ce que c'est. Je suis marié depuis vingt-neuf ans. Mariage arrangé. Après tant d'années, un homme a besoin d'un peu d'activités extraconjugales.

— Mais pas avec les domestiques ?

— La vie est déjà assez compliquée, Puri-ji.

Le détective sortit le calepin où il avait consigné les détails de sa conversation avec l'épouse de l'avocat.

— Que pensez-vous de Kamat, l'aide-cuisinier ? Fricotait-il avec Mary ?

Kasliwal eut un haussement d'épaules. Il vint s'appuyer à deux mains sur le dossier de sa chaise.

— Je l'ignore. J'ai tellement de travail que je ne suis presque jamais chez moi.

Puri tourna les pages du carnet, à la recherche des notes prises lors de leur premier entretien au club Gymkhana.

— Le soir où Mary a disparu, vous étiez à votre bureau, c'est bien ça ?

L'avocat baissa les yeux et soupira.

— Pas exactement. Je…

— Vous goûtiez un plat… épicé ?

— En quelque sorte, oui, admit Kasliwal.

— Pourrais-je consulter le menu ?

Kasliwal parut très gêné.

— Écoutez, Puri-ji, lâcha-t-il d'un ton hésitant, ce pourrait être embarrassant…

Puri consulta la liste des personnes présentes le soir de la disparition de Mary, fournie par Mme Kasliwal.

— Voyons… votre chauffeur, Munnalal. Était-il avec vous ?

— Il m'a déposé… au restaurant.

— J'aimerais lui parler.

— Désolé, je l'ai renvoyé il y a un mois. Il avait bu et s'était montré très grossier.

— Savez-vous où il habite ?

— Non, mais je le croise souvent dans le quartier, au volant d'un 4×4. Il doit travailler pour une autre famille. Vous ne devriez pas avoir de difficultés à le retrouver.

Puri consulta sa montre. Il était seize heures.

— Dieu, que le temps passe vite ! Je ferai mieux de m'y mettre.

Kasliwal le raccompagna à la porte. Tandis qu'ils échangeaient une poignée de main, Puri lui demanda :

— Monsieur, votre épouse connaît-elle… ?

— L'adresse de Munnalal ? Je peux lui demander.

— Non, je faisais référence à vos goûts pour les mets épicés…

L'avocat haussa un sourcil.

— Puri-ji, je ne rapporte jamais de plats à emporter à la maison.

En quittant la Haute Cour, Puri demanda à Handbrake de le déposer devant un distributeur automatique, d'où il retira une liasse de billets de cent roupies.

Ils se rendirent ensuite au Bureau central des fichiers. Puri voulait vérifier si un corps anonyme n'avait pas été découvert peu après la disparition de Mary.

Le bâtiment était la copie conforme de tous les immeubles gouvernementaux indiens édifiés après 1947, pendant l'ère socialiste : une énorme bâtisse de béton frelaté, plombée par des climatiseurs dépassant comme des verrues des rebords des fenêtres et maculés de crottes de pigeons.

Le portique de détection des métaux installé à l'entrée aurait pu être réalisé par des lycéens en cours de technologie : panneau d'aggloméré relié à une vieille batterie de voiture, il bipait toutes les dix secondes, que quelqu'un passât devant ou non.

Dans le hall obscur, on discernait des plantes vertes qui s'étiolaient de chaque côté de l'ascenseur ; plusieurs pans de faux plafond menaçaient de tomber. Derrière le bureau de réception jonché de téléphones à cadran et de registres destinés aux visiteurs, deux préposés vous dévisageaient d'un air inquisiteur. Sur le mur au-dessus de leur tête, une pancarte annonçait :

SEULES PEUVENT PÉNÉTRER DANS CE BÂTIMENT,
SANS CONTRÔLE DE SÉCURITÉ,
LES PERSONNALITÉS SUIVANTES :

LE PRÉSIDENT DE LA RÉPUBLIQUE INDIENNE
LE PREMIER MINISTRE
LES MINISTRES EN CHEF
LES MEMBRES DU PARLEMENT
LES ANCIENS CHEFS D'ÉTAT INDIENS
LES ANCIENS CHEFS D'ÉTAT ÉTRANGERS
LES AMBASSADEURS ÉTRANGERS (DIPLOMATES ET SECRÉTAIRES D'AMBASSADES NE SONT PAS EXEMPTÉS DE CONTRÔLE)
LE DALAÏ-LAMA (SON ESCORTE N'EST PAS EXEMPTÉE DE CONTRÔLE)
LE PRÉFET DE POLICE DU DISTRICT
IL EST STRICTEMENT INTERDIT DE CRACHER

N'ayant pas pris rendez-vous et ne pouvant prétendre être l'une des personnalités susnommées, il fallut à Puri plusieurs minutes de son temps assorties de trois billets craquants de cent roupies pour obtenir l'autorisation de pénétrer dans le saint des saints.

Armé du formulaire requis, dûment signé et tamponné, il gravit vaillamment l'escalier (l'ascenseur était en construction), longeant des murs couverts de crachats rougis par le *paan* ; des seaux emplis de sable recueillaient mégots de cigarettes et vieux bidis.

Au quatrième étage, des sous-fifres aux cheveux gominés arborant l'uniforme semi-officiel du fonctionnaire indien, pantalon en tergal gris au pli réglementaire et chaussures noires, allaient et venaient dans les couloirs. Le nombre incalculable d'agents de l'État n'avait jamais cessé d'étonner Puri. L'administration employait des centaines de milliers de personnes et, malgré le récent essor du secteur privé, devenir fonctionnaire demeurait la carrière rêvée par la majorité de la population ayant suivi quelques études.

Selon Puri, ce système n'était pas près de changer. L'amour des Indiens pour la paperasserie remontait à des siècles, bien avant l'arrivée des Britanniques. L'Empire maurya, fondé environ trois cents ans avant notre ère, premier pouvoir centralisé à avoir couvert la quasi-totalité du nord du sous-continent, possédait une bureaucratie florissante. Cette force d'unification avait engendré une certaine stabilité politique et permis l'application de la loi. Mais aujourd'hui, la corruption endémique sévissant dans l'administration entravait sérieusement le développement du pays.

La pièce 428 se trouvait tout au bout du couloir. Puri sortit de son portefeuille une fausse plaque de police, sur laquelle on pouvait lire « Inspecteur principal Krishan Murti, Section criminelle de Delhi », l'accrocha au revers de sa veste et se dirigea d'un pas décidé vers le bureau.

— Je souhaite consulter la liste des corps retrouvés au mois d'août, et non réclamés par les familles, lança-t-il au préposé. Faites vite. Je suis pressé.

— Monsieur, vous devez fournir une demande écrite, répondit ce dernier. C'est la procédure. Ensuite il faut attendre deux jours. Minimum.

C'est à ce moment que la sonnerie du téléphone portable de Puri carillonna. Il l'avait programmée afin qu'elle retentisse trente secondes après son entrée.

— Murti à l'appareil, répondit-il d'une voix rogue.

Il attendit qu'une voix imaginaire ait fini de parler à l'autre bout de la ligne, puis ouvrit des yeux ronds et haussa un sourcil exaspéré.

— Imbécile ! hurla-t-il. Attendre ? Vous êtes fou ! Je veux des résultats, et vite !

L'homme assis derrière le bureau commença à se tortiller sur son siège.

— Gardez vos excuses, nom d'une pipe ! Je veux des ré-sul-tats, et pas plus tard qu'hier ! Priorité absolue ! Je dois en référer au ministre de l'Intérieur ! Comment ça, « non » ? Ce n'est pas une réponse, ça ! Si vous ne bougez pas vos fesses sur-le-champ, vous allez vous retrouver à régler la circulation au fin fond du Bihar !

Il raccrocha en grommelant « abruti » et se tourna vers l'employé.

— Vous disiez ? Deux jours minimum ?

— Voui, monsieur, bredouilla son vis-à-vis.

— Balivernes ! Je veux parler au responsable. Tout de suite.

En son for intérieur, Puri buvait du petit-lait. Oh ! comme il aimait déstabiliser les bureaucrates !

L'homme s'empressa de l'introduire dans le royaume d'un nommé C.P. Verma, qui, pour bien marquer la supériorité de son grade, portait une veste et une cravate. Celui-ci se leva à la vue du visiteur.

— Je veux le dossier des corps non identifiés retrouvés au mois d'août, martela Puri. Enquête prioritaire.

Verma, qui avait entendu la conversation, ne s'était pas élevé dans la hiérarchie pour rien. Il savait reconnaître l'autorité et réagir au quart de tour.

— Bien, monsieur ! Tout de suite, monsieur !

Il appela son secrétaire qui se présenta incontinent. Verma lui réclama le dossier d'un ton abrupt.

— *Jaldi karo !* Et plus vite que ça ! ajouta-t-il pour faire bonne mesure, les traits crispés.

Le secrétaire décampa pour aller à son tour donner ses ordres à ses subordonnés. Verma adressa alors au détective un sourire onctueux.

— Désirez-vous un thé, monsieur ?

L'inspecteur principal balaya la proposition d'un revers de la main, tout en composant de l'autre un numéro sur son portable.

— Contentez-vous de me trouver ce dossier, fit-il d'un ton cassant, avant d'accuser son interlocuteur au bout de la ligne d'avoir confondu deux séries d'empreintes digitales.

Moins de cinq minutes plus tard, le secrétaire revint avec le dossier. Puri le lui arracha des mains et le feuilleta. Neuf corps non identifiés avaient été signalés au mois d'août, pour la seule ville de Jaipur. Parmi eux, deux enfants, étouffés avant d'être jetés dans un fossé, quatre victimes de chauffards ayant pris la fuite, retrouvées mortes sur le bas-côté de la route, un vieillard tombé dans une bouche d'égout, découvert noyé un mois plus tard, et un adolescent dont le corps sans tête avait été ramassé un matin sur une voie de chemin de fer.

Le neuvième était celui d'une jeune femme, trouvée, entièrement nue, le 22 août sur Ajmer Road.

Selon le rapport de l'expert médico-légal, elle avait été violée et sauvagement assassinée.

On lui avait tailladé les mains.

Une photo floue montrait son visage tuméfié.

— Pourquoi n'y a-t-il qu'un seul cliché ? demanda Puri.

— Restrictions budgétaires, monsieur.

Une phrase que Verma avait manifestement l'habitude de répéter.

— Qu'est devenu le corps ?

— Personne n'étant venu le réclamer dans les vingt-quatre heures à l'hôpital Sawai Mansingh, il est parti à la crémation.

— Faites-moi une photocopie de ce rapport.

— Monsieur, j'ai besoin d'une autorisation, risqua Verma avec un sourire crispé.

— Elle est là, votre autorisation ! beugla Puri en frappant sur sa plaque. Ne faites pas de l'obstruction !

Quelques minutes plus tard, il était en possession du dossier et de la photo.

Verma le raccompagna à la porte.

— Avez-vous besoin d'autre chose, monsieur ?

— Non, lâcha Puri, sèchement.

— Merci, monsieur. Tout le plaisir était pour moi, monsieur, ajouta Verma en retournant à son bureau, heureux d'avoir pu rendre service à un officier de police.

Encore plus gradé que l'inspecteur Rajendra Singh Shekhawat, venu lui réclamer le même dossier, la veille.

8

Ajay Kasliwal fut bien en peine de dire si le visage sur la photo était celui de Mary.

— Avec toutes ces contusions, elle est méconnaissable, grimaça-t-il devant l'image que Puri lui montra le soir même.

Son épouse étudia à son tour la photographie, puis avança d'un ton prudent :

— Vous savez, tous ces gens-là se ressemblent.

— N'y a-t-il pas un détail qui vous rappellerait Mary ? insista Puri.

— Comment voulez-vous que je le sache ? répondit-elle avec brusquerie.

Puri décida alors de montrer le cliché aux domestiques et demanda à les recevoir un par un, dans le salon.

Bablu, le cuisinier pendjabi, un gros homme tout bouffi, aux doigts boudinés, y jeta un rapide coup d'œil, déclara que oui, il pouvait s'agir de Mary, et s'en retourna à sa cuisine. Jaya, la jeune fille timide qui avait ouvert la porte au détective le matin, prit la photo d'une main tremblante, la regarda, poussa un petit cri et ferma les yeux. Puri lui demanda si elle reconnaissait Mary, mais Jaya se contenta de le fixer d'un air apeuré.

— Réponds quand on te parle, lui ordonna sèchement Mme Kasliwal.

— Oui, madame, je… je… balbutia la jeune fille, dont le regard affolé allait de ses patrons au détective.

— N'ayez pas peur, la rassura ce dernier. Dites-moi simplement ce que vous en pensez.

— Je peux pas… Je saurais pas… Ça pourrait être elle, mais…

Puri récupéra la photo. La jeune fille fut priée de retourner vaquer à ses occupations.

Kamat, l'aide-cuisinier, très nerveux, ne put affirmer qu'il s'agissait de Mary. Mais il ne parut pas choqué à la vue du visage tuméfié ; il rendit le cliché à Puri avec un haussement d'épaules.

Restait à entendre le jardinier. Mme Kasliwal refusant sa présence dans la maison, il s'avança jusqu'à la porte de la cuisine, qui donnait sur le jardin. L'homme, qui avait manifestement abusé du cannabis, resta là, avec un sourire idiot, les yeux dans le vague, se balançant au rythme d'un air qu'il devait fredonner dans sa tête.

Puri lui tendit la photo. Le mali l'observa un bon moment, en bougeant la tête d'avant en arrière, comme un coq.

— Vous la reconnaissez, oui ou non ? s'énerva Puri.

— Ça se pourrait, mais je suis pas sûr, répondit le jardinier. Ma vue baisse…

Cette scène ne fit que confirmer à Puri l'inutilité de poser des questions directes aux domestiques, ou à quiconque d'ailleurs. Obtenir des informations et exhumer des secrets que les gens ne tenaient pas à révéler requérait une approche plus subtile.

En conséquence, plus tard dans la soirée, le détective passa quelques coups de téléphone à Delhi, organisant la phase suivante de son enquête.

Il dormit chez les Kasliwal, dans la chambre d'amis, et le lendemain, après le petit déjeuner, annonça son intention de rentrer à Delhi.

— Mais, Puri-ji, fit l'avocat abasourdi, vous n'êtes là que depuis hier !

— Tranquillisez-vous, monsieur, Vish Puri ne revient jamais bredouille.

Bientôt, l'Ambassador reprit la route de la capitale à la vitesse requise, ce qui n'était ni le choix ni le goût du chauffeur.

Handbrake brûlait d'envie d'en apprendre davantage sur l'affaire. Les domestiques des Kasliwal ne parlaient que de la disparition de la jeune bonne et les spéculations allaient bon train. Un vendeur de légumes lui avait confié que l'avocat aimait les femmes et qu'il avait renvoyé Mary après l'avoir engrossée ! Le cuisinier lui avait chuchoté à l'oreille que le violeur meurtrier était le jardinier, son ennemi juré. Ce dernier avait enterré la servante dans le carré d'épinards. Quant au musulman qui vendait des *halwas* à la carotte sur le trottoir devant la maison, il s'était montré formel : la fille, tombée folle amoureuse d'un musulman, s'était convertie à l'islam. Sa famille, ne pouvant tolérer ce crime, l'avait enlevée et assassinée.

Handbrake s'empressa de faire part à son patron de tous ces racontars. Celui-ci sourit.

— T'ont-ils interrogé sur moi ?

— Tous, chef.

Le chauffeur parut soudain nettement moins sûr de lui.

— Je leur ai répondu que… que vous étiez un imbécile, chef.

— Parfait, parfait !

— C'est ce que vous m'aviez demandé, chef ! Je leur ai dit que vous aviez une passoire à la place de la cervelle, que vous étiez un vrai pochard et que vous faisiez la grasse matinée tous les jours.

— Excellent travail ! le félicita Puri.

Handbrake sourit jusqu'aux oreilles, heureux du compliment. Mais son expression troublée montrait bien qu'il ne comprenait pas où son patron voulait en venir.

— Et la règle numéro trois du métier de détective : faire croire aux suspects que vous êtes idiot, expliqua celui-ci. Ainsi vous les prenez au dépourvu.

— Et la règle numéro deux, chef ?

— Ne pas prêter attention aux commérages.

— Et la numéro un ?

— Ah ! celle-là, tu la connaîtras le moment venu ! bâilla Puri en se calant contre la banquette pour faire un petit somme.

Il se réveilla environ à mi-chemin du parcours, quand Handbrake gara l'Ambassador sur une aire de repos, devant le *Doo Doo Rest' Rant*.

Puri entra dans la salle climatisée, s'assit à une table bien propre et se fit servir un chai dans une tasse de porcelaine. Pendant ce temps, Handbrake se rendit à la gargote voisine, envahie de mouches. Assis au milieu des chauffeurs de camions et d'autocars, il but le même chai, servi dans un petit bol en argile.

Puri avait de bonnes raisons de retourner à Delhi : il avait reçu une convocation – non pas une citation à comparaître délivrée par un tribunal, de celles-là, il en avait eu plus que sa part ; non, une invitation péremptoire émanant d'un client potentiel qu'il ne pouvait ni ignorer ni décommander, un héros de sa jeunesse.

Le général de brigade Bagga Kapoor, aujourd'hui à la retraite, était un vétéran de la deuxième guerre contre le Pakistan. Le général Kapoor commandait un bataillon de chars pendant l'avance légendaire de l'armée indienne sur le canal Ichhogil, non loin de Lahore, à la frontière orientale du Pakistan. En septembre 1965, après avoir détruit dix-huit chars ennemis, ses troupes s'approchèrent de l'aéroport international de Lahore. Le char dans lequel se trouvait Kapoor fut touché par l'artillerie adverse, deux de ses hommes perdirent la vie. Le général Kapoor extirpa son artilleur inconscient du char en flammes et le mit en lieu sûr. Pour cet acte de bravoure, il fut décoré de la médaille Ati Vishisht Seva[1].

Puri n'avait jamais eu l'honneur de le rencontrer en personne, bien qu'il eût assisté à l'une de ses conférences à l'académie militaire de Dehra Dun, en 1975. Il était donc tout émoustillé à l'idée de pouvoir rendre service à ce grand homme. Kapoor avait téléphoné la veille à l'agence, sans spécifier à la secrétaire la nature de l'affaire. Il avait seulement laissé des instructions : Puri devait le retrouver à seize heures le lendemain dans les jardins de Lodi.

— Je lui ai dit que vous n'étiez pas à Delhi, mais il a insisté, avait expliqué Mme Rani. Il a précisé que vous deviez venir seul.

En arrivant chez lui, Puri apprit que sa mère recherchait activement les éventuels témoins des coups de feu. Selon Rumpi, Mummy passait tout son temps à frapper aux portes des voisins.

— Bon sang ! s'exclama Puri. Je lui ai pourtant dit de ne pas s'en mêler ! Pourquoi s'occupe-t-elle toujours de ce qui ne la regarde pas, je te le demande ?

1. Décoration militaire datant de 1960, récompensant des « services exceptionnels » rendus à la nation. (*N.d.T.*)

— Elle veut juste t'aider, répondit Rumpi qui préparait avec Malika le *rajma chaval* du déjeuner. Ne devrais-tu pas en faire autant ?

— Chère Rumpi, je suis capable de mener mon enquête tout seul. D'ailleurs, j'ai demandé à mes hommes de faire le nécessaire.

En effet, Tubelight et l'un de ses acolytes avaient commencé d'enquêter dans le voisinage, jusqu'à présent sans succès.

— Ma mère ne fera que compliquer la situation en mettant les gens sur leurs gardes. Et puis ça pourrait être dangereux. Ce métier n'est pas un jeu d'enfant. Alors, s'il te plaît, à son retour, dis-lui que je dois lui en toucher deux mots. Il faut qu'elle arrête ces bêtises.

Après le déjeuner, Puri se rendit à son bureau, vérifia l'avancée de ses autres affaires, dont quelques banales enquêtes matrimoniales, puis partit aux jardins de Lodi.

Sur le parking, à l'entrée de Prithviraj Road, il remarqua un grand nombre d'Hindustan Ambassador aux plaques d'immatriculation officielles et munies de gyrophares ; l'élite dirigeante considérait manifestement que les véhicules de fonction servaient aussi à conduire au parc les épouses des babus, des juges et des hommes politiques, afin d'y promener leur animal de compagnie.

Puri passa sur Athpula Bridge et s'engagea dans les allées. Des familles entières pique-niquaient sur les pelouses, des jeunes gens jouaient au cricket avec des balles de tennis et des vendeurs de jouets proposaient aux promeneurs ballons et mirlitons. Des écureuils espiègles filaient de branche en branche, faisant s'égosiller les perruches à bec rouge et à longue queue perchées dans les arbres. Un vieil homme en posture de yoga pratiquait de bruyants exercices respiratoires en soufflant comme une forge par les narines ; sur un banc à demi caché derrière des buissons, un jeune couple échangeait des baisers furtifs.

Puri aperçut le général qui l'attendait sur les marches du mausolée de Sheesh Gumbad ; il consultait impatiemment sa montre, agacé que le détective eût trois minutes de retard. Bâton de commandement à poignée d'ivoire coincé sous le bras gauche, moustache militaire, épais favoris blancs et sourcils broussailleux, le vétéran, presque octogénaire, paraissait très en forme pour son âge. Il portait un short kaki, des chaussures de sport, des chaussettes montantes et un bonnet de ski en laine, prêt pour un jogging.

— Puri, on m'a dit beaucoup de bien de vous.

Formé à l'école militaire de Dehra Dun et ancien élève de l'académie royale de Sandhurst, Kapoor s'exprimait avec un accent qui rappelait à Puri une époque révolue.

— C'est un grand honneur pour moi de vous rencontrer, mon général, répondit-il avec un salut militaire, avant de lui serrer la main.

— Je fais une marche rapide de quarante-cinq minutes tous les jours à seize heures. Vous me suivez ? Nous parlerons en chemin.

Sans tenir compte du fait que Puri, vêtu de sa saharienne et coiffé d'une casquette en tweed, n'était guère accoutré pour ce type d'exercice, le vieil homme s'élança sur le circuit de jogging. Au bout de quelques mètres, le détective peinait déjà pour se maintenir à sa hauteur.

— J'ai une mission à vous confier ! tonna le général, comme s'il lui annonçait qu'il allait le parachuter derrière les lignes ennemies. Inutile de préciser que cela doit rester entre nous.

— Compris, monsieur.

Ils longèrent un bosquet de bambous géants qui se dressaient à plus de dix mètres au-dessus de leur tête.

— Voilà : il s'agit de ma petite-fille, Tisca. Elle doit se marier dans deux mois. Grand mariage, ici, à Delhi. J'ai rencontré le garçon il y a deux jours. Mahinder Gupta. C'est son nom. Il ne convient pas à Tisca. Pas du tout !

Le détective pesta intérieurement ; il avait espéré qu'un général de brigade ferait appel à lui pour autre chose qu'une enquête prénuptiale. Néanmoins, il fit un effort pour paraître intéressé.

— Je comprends, monsieur.

— Mon fils est fautif, Puri, poursuivit Kapoor alors qu'ils s'approchaient de la passerelle menant au tombeau de Mohammed Shah. Il n'a jamais su juger les gens. Et sa femme est encore pire. C'est à désespérer.

Puri, qui commençait à transpirer à grosses gouttes, s'épongea le front avec son mouchoir.

— De quelle famille est originaire ce garçon ?

— Pfft... Des Gupta ! De la caste des *Bania* ! Tous des commerçants !

— Il s'occupe du négoce familial ?

— Il travaille pour une BPO. Vous en avez entendu parler ?

— C'est une société de services qui gère des centres d'appels et ce genre de choses.

— Je vois... fit Kapoor avec un froncement de sourcils dubitatif qui montrait bien qu'il ne voyait rien du tout.

— Qu'avez-vous à reprocher à ce garçon ? reprit Puri.

— Ce n'est pas un homme, Puri. Il n'a pas servi son pays.

La tournure que prenait la conversation mettait le détective mal à l'aise. Les enquêtes matrimoniales constituaient certes son gagne-pain – il en faisait plusieurs par semaines –, mais, la plupart du temps, ses clients tenaient seulement à s'assurer que le futur conjoint convenait à leur progéniture. Kapoor, lui, avait une dent contre le jeune Gupta et semblait bien décidé à faire capoter le mariage.

Il était hélas hors de question de refuser l'affaire. On ne disait pas non au général Kapoor.

— Pouvez-vous… m'en dire… davantage… monsieur ? pantela Puri, sentant venir un douloureux point de côté.

— Il a passé plusieurs mois à Dubaï. Dieu sait ce qu'il y a manigancé. L'endroit est infesté de membres du Jihad islamique, d'espions pakistanais, bref d'individus peu recommandables.

— Est-il à Delhi en ce moment ?

— Je crois. Il joue au golf. Un vrai champion, paraît-il.

Au grand soulagement de Puri, ils ralentirent l'allure derrière trois grosses dames qui trottinaient dans l'allée, en lunettes Chanel, visières de celluloïd et caleçons moulants. Hélas, Kapoor perdit patience et leur ordonna de se pousser.

Elles se récrièrent en chœur mais s'écartèrent de son chemin ; il les doubla en maugréant. Puri dut courir pour le rattraper.

— Sans indiscrétion, quel âge a votre petite-fille ?

— Trente-quatre ans, répondit Kapoor, nullement gêné.

— Et le garçon ?

— Trente et un.

— Est-ce la première fois que Tisca est fiancée ?

— Le problème n'est pas là, Puri, fit le général d'un ton abrupt. Je veux tout savoir de ce Mahinder Gupta.

Ils passèrent devant le mausolée de Sikander Lodi, qui se trouvait non loin du parking. Puri sentait le rajma chaval de Rumpi remonter dangereusement dans son œsophage.

— Avec votre permission, monsieur, je dois prendre congé, fit-il d'une petite voix.

— À votre guise. Je vous ferai parvenir le dossier sur Gupta dès demain matin. Venez au rapport dans une semaine. Je veux tous les ragots qui courent sur cet individu… Le reste, je m'en occupe.

— Bien, monsieur.

— Et tâchez de retrouver la forme ! le rabroua Kapoor en agitant son bâton. À votre âge, je courais sept kilomètres tous les matins avant le petit déjeuner.

— Bien, monsieur.

Avant que Puri puisse évoquer le paiement de ses honoraires, son nouveau client s'éloigna au pas de course, coudes écartés, comme s'il chargeait l'ennemi.

Le détective attendit qu'il ait disparu pour s'asseoir sur un muret et reprendre son souffle.

— Mon Dieu, dit-il à voix haute en s'épongeant le front, trente-quatre ans. Elle va bientôt dépasser la date de péremption.

En rentrant chez lui, Puri trouva sa mère qui l'attendait dans le salon.

— Chubby, j'ai quelque chose d'important à t'annoncer. Il y a du nouveau…

— Mummy-ji, si c'est pour me parler des coups de feu, épargne ta salive, répondit-il en se penchant pour lui toucher les pieds.

— Chubby, écoute-moi, na. C'est très important. Le boy des…

— Désolé, Mummy-ji, je n'écouterai pas, l'interrompit Puri. Je t'ai déjà dit de ne pas te mêler de mes enquêtes. Ce n'est pas le rôle d'une mère. Tu ne fais que compliquer les choses. Avec tout le respect que je te dois, je te prie de ne pas fourrer ton nez dans ce qui ne te regarde pas. Point final. À présent, je vais faire un brin de toilette et me reposer.

Il monta à l'étage, laissant sa mère à ses réflexions.

Son fils avait hérité de l'orgueil et de l'entêtement de son père. Om Chander Puri ne supportait pas que son épouse interfère dans ses affaires. Parfois pourtant, s'il piétinait, il daignait lui soumettre le problème. Grâce à son concours, il avait souvent démêlé des situations délicates, sans jamais se résoudre à reconnaître la pertinence de ses raisonnements. Quant à ses rêves prémonitoires, il n'y prêtait aucune attention.

En bonne épouse, Mummy s'était toujours sentie obligée d'obéir à son mari. Mais en tant que mère, elle se devait de suivre son instinct naturel – surtout quand son fils courait un grave danger. Bien plus grave qu'il ne le croyait.

Le matin même, elle avait croisé Kishan, un petit boy qui travaillait quelques maisons plus loin, au numéro 23. Quand elle lui avait demandé s'il avait remarqué quelque chose de suspect l'avant-veille, le gamin s'était affolé.

— Je… je n'étais pas derrière chez vous, Auntie-ji !

— Que s'est-il passé derrière la maison ?

— Rien, Auntie-ji !

— Comment peux-tu le savoir, puisque tu n'y étais pas ?

Elle lui offrit deux grosses crèmes glacées et, à force de cajoleries, Kishan finit par admettre qu'il se trouvait derrière la maison des Puri au moment des coups de feu.

— Et que faisais-tu là ?

Il parut embarrassé.

— Bon, disons que tu revenais du marché par le chemin des écoliers ?

— Oui, c'est ça !

— Qu'as-tu vu, exactement ?

— J'étais derrière le mur en train de…

— De faire pipi ?

— Oui, c'est ça. J'ai entendu des coups de feu qui venaient de la maison en construction. On aurait dit des pétards. Et puis j'ai vu un homme partir en courant…

Kishan avait à peine eu le temps de distinguer le visage du fuyard, mais il était sûr d'une chose.

Il portait des bottes rouges.

Mummy lui fit jurer de ne parler de l'incident à personne. Il y allait de sa vie.

Des bottes rouges… Chubby aurait compris la gravité de la situation, s'il avait accepté de l'écouter.

Mais il s'obstinait à refuser son aide. Elle devait donc mener l'enquête de son côté.

— Je vais lui prouver, moi, de quoi est capable une mère !

9

Les hommes ne manquèrent pas de remarquer la jeune paysanne chargée d'un petit ballot qui passa dans Ramgarh Road trois jours après la visite de Puri à Jaipur. Son sari de mauvais coton jaune vif, noué à la mode campagnarde, soulignait ses formes exceptionnelles. Le traditionnel *dupatta* qui lui couvrait la tête et dont elle tenait une extrémité coincée entre les dents révélait un seul œil – mais quel œil ! – souligné de khôl noir, et quelques centimètres carrés de peau sombre.

Les plus lubriques osèrent l'interpeller.

— Je serai ta charrue et toi mon champ ! brailla un *tonga-wallah* bedonnant, du haut de sa carriole.

Deux ouvriers qui repeignaient une ligne blanche au milieu de la route interrompirent leur besogne pour la suivre des yeux, en émettant des bruits de succion obscènes.

— Viens, ma jolie selle, que je t'enfourche ! cria l'un d'eux.

Le savetier musulman accroupi au milieu de monceaux de talons de chaussures, de semelles, de pots de colle, de marteaux et d'alènes se montra plus discret. Mais il dévora des yeux la généreuse poitrine et saliva devant la peau brune qu'il apercevait sous le corsage. Homme marié et père de trois fils en bonne santé, il devrait demander à Allah de lui pardonner les pensées impures qui lui brouillaient le cerveau.

La timide jeune femme, qui ne connaissait que trop bien la nature licencieuse et perfide des hommes, continua sa route sur la chaussée inégale, indifférente aux commentaires salaces et aux clins d'œil lubriques ; elle marchait droit vers l'entrée de Raj Kasliwal Bhavan.

Arrivée devant le portail, elle avisa un vieil homme, nu-pieds, vêtu de haillons, accroupi près d'une platebande fleurie, une faucille posée près de lui. Sa chevelure d'un blanc neigeux lui donnait un air de patriarche : repoussés en arrière, ses longs cheveux bouclaient autour de ses oreilles avant de se mêler à une barbe broussailleuse.

Le jardinier regardait devant lui avec une expression placide et détachée que la jeune femme prit tout d'abord pour une manifestation de son grand âge. Puis, en s'approchant, elle huma le parfum caractéristique qui s'échappait de la cigarette roulée qu'il tenait entre ses doigts.

Elle le salua de loin.

— Namashkar, *baba*.

Le vieil homme émergea de sa rêverie, son regard se concentra sur la vision dorée qui apparaissait devant lui. Un large sourire naquit sur ses lèvres.

— Ah ! te voilà enfin, mon enfant, dit-il en tirant sur sa barbe. C'est bien. Je t'attendais.

La jeune femme eut un haussement de sourcils amusé.

— Nous nous connaissons, baba ? demanda-t-elle d'une voix plus grave que son allure juvénile ne le laissait supposer.

— Non, mais je t'ai vue en rêve.

— Je n'en doute pas ! ironisa-t-elle.

— Viens t'asseoir à côté de moi…

— Grand-père ! Si j'ai besoin d'un cadavre, je n'ai qu'à aller au cimetière !

Sa hardiesse fit sourire le jardinier.

— Reste un peu avec moi, ma jolie, et tu verras si je suis un cadavre !

— Tu perds ton temps, baba ! Je cherche du travail.

Le vieil homme tapota sur ses cuisses.

— Viens par là, j'en ai pour toi…

— Ça suffit, grand-père, je ne suis pas une pilleuse de tombe. On m'a dit que la *memsahib* cherchait quelqu'un.

— On cherche toujours quelqu'un, ici. Les journées sont longues et la paye petite. Personne ne reste jamais bien longtemps.

— Sauf le jardinier, plaisanta la jeune femme.

— Oui, je me contente de peu. J'ai un toit au-dessus de la tête et je peux faire pousser ce que je veux. Ce que je ne fume pas, je le vends. Pour toi ce sera gratuit, si tu me fais retrouver une nouvelle jeunesse…

— Plus tard, baba, plus tard ! J'ai des bouches à nourrir, moi.

— Qu'est-ce que tu sais faire ? Pas grand-chose, on dirait.

— C'est toi le maître de la maison pour poser toutes ces questions ? Je sais faire beaucoup de choses, ménage, lessive, cuisine et même repassage.

Le mali tira une grosse bouffée et exhala doucement la fumée, qui monta en volutes devant son visage.

— Oui, je peux voir que tu as de multiples talents…

Ces mots firent sourire la jeune femme, sans que le jardinier en comprît la raison.

— On m'a dit au marché que la memsahib cherchait une servante, répéta-t-elle.

— La dernière a disparu le mois dernier.

— Ah bon ? Et que lui est-il arrivé ?

— On l'a tuée.

— Comment le sais-tu, baba ?

— Je le sais.

— Et qui a fait ça ?

— Un de ses hommes, pardi !

— Elle en avait beaucoup ?

Il éclata de rire.

— On l'appelait « Petit Poney ». Tout le monde la chevauchait, moi y compris. Et le chauffeur, le marchand de légumes, le sahib…

— Le sahib ?

— Ça t'étonne ?

— J'ai entendu dire que c'était un homme bon.

— Méfie-toi… L'habit ne fait pas le brahmane… Chaque fois que la memsahib partait en voyage, le sahib allait frapper à la porte de Petit Poney. On les entendait toute la nuit, à des kilomètres à la ronde… Mais ce n'est pas lui qui l'a tuée.

— Comment le sais-tu ?

— Il n'était pas là quand elle a disparu.

— Alors qui est l'assassin, baba ?

Le mali haussa les épaules, tira une dernière bouffée et jeta le mégot encore fumant dans les fleurs. La jeune femme leva les yeux vers la villa blanchie à la chaux.

— Et qui je dois voir, pour le travail ?

— Passe par-derrière et frappe à la porte de la cuisine.

Le vieil homme suivit des yeux la silhouette qui s'éloignait, admirant les bracelets à clochettes d'argent qui dansaient autour des fines chevilles brunes.

— Hé ! Attends ! Tu ne m'as pas dit ton nom !

— Seema ! cria-t-elle par-dessus son épaule, sans s'arrêter.

— Je rêverai de toi, belle Seema !

— J'en suis sûre, grand-père !

Seema remonta l'allée ensoleillée, contourna la villa par la droite, suivant le ruban de briques rouges qui serpentait au milieu des plates-bandes de soucis et de verveine. Un peu plus loin, derrière la maison, une volée de mandarins picoraient un bout de pain rassis, piaillant comme des pipelettes.

Arrivée devant la porte de la cuisine, elle sortit de son corsage une lettre de recommandation signée par un haut fonctionnaire de Delhi et son épouse, M. et Mme Kholi. Rédigée en anglais, elle disait que Seema avait travaillé pour eux pendant trois ans. Le couple ne tarissait pas d'éloges sur cette employée de maison « honnête, loyale et intègre ». Mme Kholi avait noté son numéro de téléphone, invitant les futurs employeurs à l'appeler pour tout renseignement complémentaire.

Seema frappa à la porte. Celle-ci s'ouvrit sur l'aide-cuisinier, Kamat, qui tenait à la main un couteau à hacher le gingembre ; à en juger par son léger duvet de moustache, il avait à peine quinze ans. Kamat appela Bablu, le cuisinier ; celui-ci, un homme au gros nez épaté, arriva en s'essuyant les mains avec un torchon.

— D'où tu viens ? bougonna-t-il d'un air soupçonneux, sourcils froncés.

Seema fit bien attention de prendre le ton adéquat, ni trop timide, ni trop assuré.

— D'un village de l'Himachal, monsieur.

Elle savait que les employeurs préféraient les filles des montagnes, jugées plus honnêtes que celles des plaines de l'Hindoustan. De plus, les montagnards n'étant pas traditionnellement des chiffonniers, ils avaient le droit de toucher la nourriture.

— Que sais-tu faire ? demanda Bablu.

La jeune femme énuméra toutes ses compétences et lui tendit la lettre, qu'il lui prit des mains.

— Attends là.

Il lui claqua la porte au nez.

Seema patienta une bonne demi-heure avant de voir la porte s'ouvrir, cette fois sur la maîtresse de maison, cheveux remontés en chignon, le crâne couvert d'une épaisse boue verdâtre de henné.

Elle détailla Seema des pieds à la tête.

— Es-tu mariée ?

— Non, madame.

— Pourquoi ?

— Mon père n'a pas l'argent pour la dot.

— Quel âge as-tu ?

— Vingt-six ans.

Mme Kasliwal lui rendit la lettre.

— J'ai téléphoné à Delhi, dit-elle, sans davantage d'explications. J'ai besoin de quelqu'un pour le ménage et la lessive. Tu peux commencer tout de suite ?

— Oui, madame.

— Trois cents roupies par mois, nourrie, logée.

Les gages étaient bien plus maigres que le tarif couramment pratiqué, surtout pour un employé logé sur place, ce qui impliquait de travailler sept jours sur sept.

— Trois cents roupies, ce n'est pas beaucoup, memsahib, répondit Seema en fixant la bague et les boucles d'oreilles en diamant de la maîtresse de maison, d'une valeur de plusieurs *lakhs*. Je veux cinq cents roupies.

Mme Kasliwal poussa une exclamation impatiente.

— Trois cents, ou rien.

— Quatre cent cinquante ?

— Trois cent cinquante. Sans avance.

Seema réfléchit, puis acquiesça en silence.

— Très bien. Tu auras ton dimanche. Le reste de la semaine, tu ne bouges pas d'ici. Chez moi, on ne sort pas sans prévenir et on ne reçoit personne. Compris ?

— Oui, madame.

— Bablu te dira ce que tu dois faire. Si tu voles, j'appelle la police. Et si d'ici trois jours tu ne me donnes pas satisfaction, tu plies bagage. C'est clair ?

Mme Kasliwal conduisit ensuite la jeune femme à la cuisine et ordonna à Bablu de la mettre au travail sur-le-champ.

La journée fut longue et éreintante. Seema éminça les oignons, pétrit la pâte à roti, tria les lentilles, fit bouillir le lait pour la préparation du *paneer*. Puis elle lava les sols à grande eau dans les couloirs et la salle à manger. Elle eut droit à une demi-heure de pause pour déjeuner ; elle mangea une assiettée de légumes, seule, dehors, accroupie devant la porte de la cuisine. Ensuite, on l'envoya au marché chercher trois gros sacs de riz et de légumes secs, ainsi qu'un paquet de céréales pour le petit déjeuner du maître de maison. En début d'après-midi, elle s'occupa du linge.

Elle n'eut guère l'occasion de bavarder avec les autres domestiques, et encore moins de faire leur connaissance. Bablu parlait peu, et quand il ouvrait la bouche, c'était pour jurer. Il criait après Kamat, maladroit et tête en l'air ; le pauvre garçon avait fait trop cuire le riz et versé de l'huile dans l'évier.

Sidhu, le chauffeur embauché depuis un mois, passa la matinée dans l'allée, pendu à son téléphone portable, tout en briquant avec amour l'Indica rouge de Mme Kasliwal comme s'il s'agissait du Koh-i-Noor. Arjun, le chauffeur qui remplaçait Munnalal, apparut à midi. Il jeta un bref coup d'œil admiratif aux courbes de la nouvelle servante, avala un en-cas en quatrième vitesse et partit sur-le-champ porter le tiffin d'Ajay Kasliwal au palais de justice.

Seema n'eut pas non plus l'opportunité de parler aux employés occasionnels ; la fille qui passait une heure par jour à récurer les poêles et les casseroles dans chaque maison du quartier, visiblement intimidée par Bablu, travaillait sans jamais lever la tête de l'évier. L'esthéticienne qui épilait et massait Madame se prenait pour une princesse et ne daignait même pas dire merci quand on lui apportait une tasse de thé. Quant à la gamine muette qui nettoyait les toilettes, elle venait de la communauté de chiffonniers installée en dehors de la ville ; c'était une *dalit*, une intouchable.

La seule personne avec laquelle Seema parvint à échanger quelques mots fut Jaya, la bonne à tout faire, arrivée chez les Kasliwal au début du mois d'août.

Lorsqu'en fin d'après-midi Madame partit en visite chez des amies, Seema et Jaya balayèrent et lavèrent la véranda. Voyant que la petite était très timide et manifestement malheureuse, Seema rompit la glace en lui racontant quelques-unes de ses aventures. Elle parla de l'époque où elle faisait partie d'une troupe de théâtre ambulant, dans l'Assam ; décrivit l'année passée à Delhi comme bonne d'enfants chez un couple très mondain ; évoqua son expérience de serveuse dans un bar de Bombay, où un homme d'affaires richissime, tombé amoureux d'elle, l'avait demandée en mariage.

Toutes ces histoires étaient vraies, même si elle les enjolivait un peu en fonction des circonstances.

Jaya l'écoutait, admirative ; très vite, elle se prit d'amitié pour la nouvelle venue. Une fois ou deux, Seema la surprit même à sourire.

Ce soir-là, après avoir terminé les corvées de la journée, Jaya conduisit Seema dans le quartier des domestiques, au fond de la propriété.

En partant de la gauche, le jardinier occupait la première chambre, Kamat la deuxième ; la troisième était vide, la quatrième, celle décorée de posters de la Vierge Marie et du bel acteur indien, vide également.

Jaya, qui dormait dans la dernière, déconseilla à son amie de s'installer dans la quatrième, car la porte fermait mal.

— J'aime bien l'idée qu'on soit voisines… suggéra Seema. Et une porte, ça se répare !

Elles entreprirent donc de nettoyer la chambre ; Seema enleva les posters, sortit de son sac ses divinités qu'elle disposa sur le rebord de la fenêtre, puis alluma un bâton d'encens et fit une prière.

Les deux servantes passèrent la soirée à bavarder. Seema poursuivit le récit de ses aventures, en posant de temps à autre une question discrète sur les domestiques. Elle apprit ainsi que le jardinier, perdu dans les brumes de cannabis, sombrait chaque nuit dans une profonde somnolence. Bablu, le cuisinier, avait des tendances homosexuelles, mais prétendait adorer les femmes, même s'il avait vu tous les films de Salman Khan, le mauvais garçon de Bollywood. Kamat, quand il avait bu, devenait agressif ; on murmurait qu'il avait violé une jeune fille travaillant dans le voisinage.

À dix heures, elles décidèrent d'aller se coucher et Seema retourna à son galetas. Elle entendit Jaya tourner la clé dans sa serrure ; de son côté, elle dut batailler pour fermer la sienne.

Quelques minutes plus tard, elle dormait du sommeil du juste.

Une heure plus tard, elle fut réveillée en sursaut par un léger bruit. Quelqu'un tentait d'ouvrir sa porte.

— Qui est là ? cria-t-elle.

Il n'y eut pas de réponse, mais elle entendit des bruits de pas qui s'éloignaient furtivement.

Elle se leva, marcha vers la porte sur la pointe des pieds, l'ouvrit et jeta un coup d'œil au-dehors. Il faisait nuit noire. Rien ne bougeait.

Seema tenait dans sa main son *khukuri*, un couteau népalais à longue lame, compagnon de ses nuits, toujours caché sous son oreiller.

10

Les bureaux de Khan Market de l'agence Détectives Très Privés possédaient quinze lignes téléphoniques, dont six officiellement utilisées par l'agence. Les neuf autres, réservées aux opérations clandestines, avaient chacune poste de téléphone, répondeur et magnétophone, le tout aligné sur une longue table dans le « central téléphonique » situé en face du bureau de Puri.

Devant chaque appareil, un bloc-notes contenait des directives destinées à Mme Chadha, dont la mission consistait à répondre en variant les intonations de sa voix en fonction de l'interlocuteur.

Un travail relativement simple, mais essentiel au succès des enquêtes. La plupart du temps, Mme Chadha se faisait passer pour une standardiste et transmettait la communication aux différents membres de l'équipe.

Par exemple, les lignes 1 à 4 venaient d'être attribuées à une grosse société pharmaceutique (dans le cadre d'une enquête commanditée par l'État du Bihar sur les ventes illicites de pavot cultivé légalement). Mme Chadha prenait les appels et lançait un dynamique : « Société pharmaceutique de l'Hindousthan, votre santé nous concerne, que puis-je pour vous ? », avant de passer le correspondant à Puri, alias Ranjan Roy, président-directeur général.

Comédienne à ses heures dans une troupe de théâtre amateur et imitatrice de premier ordre, Mme Chadha, qui aimait son travail parce qu'elle pouvait passer la plupart de ses journées à jouer des aiguilles, endossait parfois des rôles infiniment plus complexes : lors de la dernière enquête prénuptiale, la ligne 7 ayant été assignée à une agence d'escorte féminine, Coquines et Sexy, elle avait adopté une voix sensuelle pour arranger des rendez-vous avec une certaine Miss Nina.

En prévision de l'affaire suivante, la ligne 9 était déjà allouée à un traiteur chinois, Pékin Express ; la standardiste répondait d'un ton épuisé et impatient, et posait des questions du style : « Vous le voulez très épicé, votre poulet au piment ? »

Pour que les conversations aient l'air plus authentiques, Flush, le champion de l'électronique, avait équipé le central téléphonique d'un système de sonorisation sophistiqué. À chaque appel, la machine déclenchait automatiquement le bruit de fond approprié. Celui de la société pharmaceutique n'avait rien de particulier, simplement une ambiance de bureau : cliquetis de machines à écrire, brouhaha de voix, sonneries diverses. Les appels pour l'agence d'escorte féminine déclinaient une version sirupeuse de *Love Story* ; et quand quelqu'un appelait le traiteur chinois, Mme Chadha élevait la voix pour se faire entendre par-dessus un fracas de vaisselle et de couverts, accompagné de jets de vapeur et d'aboiements de chefs cuistots irascibles.

En général, Puri parvenait à lui donner l'heure approximative des communications à venir.

Le matin où Facecream se fit embaucher chez les Kasliwal, le détective prévint Mme Chadha que la ligne 6 avait des chances de sonner vers neuf heures.

L'appel arriva à neuf heures trente. Reposant le pull-over qu'elle tricotait pour son petit-fils, Mme Chadha décrocha le combiné.

— Ji ?

À l'autre bout du fil, une voix féminine demanda à parler à Mme Kholi.

— Oui, c'est moi, répondit-elle en anglais, sans déformer sa voix pour une fois.

La conversation qui s'ensuivit se déroula exactement comme Puri l'avait prévu : une dame à l'élocution soignée expliqua dans un préambule de trois bonnes minutes qu'elle possédait une grande maison à Jaipur, que son mari était un avocat réputé et que son fils chéri faisait ses études à Londres, avant d'en venir aux faits : une servante nommée Seema avait-elle travaillé pour les Kholi ?

— Seema ? Oui, elle est restée chez nous plusieurs années, répondit Mme Chadha. Elle nous a donné entière satisfaction.

— Puis-je savoir pourquoi elle vous a quittés ?

— Eh bien, mon fils aîné, revenu avec sa famille de Katmandou, où il était en poste, a ramené sa propre domestique. Donc nous n'avions plus besoin de Seema.

— Vous n'avez pas eu à vous plaindre d'elle ? s'enquit Mme Kasliwal, dubitative.

— Absolument jamais, madame ! Seema était bien au-dessus du lot. Une perle, je vous dis.

La conversation dériva sur d'autres sujets, tant et si bien que Mme Kasliwal finit par inviter les Kholi à prendre le thé, s'ils venaient à se rendre à Jaipur.

Mme Chadha raccrocha, transcrivit l'entretien sur le bloc-notes de la ligne 6, appela Puri pour lui signaler que tout s'était bien passé, puis reprit son tricot en attendant l'appel suivant, sur la 7 : un futur marié qui souhaiterait sans doute les services de Miss Nina.

Puri savait que Facecream ne pourrait donner de nouvelles avant vingt-quatre heures. Elle n'avait pas pris de téléphone portable et devait donc l'appeler à partir d'une cabine. S'échapper de la maison ne serait pas chose facile, mais, ayant travaillé avec la bcllc Népalaise sur des dizaines d'opérations, le détective était sûr qu'elle trouverait une solution.

À la demande de Puri, Tubelight avait envoyé deux hommes en renfort à Jaipur. Shashi et Zia étaient arrivés dans la Cité rose la veille, avec pour mission de retrouver Munnalal, l'ancien chauffeur de Kasliwal, et de repérer sur Ajmer Road l'endroit où le corps d'une jeune femme inconnue avait été abandonné le 22 août au soir.

Restait à suivre la piste des cailloux colorés subtilisés par Puri dans la chambre de Mary. Il décida de les envoyer à Rajesh Kumar, professeur au département de géologie de l'université de Delhi.

— Kumar pourra peut-être me donner des indications sur leur provenance, expliqua-t-il à Elizabeth Rani, qui attendait patiemment qu'il ait fini de les glisser, un à un, dans une enveloppe. Il faut remuer ciel et terre pour retrouver l'origine de ces cailloux, madame Rani. Surtout la terre, ajouta-t-il, ravi de son bon mot. C'est un coup à tenter, on ne sait jamais. Ne jamais négliger une piste, c'est ma devise !

— Oui, monsieur, bien sûr.

Mme Rani alla remettre l'enveloppe au garçon de courses afin qu'il l'apporte au professeur Kumar, pour lequel, sans jamais l'avoir avoué à personne, elle nourrissait un tendre sentiment.

Puri, qui se comparait à une araignée au centre de sa toile amoureusement tissée, se laissa aller dans son fauteuil, convaincu qu'il ne tarderait pas à percer les petits secrets de la famille Kasliwal. Aucun détective n'aurait été capable de s'y prendre mieux. Un seul homme dans le pays aurait pu rivaliser avec lui, s'il avait encore été de ce monde.

Les enquêteurs frais émoulus de l'École de détectives (comme ce maudit Harun Quelque-chose, aux costumes en soie si voyants et aux cheveux si gominés que tous les goondas le repéraient à cent mètres) ne lui arrivaient pas à la cheville. Le problème avec ces jeunots, c'est qu'ils regardaient trop de séries américaines. Ils s'imaginaient qu'il suffisait de débarquer sur la scène du crime avec des cotons-tiges et des lampes à ultraviolets pour résoudre une énigme.

Non que l'expertise médico-légale fût inutile, au contraire. Comme Puri l'avait rappelé à une classe d'élèves officiers lors d'une conférence au BCI[1], l'Inde avait été pionnière dans ce domaine.

— Au XVIe siècle, Bayram Khan résolut l'énigme du meurtre brutal d'une courtisane du Grand Moghol, grâce à la découverte de l'un de ses cheveux flottant à la surface d'un bassin où l'eunuque Mahbub Ali Khan l'avait noyée…

Puri lisait des notes corrigées et dactylographiées par Elizabeth Rani.

— N'oublions pas non plus Bhogar, alchimiste tamoul, qui a ouvert la voie à l'analyse de substances chimiques, comparant par exemple les cendres de différents tabacs, plus d'un siècle et demi avant que le détective britannique Sherlock Holmes ne rédige une monographie traitant du même sujet[2], sans même lui rendre hommage.

Puri mentionna ensuite les grands Azizul Haque et Hem Chandra Bose, qui développèrent le système de classification par empreintes digitales et ouvrirent le premier bureau d'anthropométrie judiciaire en 1897.

1. Bureau central d'investigation, équivalent indien du FBI. (*N.d.T.*)

2. Sir Arthur Conan Doyle, *Sur la discrimination entre les différents tabacs*, dans *Le Signe des Quatre,* chap. 1er. (*N.d.T.*)

Quelques années plus tard, Sir Edward Richard Henry, de Scotland Yard, s'attribua le mérite du travail de ces précurseurs.

— Donc, comme nous pouvons le voir, l'expertise médico-légale nous est très utile, poursuivit-il. Mais il n'y a guère de substitut au bon vieux procédé de la déduction logique. Le microscope le plus puissant ne peut rivaliser avec le pouvoir d'observation de l'œil humain.

Dans ce domaine, l'Inde avait également ouvert la voie.

— Trois cents ans avant l'ère chrétienne régnait la grande dynastie des Maurya. Son fondateur, Chandragupta, eut pour conseiller Chanakya, un penseur de génie, inventeur de l'art de la surveillance rapprochée. Premier chef des services secrets, il monta un réseau d'hommes et de femmes espions, les *satris*, qui opéraient sur le territoire de l'empire et dans les royaumes avoisinants.

Puri n'eut pas à rappeler aux élèves officiers que Chanakya avait rédigé le premier grand traité de politique et d'économie, l'*Arthasastra*, guide pratique en quinze volumes sur l'art d'administrer une société juste et tournée vers le progrès – que les dirigeants de l'Inde moderne feraient bien d'étudier.

Il attira leur attention sur la partie de l'ouvrage qui évoquait la façon de gérer les services secrets, et en lut un extrait :

— « Les agents seront recrutés dans les orphelinats et formés aux disciplines suivantes : interprétation des signes, chiromancie et lecture des empreintes corporelles, tours de magie et illusionnisme, science des présages ; les devoirs consubstantiels aux *ashramas*. Sinon, on leur enseignera la science des corps, des hommes et des sociétés. »

Pour la conduite des opérations clandestines, Chanakya conseillait d'adopter des déguisements variés : tenanciers de lupanars, conteurs, récitants de *puranas*, acrobates, cuisiniers, laveurs de cheveux, gardiens de troupeaux, moines, cornacs, voleurs, chasseurs de serpents et même déités, pour n'en citer que quelques-uns. Il recommandait aux agents l'habit de marchand pour mieux se fondre dans la foule des villes ; à ceux qui travaillaient aux frontières de se faire passer pour des bergers. Et s'ils devaient infiltrer la maison d'un particulier, mieux valait « utiliser les services de bossus, de nains, d'eunuques, de femmes douées de multiples talents ou de personnes muettes ».

De nos jours, il était devenu difficile de recruter des nains, nombre d'entre eux gagnant désormais leur vie à Bollywood. Les classes supérieures n'embauchaient plus de bossus à leur service. Se déguiser en religieux ne garantissait plus l'accès au domicile d'un officiel. Et depuis que l'on trouvait des berlingots de shampooing à une roupie dans les échoppes, les laveurs de cheveux avaient quasiment disparu.

L'*Arthasastra* restait néanmoins l'ouvrage de référence de Puri. La partie traitant du recrutement et de la formation des hommes de main mise à part, le traité demeurait aussi instructif de nos jours qu'il l'avait été sous l'empire des Maurya.

Après deux millénaires, l'être humain n'avait guère changé.

— Aujourd'hui, conclut Puri, n'importe lequel d'entre nous peut prendre l'avion et se rendre en quelques heures à l'autre bout de la planète. La science a fait d'énormes progrès. Mais la malfaisance n'est pas éradiquée, loin de là, surtout dans les métropoles surpeuplées comme Delhi.

Puri croyait que cela était dû au fait que le monde passait par Kali Yuga, l'Âge noir, époque de débauche et d'immoralité.

— La boussole des valeurs morales a perdu le nord. Il vous faut rester vigilants. Rappelez-vous ce qu'a dit Krishna dans son sermon à Arjuna avant la bataille de Kurukshetra : « S'acquitter de son devoir moral est une tâche qui surpasse toutes les autres, qu'elles soient spirituelles ou matérielles. »

11

Laissant à Facecream le soin de surveiller la maison des Kasliwal, Puri décida de s'attaquer à l'enquête commanditée par le général Kapoor. Il passa quelques heures à s'informer sur les allées et venues du futur marié et apprit qu'il jouait au golf presque tous les soirs.

Le club Golden Greens se trouvait à Noida, acronyme pour North Okhla Industrial Development Area, lieu de rendez-vous favori d'une certaine élite de Delhi soucieuse de son image. Pour y parvenir, Handbrake emprunta la route qui longeait la magnifique tombe d'Humayun, puis traversa le bazar grouillant de Bhogal où le chaland pouvait dénicher de tout pour la maison, de l'échelle en bambou aux matelas de coton, vendus à même le trottoir.

Vers dix-neuf heures, l'Ambassador s'arrêtait au péage du pont enjambant la Yamuna.

Handbrake avait entendu Puri se plaindre du triste sort réservé à la rivière sacrée, rappelant que, dans sa jeunesse, il s'y baignait souvent avec ses amis. Les week-ends d'été, ils prenaient le ferry pour aller acheter des pastèques sur l'autre rive. Aujourd'hui, comme l'attestait l'effroyable remugle empuantissant l'habitacle de l'Ambassador, la Yamuna n'était plus qu'un égout géant – trois milliards de litres d'eaux non traitées s'y déversaient chaque année.

Une fois franchi le pont, le chauffeur de Puri se trouva en territoire inconnu ; il n'était jamais allé à Noida. Il avait espéré que l'itinéraire serait fléché jusqu'au terrain de golf, mais ne vit aucun panneau.

— Monsieur, quelle route je dois prendre ?

Confesser son ignorance en matière de circulation routière était un aveu difficile : jamais un ancien chauffeur de taxi de Delhi n'admettrait ignorer une adresse ! Par principe, et par orgueil : derrière son volant, Handbrake était le roi. Et quel roi avouerait ses faiblesses ? Son ancien patron et mentor, Randy Singh, disait toujours que si le passager ne connaissait pas l'itinéraire, le chauffeur était parfaitement en droit de le plumer. Cette philosophie lui avait été enseignée par son père, le vieux Baba Singh, qui avait fait fortune en volant des buffles. Le credo de la famille Singh était le suivant : « S'ils l'ont, pourquoi ne pas le leur prendre ? »

Randy Singh considérait donc qu'il était de leur devoir de tondre le client, par tous les moyens. Dans son bureau, il gardait un plan régulièrement mis à jour des chantiers et des déviations de la capitale. Chaque matin, il montrait à ses employés les endroits sensibles où ils avaient le plus de chances de tomber sur des embouteillages. Pis encore, il soudoyait les préposés du Service des transports chargés d'installer les compteurs officiels dans les taxis (ceci dans le but de protéger les usagers de la fraude) afin qu'ils trafiquent lesdits compteurs : chaque course augmentait de trois *paisa* par kilomètre. Il partageait ensuite les bénéfices avec ses salariés, à raison de deux tiers, un tiers. Deux tiers pour lui, évidemment.

Aussi n'était-il pas surprenant que la société de taxis reçût de nombreuses plaintes. Mais Randy Singh n'affichait aucun remords, au contraire ! Il apprenait à ses chauffeurs comment réagir face au passager mécontent. « Jouez au plouc fraîchement débarqué dans une grande ville : Désolé, sahib, j'ai pas été à l'école, moi ! Je connais pas toutes les rues ! »

Mais le nouvel employeur de Handbrake ne l'entendait pas de cette oreille. Si vous essayiez de trouver votre itinéraire au bluff, si vous partiez au petit bonheur dans n'importe quelle direction, vous arrêtant pour demander votre chemin à des passants ignares et finissant par opérer des demi-tours acrobatiques, le détective était capable de se fâcher très fort.

— *Oolu ke pathay !* Fils de hibou ! avait-il lancé, furieux, un jour où Handbrake, prétendant connaître Mustafabad comme sa poche, tournait en rond dans Bhajanpura.

Étant donné le respect grandissant qu'il éprouvait pour son nouveau patron, se faire traiter de fils de hibou lui paraissait particulièrement mortifiant.

En dépit de ses phénoménales capacités de déduction, le détective s'avouait aussi perdu que son chauffeur dans les nouvelles banlieues de Delhi. Son plan, le dernier mis sur le marché, datait de deux ans ; beaucoup de routes et de lotissements n'y figuraient pas.

Pour couronner le tout, la signalisation de la métropole était des plus chiches. Et de nombreux « secteurs » (le mot évoquait un système planétaire dans un film de science-fiction hollywoodien) se révélaient aussi mystérieux pour le nouveau visiteur que pour le cosmonaute approchant une galaxie inconnue. On pouvait débarquer dans le secteur 15, croyant innocemment le secteur 16 limitrophe, et s'apercevoir en s'engageant dans la voie suivante qu'on atterrissait dans le secteur 28.

Récemment, Handbrake avait été envoyé à Gurgaon, secteur 17, phase 14, rue D, bloc C, appartement 3P. Il lui avait fallu plus d'une heure pour trouver l'adresse en question.

Puri n'était jamais allé au Golden Greens. Quand il comprit que son chauffeur était réellement perdu, il le pria de demander son chemin.

Mais pas à n'importe qui.

Pas question d'interroger les travailleurs migrants. Selon Puri, ces gens-là n'avaient pas l'habitude d'indiquer des directions, puisque dans leurs villages tout le monde se connaissait et que les routes ne portaient pas de nom.

— Demandez-leur n'importe quoi et ils vous diront : « C'est là-bas », maugréait-il.

Quant aux autres conducteurs, ils n'étaient guère plus crédibles, car il y avait de fortes chances qu'ils fussent eux aussi perdus. La confiance de Puri allait aux agents immobiliers et aux rickshaw-wallahs, familiers des lieux où ils travaillaient. On pouvait aussi compter sur l'expérience des livreurs de pizzas.

Peu après avoir quitté la bretelle de l'autoroute, Handbrake repéra un scooter de livraison et s'arrêta à côté de lui au premier feu rouge.

— Mon frère, tu sais où se trouve le Golden Greens ? hurla-t-il pour couvrir le bruit du moteur d'un camion diesel.

Le coursier cligna des yeux, leva brusquement la main et la laissa retomber, signe traduisant l'ignorance la plus totale.

— Galden Greens Galfing ! reprit Handbrake, espérant mieux se faire comprendre.

Le visage du coursier s'éclaira.

— Aaah ! Galden Greens Galf Carse ! Fallait le dire !

— Ji !

— Secteurrr 42 !

— Merci, frérot. Et où se trouve le secteur 42 ?

— Prrrès de Tulip High School !

— Et où je trouve ça ?

— Prrrès de Om Garrrden !

— Sois gentil, dis-moi où est Om Garden ?

Le coursier se renfrogna, puis brailla de plus belle :

— Aprrrès le cinéma Errros, secteurrr 19 ! Tourrrne à droite au feu rrrouge, dirrrection phase 3 ! On entrrre dans le secteurrr 42 par l'arrrrière !

Handbrake déposa son patron devant la porte du club et alla garer l'Ambassador sur le parking. Il allait attendre un bon moment, mais pour une fois n'en avait cure. Il se cala sur son siège et observa le paysage. Pourquoi ne pas prendre quelques photos avec le nouveau téléphone portable offert par Puri ? Sinon, comment pourrait-il prouver aux gens de son village qu'il existait en Inde un lieu aussi plat, aussi vert, aussi vide ?

Puri regrettait de ne pas être membre du Golden Greens. Non pour le plaisir de jouer (il avait secrètement horreur du golf, un jeu où les balles finissent toujours par atterrir dans une flaque d'eau fortuite), mais pour rencontrer les nouveaux riches du monde de la finance.

Politiciens, babus, juges, presque tous se retrouvaient sur les greens de l'est et du sud de la capitale. À Delhi, la plupart des transactions juteuses se déroulaient sur les greens. Jouer au golf était devenu aussi essentiel pour un détective que de crocheter une serrure. Au cours des années passées, Puri avait investi dans des cours particuliers, et acheté une série de clubs et des vêtements appropriés, y compris les chaussettes. Mais les tarifs prohibitifs pratiqués par les clubs de golf dépassaient de très loin ses possibilités financières ; il devait compter sur les autres pour l'inscrire en tant qu'invité.

Rinku, son ami d'enfance, nouvel adhérent du Golden Greens, l'attendait à la réception, en jeans, chemise blanche, écusson brodé de l'aigle américain et bottes de cow-boy en croco.

Les deux hommes se donnèrent l'accolade.

— Ce vieux Chubby ! Content de te voir ! On dirait que tu as encore pris quelques kilos, *yaar* !

— Si tu le dis… *Sab changa ?*

— Oui, tout va bien.

Les parents de Rinku étaient voisins des Puri dans Pendjabi Bagh ; enfants, les deux garçons jouaient ensemble dans la rue. Adolescents inséparables, ils s'étaient peu à peu perdus de vue. Le temps passant, leurs chemins avaient bifurqué vers des horizons différents : au cours de sa carrière militaire, Puri avait fait d'enrichissantes expériences, rencontré des étrangers, découvert des langues et des lieux inconnus. À l'inverse, Rinku s'était fiancé à une fille du quartier âgée de dix-neuf ans, dont la seule ambition se résumait à porter quatre cents grammes de bijoux en or à son mariage. Suivant les traces de son père, qui travaillait dans l'immobilier, et grâce à l'essor économique de ces dix dernières années, il devait sa fortune à la construction de logements bon marché, à Gurgaon et Dwarka.

Peu d'activités sont aussi exemptes de moralité que le secteur du bâtiment indien. Pour sa part, Rinku avait enfreint toutes les lois en vigueur, et même les autres ! Il n'existait pas un homme politique du nord de l'Inde avec lequel il n'eût conclu une affaire louche ; pas un agent de recouvrement ni un officier de police qu'il n'eût soudoyé en lui faisant passer un sac plastique bourré de billets.

Chez lui, à Pendjabi Bagh, où il vivait toujours dans la maison paternelle en compagnie de sa mère, de son épouse et de leurs quatre enfants, Rinku était un père de famille modèle, un homme charismatique qui se dépensait pour la communauté, réglait les conflits de voisinage et organisait les plus belles fêtes à l'occasion de Diwali[1]. Mais Rinku possédait secrètement un second domicile, acheté au nom de son fils aîné, une « ferme » de cinq hectares, à Mehrauli, au sud de Delhi, où il recevait hommes politiques, hauts fonctionnaires et prostituées étrangères.

Cette double vie attristait Puri, qui regrettait de voir son ancien ami faire partie du « Réseau », confrérie de politiciens, bureaucrates véreux, parrains de la mafia (dont bon nombre étaient également des hommes politiques), qui tenait les rênes de la nation indienne. Rinku incarnait aux yeux de Puri toutes les turpitudes du pays. Le démon de la corruption grignotait peu à peu ce qu'il y avait de bon en lui. Cela se voyait dans son regard, devenu dur et méfiant.

Et pourtant Puri ne parvenait pas à briser le lien qui les unissait. « Souviens-toi, quand vous étiez enfants, tu voulais toujours éviter à ton copain d'avoir des ennuis », lui rappelait Rumpi.

— Alors, *saale,* depuis quand es-tu membre du Golden Greens ?

Ils s'étaient installés à une table du bar, de laquelle on avait une vue panoramique sur le parcours conçu par le célèbre architecte Greg Norman.

— Je vais te confier un petit secret, Chubby, répondit Rinku. Je suis bailleur de fonds de cet établissement.

1. En Inde du Nord, fête des lumières, à l'occasion du nouvel an hindou, aux mois d'octobre et de novembre, au cours de laquelle l'on s'offre de nombreux cadeaux et où l'on allume de grands feux d'artifice. (*N.d.T.*)

Il posa un index sur ses lèvres, faisant tinter ses gourmettes en or.

— Ah bon ? fit Puri.

— Oui ! Et en cadeau, je t'offre ton adhésion ! Tu n'auras rien à débourser, pas la moindre roupie ! Et tu viens quand tu veux.

— Rinku, je…

— Pas de discussion, Chubby. C'est décidé ! Aux frais de la princesse !

— C'est très gentil de ta part, mais je ne peux pas accepter.

— C'est-très-gentil-de-ta-part-mais-je-ne-peux-pas-accepter, plaisanta Rinku en écho. Cesse de dire des âneries ! Depuis quand n'ai-je plus le droit d'offrir un cadeau à un vieil ami ?

— Écoute, essaie de comprendre. Ce genre de faveur…

— Ce n'est pas une faveur, yaar, c'est un ca-deau !

Inutile d'essayer de le faire changer d'avis ; Rinku ne souffrait pas que l'on suive un autre code que le sien. Il fallait donc consentir à son offre et, dans quelques semaines, quand il ne s'en souviendrait plus, annuler l'adhésion.

— Tu as raison. Où donc avais-je la tête ? Merci beaucoup.

— J'ai toujours raison, yaar ! Parfois, je ne te reconnais plus, mon vieux Chubby. Tu ne sais plus d'où tu viens ou quoi ?

— Pas du tout. J'avais seulement oublié à qui je parlais… J'ai eu une rude journée. Alors tu me l'offres, ce verre ? Et parle-moi un peu de ce Mahinder Gupta…

— Lui ? Le genre Coca Light… lâcha Rinku avec un geste de dédain.

— Pardon ?

— Tout à fait style BPO. Il se fait baiser par les Américains, mais s'imagine qu'il est le maître du monde. Comme tous ceux-là…

Rinku jeta un regard mauvais aux jeunes gens en costume trois pièces accoudés au bar. Diplômés en *Business Management* et équipés de BlackBerry, ils ne faisaient pas partie du même monde que Puri et Rinku.

— Tu sais ce qui ne va pas chez ces gars-là, Chubby ? Ils ne boivent pas !

Les costumes trois pièces se tournèrent vers eux, puis échangèrent des commentaires inquiets.

Rinku éclata de rire.

— Ah ! J'adore ça ! Regarde-les ! Des moutons affolés qui ont peur du loup. Tu sais, Chubby, ils ne boivent que des trucs de bonnes femmes, du vin blanc ou des espèces de merdes colorées dans des bouteilles bizarroïdes. Je parie même qu'ils portent des bracelets de pédés ! Les pires, ce sont les banquiers. Ils te soutireront jusqu'à ta dernière roupie, et avec le sourire, en plus !

Un garçon se présenta enfin à leur table.

— J'ai failli attendre ! tonna Rinku. Mais qu'est-ce que tu foutais ?

— Désolé, monsieur.

— Garde tes excuses et apporte-nous deux doubles Patiala-sodas, deux *seekh kebabs* et deux *tikkas* de poulet ! Et du chutney, beaucoup de chutney ! Compris ? Et plus vite que ça !

Le garçon s'inclina et partit à reculons, comme un courtisan devant le trône d'un conquérant moghol.

— Alors, c'est quoi la dernière de ton buveur de Coca Light ? Il saute la sœur de son meilleur ami, c'est ça ?

Puri ouvrit la bouche pour parler, mais Rinku enchaîna aussitôt :

— Chubby, réponds-moi franchement : pourquoi t'empoisonner l'existence avec ces nuls ? Après toutes ces années, tu continues à filer des ménagères ? Tu gagnes combien ? Quelques milliers de roupies par jour ? Moi, je me fais ça toutes les minutes, vingt-quatre heures sur vingt-quatre. Tu vois, là, je suis assis en face de toi, et pourtant pendant ce temps ma caisse enregistreuse fonctionne à plein tube ! Bling !

— Ne t'inquiète pas pour moi. Je fais ce que j'ai à faire. C'est mon *dharma*.

— Ton dharma ! s'esclaffa Rinku. C'est bon pour les sadhus et les *sanyasis* ! On vit dans un monde moderne, Chubby, alors ne me sers pas cette spiritualité de merde !

Une bouffée de colère envahit Puri, qui riposta d'un ton cinglant :

— Peut-être, mais tout le monde n'est pas un…

Il ravala la fin de sa phrase, craignant de mettre un terme définitif à leur amitié.

— Pas un quoi ? Un sale escroc comme moi ? C'est ce que tu allais dire ?

Il y eut un moment de flottement, puis Puri reprit :

— Je ne suis pas venu pour me disputer avec toi. Je n'ai pas à dicter leur conduite à mes amis. Tu as fait tes choix, moi, les miens. N'en parlons plus.

Les deux verres de scotch arrivèrent, pleins à ras bord.

Puri leva son verre.

— À la tienne !

Après un moment d'hésitation, Rinku fit de même et ils trinquèrent à leur santé respective.

Rinku vida la moitié de son scotch et poussa un râle de satisfaction, suivi d'une éructation sonore.

— Ça, c'est du bon !

— Là-dessus au moins, nous sommes d'accord, renchérit Puri en souriant.

— Tu connais la dernière ? Un *Sardaar-ji* se marie, le soir même fait ses petites affaires avec sa femme. Mais le lendemain matin, il divorce. Tu sais pourquoi ? Parce que sur l'étiquette du slip de madame, il y avait écrit : *Testé par Calvin Klein* !

Puri fut pris d'un fou rire inextinguible.

— J'en ai entendu une l'autre jour, dit-il en attaquant son deuxième scotch, après avoir essuyé les larmes qui coulaient sur ses joues. Santa Singh demande à Banta Singh : « Pourquoi les chiens ne se marient pas ? »

— Et pourquoi ?

— Parce qu'ils ont déjà une vie de chien !

Il ne restait dans leur assiette qu'un fond de chutney quand Puri reparla du motif de sa venue, Mahinder Gupta.

— Ton buveur de Coca Light vient tous les soirs, après le travail, vers vingt heures trente, lui apprit Rinku. Parfois sa fiancée le rejoint. Elle est aussi fana de golf que lui. J'ai joué une fois avec ce Gupta… Il n'a même pas voulu parier, prétextant que le règlement du club interdisait les paris ! Je te le dis, moi, ces types ont un balai…

— Quoi d'autre ? le coupa Puri.

Rinku observa son ami par-dessus le bord du verre qu'il venait de vider.

— Il habite pas loin d'ici, un appartement dans un immeuble chicos, la Tour céleste. Acheté avec de l'argent honnête ! Tu te rends compte, Chubby ? Ce type a emprunté de l'argent à sa banque ! Seul un imbécile est capable de faire une chose pareille ! Tu veux le rencontrer, M. Coca Light ?

— Où est-il ?

— Là-bas…

Il désigna du menton trois hommes arrivés quelques minutes plus tôt, attablés dans un coin du bar.

— Mille roupies que tu ne devines pas lequel est Gupta.

— Je parie trois mille.

— Tope là !

Puri mit moins de trente secondes à faire son choix.

— Celui du milieu.

Rinku sortit trois mille roupies de son portefeuille et les abattit sur la table.

— Alors, là, tu m'as eu ! Comment as-tu deviné ?

— Simple déduction, yaar ! L'homme assis à droite porte une alliance, donc ce n'est pas lui, celui de gauche est un brahmane, je vois son cordon sacré à travers son maillot. Les Gupta sont de la caste des marchands. Donc il ne nous reste que le type du milieu.

Puri observa attentivement Mahinder Gupta, un homme de taille moyenne, bien fait de sa personne, et étonnamment poilu. Ses bras étaient tapissés d'une toison hirsute, sa barbe, pourtant rasée, ombrait ses joues d'un noir bleuté, et les poils drus qui émergeaient du col de son blouson de golf laissaient imaginer des épaules velues. Malgré cette incroyable pilosité – et Puri se targuait de jauger sans faille un futur conjoint –, Gupta ne paraissait pas macho, au contraire, il semblait plutôt timide et réservé. BlackBerry à l'oreille, il parlait d'une voix douce, sans gesticuler, comme s'il se tenait sur ses gardes, de crainte de dévoiler une face cachée de son personnage.

C'était peut-être la raison pour laquelle il ne buvait pas.

— Qu'est-ce que je te disais ? ricana Rinku. Il touche pas à l'alcool, cet abruti !

Quelques minutes plus tard, le partenaire de Gupta arriva et les deux hommes partirent vers le premier tee.

— Chubby, on se fait un parcours ? demanda Rinku.

— Je… je n'y tiens pas.

— Ah ! Tant mieux ! J'ai horreur du golf, yaar ! Le cricket, tant que tu veux ! Viens donc plutôt à la ferme. Ce soir, j'ai des amies qui arrivent d'Ukraine. Elles ont des jambes… longues comme des eucalyptus !

— Rumpi m'attend, dit Puri en se levant.

— Allons, Chubby, arrête d'être aussi coincé ! T'inquiète pas, je m'arrangerai pour que tu n'aies pas d'ennuis.

— Tu m'as toujours mis dans le pétrin, depuis qu'on a quatre ans…

— OK, d'accord, fais comme tu veux. Mais tu ne sais pas ce que tu perds…

— Je sais exactement ce que je perds ! C'est pour ça que je rentre chez moi ! s'exclama Puri en lui assénant une grande claque sur l'épaule. À la prochaine, mon vieux !

Sur le chemin du retour, Puri réfléchit à la meilleure manière d'aborder l'affaire du général Kapoor.

Ce Mahinder Gupta lui avait paru bien terne, comme beaucoup d'Indiens qui avaient passé leur jeunesse le nez dans les livres et, devenus adultes, travaillaient quatorze heures par jour devant un ordinateur. Les types de ce genre sont en général inoffensifs. Les Américains ont un mot, *geek*, pour décrire ces accros à l'informatique.

Mais ce n'est pas un crime de passer ses journées devant un écran.

Toutefois, une question tarabustait Puri : pour quelle raison un jeune cadre dynamique et sportif acceptait-il d'épouser une femme de quatre ans son aînée ? Pour obtenir la réponse, il devait mener une enquête plus approfondie.

Dès le lendemain, il mettrait son équipe d'experts-comptables au travail sur les affaires de Gupta. Et il confierait à Flush la mission de découvrir ce que faisait Gupta après le bureau et ce que savaient les domestiques.

12

Puri ne revint chez lui qu'à vingt-deux heures, une heure plus tard que d'habitude.

Un coup de klaxon devant le portail marquait chaque soir le retour du détective à la vie familiale. Les deux labradors, Don et Junior, se mirent à japper et, quelques instants plus tard, la grille de droite s'entrouvrit sur Bahadur, le gardien de nuit, qui cligna des yeux, ébloui par les phares.

Bahadur était le gardien le plus consciencieux que Puri ait jamais employé, le seul qui parvenait à rester éveillé toute la nuit. Mais le pauvre homme était perclus de rhumatismes ; il lui fallut une éternité pour ouvrir d'abord le portail gauche, puis le droit, processus que Handbrake observa avec impatience, faisant bruyamment patiner l'embrayage.

Il gara la voiture devant la maison, au bout de l'allée, puis se hâta d'ouvrir la portière de Puri et lui tendit son tiffin.

Les chiens gémissaient et tiraient sur leur laisse en agitant la queue. Puri les caressa et demanda à Handbrake, qui louait une chambre dans le quartier, de se tenir prêt le lendemain matin à neuf heures pile. Puis il alla saluer Bahadur. Le vieil homme, emmitouflé dans un châle de laine rugueuse et coiffé d'une casquette à oreillettes, se tenait quasiment au garde-à-vous, dos au portail, les bras le long du corps.

— *Ay bhai*, le chauffage marche bien ? lui demanda Puri, qui avait fait installer un radiateur électrique dans la guérite, en prévision du brouillard froid et humide qui ne tarderait pas à descendre sur Delhi.

— *Haan-ji ! Haan-ji !* s'écria Bahadur.

— Rien d'anormal, aujourd'hui ?

— Rien à signaler !

— Très bien, très bien.

Le détective entra chez lui, enfila ses chaussons et jeta un coup d'œil par l'entrebâillement de la porte du salon : Rumpi était lovée sur le canapé, en chemise de nuit, sa longue chevelure enveloppant ses épaules. Elle regardait, fascinée, *Kaun Banega Crorepati*, la version indienne de *Qui veut gagner des millions ?* Dès qu'elle aperçut son époux, elle lui fit un petit signe, éteignit le poste et entreprit de raconter sa journée.

Elle n'avait pas eu de visiteurs. Radhika, leur fille cadette qui étudiait à Pune[1], avait téléphoné. Malika était rentrée chez elle retrouver ses enfants, son mari alcoolique et son horrible belle-mère. Monica et Sweetu étaient partis se coucher.

— Où est ma mère ? s'enquit Puri, en se perchant sur le bras d'un fauteuil.

— Elle est sortie dans l'après-midi. Je n'ai pas de nouvelles depuis.

— A-t-elle dit où elle allait ?

— Elle a marmonné quelque chose… une visite à une tante, je crois.

— Marmonné ? Ma mère ne marmonne jamais ! Je t'avais priée de la surveiller, il me semble…

— Oh, Chubby, s'il te plaît, je ne suis pas un de tes sbires ! N'attends pas de moi que je surveille ta mère en

1. Célèbre université proche de Bombay, surnommée l'« Oxford indien ». (*N.d.T.*)

permanence ! Elle a le droit d'aller et venir à sa guise. Tu voudrais que je l'enferme dans le garde-manger ?

Puri fronça les sourcils et réfléchit à la question.

— Je suis désolé, ma chérie, tu as raison, concéda-t-il. Tu n'es pas responsable des faits et gestes de ma mère. C'est à moi de l'appeler. Mais d'abord, je monte faire un brin de toilette.

Phrase codée signifiant : j'ai faim et j'aimerais dîner dans dix minutes.

Il se rafraîchit le visage, passa son *kurta pyjama*, changea de casquette et monta sur la terrasse pour vérifier l'état de ses piments. Les plants qui avaient essuyé des coups de revolver paraissaient ragaillardis.

À cet égard, l'enquête de Puri était au point mort ; ses contacts à la prison de Tihar n'avaient pas entendu parler d'un nouveau contrat sur sa tête et les équipiers de Tubelight n'avaient retrouvé aucun témoin de la scène.

Pour l'instant, toutes les pistes semblaient tendre vers un tireur amateur, un quidam passé complètement inaperçu dans le quartier. Restait l'hypothèse du retour de Swami Nag à Delhi, mais son repaire demeurait inconnu.

Puri cueillit un piment pour son dîner et redescendit à la cuisine. Rumpi s'affairait à émincer des oignons qu'elle mélangea ensuite aux gombos en train de frire. Puis elle fit cuire les rotis dans une poêle ronde, les maintenant au-dessus de la flamme, de façon qu'ils gonflent et deviennent moelleux.

Puri alla se mettre à table où son assiette l'attendait déjà. Rumpi déposa devant lui du *kadi chaval*, un plat de gombos, deux rotis, et retourna à ses fourneaux. Il se servit une portion de salade de tomates et de concombres parfumée à la coriandre, puis chercha la salière des yeux.

— Pas de sel, Chubby, c'est mauvais pour ton cœur, dit Rumpi sans se retourner.

Puri sourit intérieurement : était-il donc si prévisible ?

— Ma chère, répondit-il d'un ton qui se voulait charmant mais ne parvenait qu'à être condescendant, un petit peu de sel n'a jamais fait de mal à personne. Ce n'est pas du poison, tout de même ! Et n'oublie pas que je n'ai même plus droit à du beurre sur mes rotis…

— Le Dr Mohan t'a interdit le beurre et demandé de diminuer le sel. Nous parlons de ta santé, Vish Puri ! Tu veux me voir veuve, le crâne rasé, en train de psalmodier des mantras dans une cellule à Varanasi ?

— Ma chérie, tu ne crois pas que tu exagères un peu ? Tu sais très bien que les veuves des classes moyennes n'ont pas à réciter des mantras jusqu'à la fin de leurs jours ! Allons-nous laisser un médecin nous priver des petits bonheurs de l'existence ? Devons-nous vivre dans la crainte perpétuelle de la maladie ?

Rumpi l'ignora et continua de préparer ses galettes de pain.

— Tout ce que je demande, c'est un peu de sel pour accompagner mon piment ! geignit-il.

Rumpi céda, avec un soupir irrité.

— Chubby, tu es impossible ! se récria-t-elle en déposant une minuscule pincée de sel dans son assiette.

— Je sais, ma chérie, mais maintenant je suis aussi un homme heureux ! s'écria Puri en mordant dans son piment à la croque-au-sel.

Croquer un naga morich revenait à effleurer du plomb fondu avec le bout de la langue. Cette variété est l'une des plus fortes du monde, bien plus brûlante que le plus brûlant des jalapeños. Le palais de Puri, immunisé, réclamait en conséquence des condiments toujours plus forts. Au fil des années, il avait développé une véritable addiction au piment ; son seul moyen de se les procurer était de les cultiver lui-même. Il lui arrivait parfois d'en vendre.

Comme le reste de la famille, il mangeait avec la main droite, tradition indienne dont il était fier ; avec un couteau et une fourchette, les plats n'ont pas le même goût. Palper la nourriture du bout des doigts est une expérience sensuelle et intime.

— Comment va ma Radhika ? demanda-t-il entre deux bouchées.

— Très bien.

Rumpi s'assura que son mari avait tout ce qu'il lui fallait avant de s'asseoir à ses côtés et de se servir une petite portion de kadi chaval.

— Elle a trouvé un billet d'avion à un prix intéressant pour venir fêter Diwali avec nous. Tu es d'accord ou tu préfères qu'elle prenne le train ?

Elle émailla le repas des nouvelles de la famille : leur deuxième petit-fils, Rohit, quatre mois, fils de leur aînée Lalita, se remettait de son rhume. L'oncle Jagdish, l'un des quatre frères survivants du père de Puri, était rentré chez lui après un séjour à l'hôpital pour une ablation de la vésicule biliaire. Et les parents de Rumpi n'allaient pas tarder à revenir de leurs vacances à Manali.

Puis elle lui fit part des événements de la journée : suite à un délestage d'électricité ayant duré six heures, prétendument à cause du brouillard, une foule de résidents déchaînés avaient envahi l'Office régional de l'électricité, traîné hors de son bureau le directeur, qu'ils avaient proprement bastonné. La police était intervenue à grands coups de *lathi* et de nombreuses personnes avaient été blessées, y compris des femmes.

Enfin Rumpi aborda le délicat sujet des vacances : elle voulait partir à Goa.

— Le Dr Mohan dit que tu as besoin de repos. Tu travailles trop, Chubby.

— Rassure-toi, je suis frais comme la rose.

— Pas du tout ! Tu subis un stress énorme. Tu es épuisé.

— Tu te fais du souci pour rien. Et pour le dessert, j'ai droit à quoi ?

— Une pomme, lâcha-t-elle, laconique.

À la fin du repas, Puri se lava soigneusement les mains dans l'évier, prit une louche qu'il plongea dans la jarre en terre cuite et but une gorgée d'eau fraîche. Ensuite, il passa au salon, mit son CD favori du moment, *Yanni Live at the Acropolis*, s'installa dans un fauteuil et composa le numéro du téléphone portable de sa mère.

Celle-ci décrocha à la sixième sonnerie. La ligne grésillait affreusement.

— Mummy-ji ? Où es-tu ?

— Chubby, c'est toi ? Je n'entends rien, avec toute cette friture. Tu es dans ta voiture ?

— Je suis à la maison, Mummy-ji.

— Comment ? Tu n'es pas encore à la maison ? À cette heure-ci ? J'espère que tu as dîné !

— Je te dis que je suis à la maison ! beugla Puri. Et toi ?

Le grésillement empira.

— Chubby, ce portable marche très mal. Je n'entends rien ! Je suis chez Minni Auntie. Je rentrerai tard. Je me détends un peu chez elle.

Elle poussa un formidable bâillement.

— La ligne est très mauvaise, Mummy-ji ! Je te rappelle.

— Chubby, je n'ai bientôt plus de batterie, et j'ai oublié mon chargeur. Repose-toi. Je te rappelle demain mat…

La ligne était coupée.

Puri regarda l'écran de son téléphone d'un air soupçonneux.

— Qui est Minni Auntie ? cria-t-il à Rumpi, restée dans la cuisine.

— Qui ?

— Minni Auntie. Ma mère dit qu'elle est chez elle.

Rumpi apparut en s'essuyant les mains à un torchon.

— Une de ses amies, sans doute. Elle en a tellement, je ne m'y retrouve plus.

— Je vais appeler son chauffeur, bougonna Puri.

Après plusieurs essais infructueux, il conclut d'un ton las :

— Ma mère est en train de chercher l'auteur des coups de feu, j'en mettrais ma tête à couper.

Rumpi fit la grimace.

— Chubby, il ne faut pas lui en vouloir. Elle fait ça pour t'aider.

— Enfin, elle est institutrice, pas détective privé ! Elle doit laisser ça aux professionnels ! Je mène ma propre enquête et je découvrirai le coupable, foi de Puri !

— Si tu veux mon avis, ta mère est née détective. Si tu n'étais pas si têtu et orgueilleux, tu pourrais lui donner une chance de t'aider. Tu as plutôt l'air de piétiner, si je ne m'abuse…

— Ma chère, riposta Puri, piqué au vif, si tu souhaites qu'un enfant apprenne ses tables de multiplication, tu l'envoies chez ma mère. Si tu veux résoudre un mystère, tu fais appel à Vish Puri.

Comme son fils l'avait deviné, Mummy ne passait pas la soirée chez Minni Auntie (la dame en question existait ; c'était l'une des meilleures joueuses de bridge du club de Vasant Kunj).

Non, Mummy était en planque dans sa petite Maruti Zen garée en face du poste de police du secteur 31, non loin du domicile de son fils. Son chauffeur Majnu l'accompagnait, ainsi que Kishan, le boy des voisins, qui avait finalement accepté de la suivre. Elle avait pensé à apporter un thermos de thé et une boîte en plastique bourrée de samosas aux légumes. Dans son sac se trouvait, entre autres choses, le petit ventilateur à piles de poche dont elle ne se séparait jamais.

Cet instrument s'était avéré fort utile quelques instants auparavant, pendant l'appel téléphonique de son fils. Si on le mettait en route près d'un portable, il créait d'utiles interférences sur la ligne, évitant d'avoir à révéler où l'on se trouvait. Un vieux truc enseigné par son défunt mari, qui, lui, utilisait aux mêmes fins son rasoir électrique.

Durant leurs quarante-neuf années de mariage, elle avait appris nombre d'autres tours fort intéressants et développé un sens aigu de la déduction.

Prenez les bottes rouges, par exemple.

Elles font partie de l'uniforme de parade des officiers de police, qui les portent parfois pour travailler, quand les autres paires sont chez le cordonnier.

Si le tireur était un officier – qui d'autre pourrait porter des bottes rouges ? –, le plus logique était d'aller enquêter du côté des postes de Gurgaon. Celui du secteur 31 avait très mauvaise réputation : on racontait que les policiers arrêtaient les habitants des *bastis* et les obligeaient à leur faire la cuisine et le ménage. On parlait aussi de bastonnades, de viols, voire de meurtres.

— On en a pour des heures, se plaignit Majnu, un geignard de première.

Ils faisaient le guet depuis un bon moment et Majnu était exaspéré de devoir travailler tard.

— Nous n'avons pas le choix, répondit Mme Puri. Il faut passer à l'action, puisque personne ne bouge !

À vingt-deux heures quarante, un homme en costume civil sortit du poste. Aussitôt, Kishan poussa un cri : c'était l'individu qu'il avait vu partir en courant après les coups de feu.

— Memsahib, surtout dites à personne que c'est moi qui vous l'ai dit ! gémit-il, réalisant que le tireur était un policier.

Mummy lui glissa deux billets de cent roupies dans les mains.

— Ton secret sera bien gardé, le rassura-t-elle. Rentre vite chez toi. Nous, nous restons encore un peu.

Le gamin ne se le fit pas dire deux fois ; il se précipita hors de la voiture et se fondit dans l'obscurité.

Red Boots[1] monta dans une voiture banalisée, garée de l'autre côté de la rue, mit le contact et s'éloigna vers l'ouest, suivi de près par la Maruti Zen, qui, de l'avis de Mummy, le collait de trop près.

— Majnu, ralentis ! Il va nous repérer ! Décidément, mon garçon, tu as du paneer dans la cervelle !

Vingt minutes plus tard, Red Boots fit halte devant un hôtel cinq étoiles, laissa son véhicule au chasseur et pénétra dans le hall.

— Je descends. Reste dehors sur le parking, ordonna Mummy au chauffeur.

— Bien, madame, soupira Majnu, boudeur.

Un portier sikh, grand, moustachu et enturbanné à souhait, comme les aiment les touristes, ouvrit la porte. Mummy vit Red Boots passer devant la réception et les ascenseurs, et disparaître à l'intérieur du restaurant chinois, *Drums of Heaven*[2].

1. Bottes rouges. (*N.d.T.*)
2. Les Tambours du Ciel. (*N.d.T.*)

Au moment de le suivre, elle se figea, réalisant que son *chikan kurta* et son *churidaar pyjama* n'étaient guère appropriés dans un endroit aussi luxueux. Mais que faire ?

Une élégante hôtesse probablement d'origine tibétaine descendit d'une estrade, où elle attendait les clients entre un dragon et une pagode kitschissimes.

— Désirez-vous une table, madame ? Zone fumeurs ou non-fumeurs ?

— En fait, j'ai rendez-vous avec une amie… Je voulais juste jeter un coup d'œil pour voir si elle est arrivée.

L'hôtesse escorta Mummy jusqu'au fond du restaurant ; celle-ci repéra Red Boots attablé face à un colosse au triple menton vêtu d'un costume de lin blanc. Tous deux fumaient et buvaient du whisky. Mummy avisa une table libre derrière eux et fonça droit dessus, s'asseyant dos à sa cible.

— Mon amie est en retard, dit-elle à l'hôtesse. Son chauffeur se perd toujours…

La jeune femme sourit, plaça un menu sur la table et retourna à son estrade.

Mummy fit mine de consulter la carte tout en tendant l'oreille pour écouter la conversation entre Red Boots et Fat Throat[1]. Mais elle eut beau reculer sa chaise au maximum, la musique d'ambiance et le brouhaha des voix couvraient leurs paroles.

Mummy fit signe à un serveur d'approcher.

— Pourriez-vous baisser la musique ? Elle me donne mal à la tête…

Elle monta ensuite le volume de sa prothèse auditive, ce qui lui permit de distinguer clairement quelques phrases.

— T'as intérêt à ne pas rater ton coup, la prochaine fois… Sinon notre accord tombe à l'eau, disait Fat Throat en hindi.

1. Triple Menton. (*N.d.T.*)

— T'inquiète pas, je m'occupe de lui.

— C'est ce que t'as dit la dernière fois et t'as tout fait foirer.

— J'ai dit que j'allais le faire et je le ferai…

À cet instant précis, Mummy sentit une douleur fulgurante dans son oreille ; le serveur était revenu lui demander ce qu'elle désirait commander. Le volume de sa prothèse étant monté au maximum, elle eut l'impression qu'il hurlait au mégaphone contre son tympan. Elle porta la main à sa tempe.

— Madame, vous vous sentez bien ? s'enquit le garçon, inquiet.

Les mots explosèrent à nouveau dans son crâne. Mummy grimaça de douleur. Elle parvint à baisser le volume avant qu'il n'ouvre à nouveau la bouche, mais son oreille droite la faisait atrocement souffrir.

— Tout va bien, tout va bien, haleta-t-elle. Je… crois que j'ai besoin d'air.

Elle attrapa son sac, traversa la salle du restaurant en titubant légèrement et sortit de l'hôtel.

Dans la voiture, Majnu dormait comme un bienheureux.

— Réveille-toi, abruti ! hurla Mummy en cognant contre la vitre. Je ne te paye pas pour que tu ronfles ! Tu étais censé faire le guet !

— Et je guette quoi, madame ?

— On ne répond pas, espèce d'impertinent ! Redresse-toi et tâche d'ouvrir l'œil !

Mummy monta à l'arrière et attendit.

Quarante minutes plus tard, Red Boots et Fat Throat sortirent de l'hôtel. Ils échangèrent une poignée de main et se séparèrent. Fat Throat monta dans une BMW noire.

— Suis-le, ordonna Mummy, et ne le perds pas de vue, na !

Ils traversèrent bientôt le secteur 18. Mais Majnu, trop prudent cette fois, resta coincé à un feu rouge derrière deux camions. Ils virent la BMW tourner à gauche. Quand le feu passa au vert, Fat Throat était déjà loin.

— Et voilà, on l'a perdu ! Ce n'était pourtant pas bien compliqué, imbécile ! Ritu Auntie conduit mieux que toi alors qu'elle n'est même pas capable de faire une marche arrière !

Comparer sa conduite à celle d'une femme ! La pire insulte adressée à un chauffeur indien ! Majnu s'enferma dans un silence boudeur.

— Ramène-moi chez mon fils ! lui enjoignit Mummy. Demain matin, nous reprendrons la filature. *Challo !*

13

— Monsieur Puri ! Ils me l'ont pris ! brama Mme Kasliwal dans le téléphone, sans même dire bonjour. Ils ont débarqué à l'improviste il y a un quart d'heure ! Vous auriez vu le tableau ! Et par-dessus le marché, tous ces journalistes dans mon jardin, qui piétinaient mes dahlias !

— Calmez-vous, madame, calmez-vous, et expliquez-moi qui a pris qui, répondit Puri, guère enclin à la patience et à la compassion quand il avait affaire à une femme hystérique (surtout à sept heures quarante-cinq du matin, surpris en plein rasage).

— Mon mari, bien sûr ! La police l'a arrêté ! Je n'aurais jamais cru cela possible ! Un inspecteur trop zélé, je suppose. Vous vous rendez compte, Chippy menotté comme un vulgaire criminel, et devant tout le monde en plus !

— De quoi est-il accusé ? interrogea Puri.

— Ces gens n'ont donc aucun respect pour la vie privée ? enchaîna-t-elle, furibonde, ignorant la question. J'ai vu des animaux au zoo se comporter avec davantage de dignité ! Ah ! Attendez…

Puri l'entendit soudain invectiver quelqu'un à ses côtés, un domestique sans aucun doute. Peut-être Facecream. Puis elle revint à la charge.

— Comment est-ce possible, monsieur Puri ? Est-ce légal ? La police ne peut s'amuser à arrêter des gens respectables et à entacher leur réputation quand bon lui semble !

Elle avait raison sur un point : avant l'ère des informations télévisées en boucle, la police n'aurait jamais appréhendé un homme tel que Kasliwal de façon aussi spectaculaire. De nos jours, ces arrestations distrayaient la populace, comme autrefois les jeux du cirque. C'était l'idée que se faisaient les policiers indiens des relations publiques – donner l'impression qu'ils ne se contentaient pas d'extorquer des pots-de-vin aux conducteurs.

— Madame, de quoi l'accuse-t-on exactement ? répéta Puri.

Mais elle ne l'écoutait pas.

— J'aimerais savoir ce que vous comptez faire, monsieur Puri, poursuivit-elle sans reprendre haleine. Je dois dire que la qualité de vos services ne nous donne guère satisfaction. Vous avez posé de vagues questions et vous êtes reparti aussi vite que vous étiez arrivé ! L'enquête ferait-elle quelque progrès ?

— Madame, allez-vous enfin me dire quelles sont les charges qui pèsent contre votre époux ?

Mme Kasliwal laissa échapper un soupir exaspéré.

— Vous ne faites pas attention, monsieur Puri ! Je vous l'ai déjà dit. Il est accusé de MEURTRE. La police prétend qu'il a tué cette Mary, dont vous m'avez montré la photo. Un tissu de mensonges, une véritable machination montée contre nous !

— Ont-ils trouvé un corps ?

— Ils prétendent que Mary et la fille que vous m'avez montrée en photo sont une seule et même personne. Mais ce n'est pas elle, je le sais.

— Pardonnez-moi, madame, mais vous étiez moins sûre de vous quand je vous ai posé la question.

— Vous plaisantez ? Je vous ai affirmé qu'il ne s'agissait pas de Mary. Votre mémoire vous joue des tours, monsieur Puri. Je vais demander à Me Malhotra de nous défendre. C'est un vieil ami de Chippy et l'un des meilleurs avocats du pays. Ces accusations sont invraisemblables. Je verrai avec lui si nous avons encore besoin de vos services. Il a peut-être un détective attitré.

Il y eut un silence.

— Allô ? Madame Kasliwal ?

Puri réalisa qu'elle avait raccroché sans même dire au revoir. Il contempla avec ahurissement le clapet de son téléphone portable couvert de mousse à raser et se dépêcha de terminer sa toilette.

Avait-il négligé Kasliwal ? Aurait-il dû prévoir cette arrestation ? Tout en se préparant, il se livra à un bref examen de conscience et arriva à la conclusion qu'il n'avait rien à se reprocher. Les clients perdaient souvent confiance au milieu d'une enquête, attitude par ailleurs tout à fait compréhensible.

Du point de vue des Kasliwal, Puri ne faisait rien, puisqu'ils ne l'avaient pas vu chercher des indices à quatre pattes, une loupe à la main. Il n'avait ni menacé ni amadoué les domestiques pour leur soutirer des aveux, et il n'était même pas resté à Jaipur.

Mais la méthode de Vish Puri, adaptée au mode de vie indien, s'était toujours montrée infaillible : ne pas confondre vitesse et précipitation. Comme il le disait souvent à ses jeunes *protégés* : « On ne fait pas cuire un œuf dur en trois minutes, n'est-ce pas ? »

Néanmoins, la situation réclamait une riposte rapide, car si Kasliwal était inculpé, il risquait l'emprisonnement à perpétuité.

Puri hésita à prendre un vol pour Jaipur, mais sa peur de l'avion l'emporta, il opta donc pour la voiture. De toute façon, il n'aurait gagné qu'une petite heure.

À huit heures, l'Ambassador, avec Handbrake au volant, s'engageait sur l'autoroute. Puri se cala sur la banquette et téléphona à ses contacts afin d'en apprendre davantage sur les charges retenues contre son client.

Une source travaillant au bureau du procureur général (l'un des frères du mari de la fille de son oncle) l'informa que l'officier de police chargé de l'arrestation s'appelait Rajendra Singh Shekhawat.

Shekhawat était l'un des meilleurs inspecteurs de police du Rajasthan : jeune, brillant, ambitieux et très désireux de plaire à ses supérieurs.

— Où a-t-il trouvé le corps de la jeune femme ? demanda Puri au frère du mari de la fille de son oncle.

— Sur le bas-côté d'Ajmer Road.

— Récemment ?

— Oh non ! Il y a longtemps. En août, je crois.

Puri raccrocha et appela Elizabeth Rani qui, à l'agence, avait accès à Internet grâce à ce qu'elle appelait la « wiii-fiii ». Elle retrouva rapidement la transcription des déclarations faites à la presse par l'inspecteur Shekhawat devant Raj Kasliwal Bhavan, quelques minutes après l'arrestation. Il affirmait que l'enquête avait été menée avec le plus grand professionnalisme. De plus, l'utilisation de méthodes modernes de détection avait révélé des preuves tangibles de la culpabilité d'Ajay Kasliwal qui était, selon les termes de l'inspecteur, « un tueur de sang-froid », un monstre qui avait « violé et étranglé une servante sans défense ».

Quand un journaliste l'interrogea sur le mobile du meurtre, l'inspecteur répondit :

— De toute évidence, l'accusé avait des rapports intimes avec la victime et tentait de le cacher par tous les moyens.

Elizabeth Rani apprit aussi à Puri que l'histoire faisait la une des dépêches télévisées (juste après la victoire de l'équipe indienne de cricket sur les Antilles). Différentes chaînes de télévision, informées de l'arrestation, avaient envoyé sur place des équipes de tournage.

— Une véritable pagaille, monsieur, si vous aviez vu ça ! conclut Elizabeth Rani.

— Oui, j'imagine, fit Puri avant de raccrocher.

Il éprouvait un grand mépris pour les médias indiens, influencés par les chaînes américaines qui ne diffusaient que des reportages à sensation. La déontologie du métier de journaliste avait été jetée aux orties par une nouvelle génération de rédacteurs en chef qui ne reculaient devant rien pour attirer le téléspectateur.

Un commentateur avait écrit dans un journal respectable que la ligne éditoriale des informations télévisées était désormais dominée par les trois C : crime, cricket et cinéma.

Récemment, Puri avait regardé l'une de ces chaînes populaires au milieu de l'après-midi ; il avait été choqué de voir des images en direct d'un homme candidat au suicide, qui avait sauté du haut d'un immeuble, filmé par des reporters surexcités.

La semaine précédente, une équipe télévisée « primée » avait passé à l'antenne un de ses coups montés : une caméra dissimulée dans le bureau d'un professeur d'université le filmait en train de tripoter l'une de ses étudiantes.

Mais rien ne faisait davantage exploser l'audience des médias indiens qu'un bel homicide au sein d'une famille aisée.

De telles affaires – et le Territoire du crime national en fournissait un nombre considérable – alimentaient une débauche de spéculations que le détective désignait par l'expression « jugement du cirque médiatique ».

À mi-trajet, Puri demanda à Handbrake de s'arrêter devant une gargote en bord de route, où il commanda un chai doux et une *gobi parantha*.

La télé était allumée sur la chaîne Action News ; comme Puri le craignait, le bulletin de la matinée était consacré au « Meurtre de la servante ».

Dernières nouvelles... La Cité rose sous le choc de l'assassinat odieux d'une domestique... Un avocat soupçonné... Selon la police, la victime a d'abord été violée... De lourdes charges pèsent sur l'accusé, pouvait-on lire sur le téléscripteur en bas de l'écran.

Simultanément, la chaîne diffusait une vidéo de ce que le présentateur décrivait comme une « scène apocalyptique » devant le domicile de l'avocat.

Un beau désordre, en effet, dû à la nuée de cameramen et de reporters assiégeant la maison au moment de la sortie de l'accusé. Dans cette pagaille, Puri repéra son client, que des policiers faisaient monter dans une jeep. Des cameramen qui encerclaient le véhicule pour tenter de filmer l'intérieur furent repoussés par les forces de l'ordre. La jeep démarra en trombe, la horde enragée galopant à ses trousses.

La vidéo montra ensuite, en plan rapproché, une jeune et jolie journaliste dont la mine suggérait l'imminence d'une catastrophe planétaire.

— La police indique qu'elle a réuni des preuves accablantes de la culpabilité de l'avocat Ajay Kasliwal, dit-elle d'une voix de gamine enrhumée. Il vient d'être conduit sous escorte au commissariat où il sera mis sous les verrous jusqu'à ce que soit dressé le procès-verbal d'accusation. Arun, je vous rends l'antenne.

Un jeune homme avenant, à la mise raffinée, assis dans un studio artistement éclairé, apparut à l'écran et annonça d'un ton – version indienne – d'animateur de jeux télévisés américain :

— Extraordinaires rebondissements dans la Cité rose, Savitri. Pouvez-vous nous dire quelles sont précisément les charges retenues contre Ajay Kasliwal ?

— Eh bien, Arun, l'avocat est suspecté de viol et d'homicide sur la personne d'une de ses domestiques, dont le corps a été retrouvé dans un fossé sur Ajmer Road. Apparemment, son visage était si tuméfié que l'identification a été difficile. De source bien informée (« c'est-à-dire Shekhawat », songea Puri), des témoins ont vu Ajay Kasliwal se débarrasser du corps au milieu de la nuit. On dit également que la police a saisi son véhicule afin de le passer au peigne fin. À vous.

Le speaker, qui partageait l'écran avec des images de l'arrestation passant en boucle, enchaîna :

— La police n'aurait sans doute pas procédé à une arrestation aussi spectaculaire si elle n'était pas certaine de tenir l'assassin. Savitri, qu'a répondu l'avocat aux accusations portées contre lui ?

— Lors de son arrestation, Kasliwal s'est refusé à tout commentaire. Pendant sa garde à vue de vingt-quatre heures, la police procédera à un complément d'enquête, afin de déterminer la nature exacte de ses relations avec la victime. Nous devrions avoir des éléments de réponse d'ici à la fin de la journée. À vous les studios.

— Merci, Savitri. C'était Savitri Ramanand, notre envoyée spéciale à Jaipur. Tout au long de la journée, nous vous tiendrons informés de l'avancée de l'enquête. Vous pouvez nous écrire à l'adresse e-mail qui s'affiche en bas de votre écran. Dans quelques instants, nous allons revenir sur la formidable victoire de l'équipe indienne de cricket en match retour, mais tout d'abord quelques pages de publicité… Restez avec nous.

On vit apparaître sur l'écran l'acteur Shah Rukh Khan dans l'une de ses innombrables publicités vantant une ligne de soins pour hommes. Puri, qui grinçait des dents sans s'en rendre compte, demanda au garçon d'éteindre la télévision afin de pouvoir déguster en paix sa galette feuilletée et un bol de lait caillé.

Il avait à peine terminé que son téléphone sonna.

— Allô, Puri ? Rajesh Kumar à l'appareil.

— Bonjour, professeur, comment allez-vous ? Du nouveau ?

Après un long échange de politesses, Kumar informa le détective du résultat des tests effectués sur les cailloux subtilisés dans la chambre de Mary.

— C'est assez étrange… Où les avez-vous trouvés ?

— À Jaipur, monsieur.

— Étonnant, car l'analyse montre d'importantes traces d'uranium.

— D'uranium, monsieur ?

— Oui, Chubby, j'ai bien dit d'uranium.

14

Le poste de police de Jaipur était un sinistre cube de béton de deux étages, d'où jaillissaient des poutrelles d'acier – en prévision de l'éventuelle construction d'un troisième niveau. Les pots de géraniums rouge vif bordant l'allée cimentée ne parvenaient pas à adoucir la laideur de son architecture. Si, dans certains pays, les citoyens considéraient ce lieu comme un refuge, pour les Indiens, c'était comme pénétrer dans l'antre du lion.

À la vue d'un petit homme replet en saharienne, casquette anglaise et chaussures cirées, le policier de service bondit de sa chaise, aussi vigilant que si le Premier ministre en personne effectuait une visite à l'improviste.

— Monsieur, en quoi puis-je vous être utile ? s'enquit-il en hindi en relevant aimablement le menton.

Puri lui tendit sa carte et lui expliqua qu'il désirait voir Ajay Kasliwal.

— Je dois en référer à mon supérieur, monsieur. Veuillez patienter.

Quelques minutes plus tard, le supérieur en question se présenta.

— Nous ferons tout notre possible pour vous rendre service, monsieur. Désirez-vous un rafraîchissement ? Un thé ?

Puri, diplomate, accepta la proposition et bavarda une dizaine de minutes avec l'officier, glissant dans la conversation quelques noms connus pour bien lui faire comprendre qu'il fréquentait des gens haut placés à Delhi. Il le complimenta également sur la propreté des locaux.

— J'apprécie que notre police soit toujours prête à coopérer, conclut-il à voix haute, avec un grand sourire.

L'officier buvait du petit-lait.

— Merci, merci, monsieur, vous êtes trop bon, répondit-il d'un air rayonnant.

Une gardienne guida Puri jusqu'aux cellules, trois au total, des réduits de quelques mètres carrés avec un W-C à la turque vaguement dissimulé derrière un muret en béton. Pas de fenêtre, pas d'aération. Des relents aigres de sueur et d'urine flottaient dans l'air embrumé par la fumée des bidis. Les portes métalliques étaient dotées d'énormes serrures requérant des clés de vingt centimètres de long qui tintaient à la ceinture de la gardienne comme des sonnailles.

Dans la première cellule, sept détenus avaient organisé une course de cafards sur un terrain délimité par des boîtes d'allumettes vides ; accroupis au-dessus des concurrents, ils poussaient des clameurs d'encouragement, des hurlements déçus ou des hourras victorieux.

Au fond de la deuxième cellule, un sadhu à moitié nu semblait à son aise assis en tailleur sur le sol bétonné, tandis que deux vieillards à longue barbe blanche tuaient le temps en jouant aux cartes. Un quatrième personnage, d'une maigreur cadavérique, fixait le vide d'un air mélancolique, les mains crispées sur les barreaux.

Dans la pénombre de la dernière cellule, un réduit absolument vide et dépourvu d'électricité, Puri aperçut

Kasliwal, seul, assis contre le mur, le visage enfoui dans ses mains.

En entendant un bruit de pas, l'avocat leva la tête. Il paraissait épuisé ; des rides profondes barraient son front, des cernes bistres creusaient ses yeux.

— Puri-ji ! Ah ! vous voilà ! s'exclama-t-il en reconnaissant le détective. Merci d'être venu ! J'ai l'impression de devenir fou !

Il se précipita vers lui et prit ses mains entre les siennes. Puri crut qu'il allait se mettre à pleurer. Mais l'avocat se ressaisit.

— Je vous jure que je n'ai jamais touché à cette petite, dit-il sans lui lâcher les mains. Vous me croyez, Puri-ji ? Cette histoire a été inventée de toutes pièces. Je ne ferais pas de mal à une mouche ! Vous pouvez demander à tous ceux qui me connaissent : je suis *jaïn* ! Les jaïns ne prennent pas la vie, pas même celle d'un insecte !

La gardienne, restée derrière Puri, annonça d'un ton lugubre qu'ils avaient droit à dix minutes d'entretien et s'éloigna.

— Je vous crois, monsieur. D'une façon ou d'une autre, nous vous sortirons de ce pétrin, foi de Vish Puri.

Il lâcha les mains du prisonnier, fouilla les poches de son pantalon et en sortit un paquet de cigarettes, qu'il lui passa à travers les barreaux.

Kasliwal se confondit en remerciements, prit une cigarette entre ses doigts tremblants et la porta à ses lèvres. Puri craqua une allumette et, à la lueur vacillante de la flamme, observa les traits de son client, cherchant à évaluer son mental. Il remarqua que sa paupière gauche était affectée d'un tic nerveux. Il pouvait s'agir d'un spasme annonciateur d'un futur problème neurologique. Le détective avait déjà vu des hommes brillants et sûrs d'eux réduits à l'état d'épaves balbutiantes, après quelques jours passés derrière les barreaux. Parfois il suffisait d'une seule nuit pour qu'ils craquent ; Ashok Sharma, le « Bra Raja » qui avait confié à Puri l'enquête sur les circonstances mystérieuses de la mort de son frère (« l'Affaire du paon rieur »), avait sombré dans la dépression, après vingt-quatre heures passées dans la tristement célèbre prison de Tihar, à Delhi.

Certes, la cellule de Kasliwal faisait figure de cinq étoiles comparée aux infects cachots de Tihar. Mais le lendemain matin, il devait comparaître devant un magistrat du tribunal d'instance, qui dresserait le procès-verbal d'accusation. Et si on lui refusait la libération sous caution, ce qui se produisait souvent en cas de crime « odieux », il serait placé en détention préventive à la prison centrale de Jaipur, contraint de partager une cellule-dortoir avec une vingtaine d'autres prévenus. Il lui faudrait payer pour ne pas subir les derniers outrages.

— En premier lieu, pouvez-vous me dire qui va vous défendre, monsieur ?

— Ma femme, qui était là il y a deux heures, m'a affirmé que Me Malhotra acceptait de me représenter. Je n'ai pas encore pu lui parler, la batterie de mon téléphone est déchargée. En principe, il doit venir me voir cet après-midi.

— Vous avez confiance en lui ?

— Tout à fait. Nous nous connaissons depuis plus de vingt ans. C'est un bon attaquant qui aime aussi défendre son guichet, pour parler en termes de cricket.

— *Badiya*, je suis heureux de vous l'entendre dire, monsieur. Mais s'il met un autre enquêteur sur l'affaire, nous risquons de nous gêner mutuellement.

À voir l'expression troublée de Kasliwal, Puri devina que son épouse avait déjà semé le doute dans son esprit quant à ses qualités de détective.

— Vous… vous n'êtes pas satisfait de mes services, monsieur ?

— Eh bien, Puri-ji, pour être franc, jusqu'à présent, je ne vois guère l'enquête avancer, admit Kasliwal. Et voilà que je me retrouve en prison, accusé de meurtre ! M'en voudriez-vous d'aller faire mes courses dans un autre magasin que le vôtre ? Ma vie et ma réputation sont en jeu, ne l'oubliez pas !

— Monsieur, mes méthodes d'investigation m'appartiennent. À vous de placer votre confiance en moi. Jamais je n'ai manqué d'élucider une affaire et ce n'est pas aujourd'hui que je vais commencer ! Après tout, Rome ne s'est pas faite en un jour…

Kasliwal réfléchit, lèvres pincées, puis tira sur sa cigarette.

— Bien. Je veillerai à ce que vous soyez seul sur l'enquête, Puri-ji.

— Merci, monsieur. À présent, ne perdons pas de temps. Décrivez-moi les faits tels qu'ils se sont passés à votre arrivée ici. L'inspecteur Shekhawat a fourbi ses armes de grand accusateur ?

— Il prétend que des témoins m'ont vu me débarrasser du corps.

— Il est toujours facile de trouver des témoins. Un bon avocat peut les récuser. Quoi d'autre ?

— L'une de nos anciennes domestiques serait prête à jurer que je l'ai violée.

— Son nom ?

— Comment pourrais-je le savoir, Puri-ji ! J'ai gardé le silence pendant tout l'interrogatoire. Je n'ai posé aucune question.

— Shekhawat a-t-il avancé des preuves tangibles ?

— Non, mais, tel que je le connais, il ne va pas tarder à faire sortir un lapin de son chapeau.

Kasliwal tira une dernière bouffée sur sa cigarette, laissa tomber le mégot et l'écrasa sous son talon.

— Dites-moi, Puri-ji… Selon vous, le corps retrouvé sur le bord de la route est-il bien celui de Mary ?

— C'est ce qu'affirme l'inspecteur.

L'avocat baissa la tête.

— Quelqu'un a donc assassiné cette pauvre petite. Mais qui ?

— Vous avez une idée ?

— Non, pas la moindre.

— Kamat, peut-être ? Votre femme m'a dit qu'il buvait et qu'elle l'avait vu plusieurs fois sortir de la chambre de Mary. C'est vrai ?

— Je ne sais pas.

— Faites un effort de concentration et parlez-moi de votre soirée du 22 août.

— J'ai passé l'après-midi au tribunal. Le soir, je suis rentré faire un brin de toilette. Ensuite…

Il rougit, embarrassé. Puri termina sa phrase.

— Vous êtes allé chercher un plat à emporter…

L'avocat acquiesça.

— Oui, toujours le même.

Des hurlements surexcités s'élevèrent de la cellule voisine. La course de cafards venait de s'achever. Quand le silence fut retombé, Puri demanda à son client l'heure à laquelle était prévue l'audience.

— Demain matin, onze heures. J'essaie d'obtenir la présence d'un des rares juges honnêtes de Jaipur. Mais apparemment, mes ennemis se sont bien débrouillés : personne ne veut lever le petit doigt pour moi.

Kasliwal jeta un coup d'œil derrière son épaule et eut un sourire amer.

— Je vais passer la nuit dans une suite de luxe, hein ? Dieu merci, je connais un ou deux policiers de ce commissariat, que j'ai défendus voilà quelques années, donc je serai tranquille. Mais un peu d'argent ne serait pas de refus, je pourrais leur demander de m'apporter à manger.

Puri lui fit signe de s'approcher.

— Vous trouverez cinq cents roupies à l'intérieur du paquet de cigarettes, monsieur, lui chuchota-t-il à l'oreille.

Kasliwal hocha lentement la tête.

— Merci, Puri-ji.

La voix de la gardienne s'éleva du fond du couloir.

— C'est terminé !

Les deux hommes échangèrent une poignée de main à travers les barreaux.

— Je vous verrai au tribunal, monsieur. Ne perdez pas espoir, tout est fait pour obtenir votre libération, j'en prends la responsabilité. J'ai déjà quelques pistes prometteuses. En attendant, reposez-vous.

Au moment où Puri s'apprêtait à franchir la porte, l'agent de service le rattrapa pour le prévenir que l'inspecteur Shekhawat souhaitait lui dire un mot.

— Volontiers, répondit le détective, pressé de jauger son adversaire.

L'agent lui fit signe de le suivre à l'étage.

Quarante ans, trapu, bien bâti, le cheveu dru, la moustache épaisse, des yeux très noirs profondément enfoncés dans leurs orbites, Shekhawat était l'incarnation du mâle indien né dans une famille où on lui avait appris à être sûr de lui dès ses premiers pas. Ses clous d'oreilles en émail cloisonné ne révélaient pas une nature efféminée, artiste ou mondaine ; non, c'était un Rajput, un pur *kshatriya* de la caste des guerriers.

— Monsieur, c'est un grand honneur pour moi de vous rencontrer, dit-il en hindi d'une voix grave et profonde, tendant la main à Puri, avec le sourire carnassier d'un homme politique en campagne. Je suis l'un de vos plus fervents admirateurs. Merci d'avoir pris le temps de m'accorder quelques minutes. Je sais que vous êtes un homme très occupé.

Puri n'était pas complètement insensible à la flatterie, mais il doutait de la sincérité de son interlocuteur. Derrière le sourire éclatant et la poignée de main amicale se cachait un être calculateur qui l'avait convoqué dans son bureau dans le seul but de vérifier s'il représentait une menace pour lui.

— J'espérais moi aussi vous rencontrer, fit Puri d'un ton aimable. Étant donné que nous travaillons sur la même affaire, l'un en amont, l'autre en aval, nous pourrions nous entraider.

La proposition parut beaucoup amuser Shekhawat. Un lent sourire se dessina sur ses lèvres tandis qu'il reprenait sa place derrière son bureau. Puri s'assit en face de lui.

— J'ai cru comprendre qu'Ajay Kasliwal était votre client ? Arrêtez-moi si je me trompe.

— Oui, il est exact que je m'occupe de…

— Dans ces conditions, je ne suis pas sûr que nous puissions collaborer, monsieur : je veux voir cet individu inculpé et vous, vous œuvrez à sa libération. Il n'y a pas de compromis possible.

L'un des téléphones posés sur son bureau retentit. Shekhawat décrocha. Sa physionomie changea dès qu'il reconnut la voix au bout du fil. Il se raidit et fronça les sourcils.

— Oui, monsieur. Bien, monsieur.

Son regard rencontra un instant celui de Puri, puis il baissa les yeux et répéta :

— Bien, monsieur.

Pendant ce temps, Puri s'intéressa aux photographies et aux certificats accrochés au mur, derrière le bureau. Cet examen lui permit de reconstituer la carrière de l'inspecteur : champion de hockey universitaire, marié très tôt à une jeune fille de seize ans tout au plus, père de quatre enfants. Diplômé de l'académie de police de Hyderabad, il avait reçu, trois ans plus tôt, une médaille d'honneur pour services rendus à la police.

— L'affaire devait être de la plus haute importance, dit Puri lorsque son interlocuteur raccrocha après un dernier « Bien, monsieur ». Je veux parler de la médaille.

— Il s'agissait de la capture du bandit Sheshnag, expliqua l'inspecteur avec orgueil. Il nous a échappé pendant treize ans, mais je l'ai traqué jusqu'à sa planque et je l'ai arrêté.

— Je me souviens d'avoir lu un article à ce propos dans le journal. Ainsi donc, c'était vous ! Félicitations, inspecteur. Une belle prise ! De quoi être fier.

— En effet, monsieur. Mais l'arrestation de ce Kasliwal me satisfait bien davantage. Un criminel de la pire espèce. Depuis trop longtemps, des hommes comme lui sont en liberté. Leur fortune, leur notoriété les mettent à l'abri des poursuites. Dieu merci, les temps changent. Aujourd'hui, ces prédateurs doivent affronter la justice. Nous vivons dans une Inde nouvelle.

— J'admire vos principes, renchérit Puri, mais je suis partisan de l'impartialité. Mon client est un honnête homme, innocent du crime dont on l'accuse.

— Avec tout le respect que je vous dois, monsieur, il est aussi coupable que Ravana[1], sourit Shekhawat, dédaigneux. J'ai réuni assez de preuves pour le met-

1. Dans l'épopée du Ramayana, démon régnant sur Lanka (l'actuel Sri-Lanka), coupable d'avoir enlevé Sita, l'épouse bien-aimée de Rama, avatar de Vishnou. (*N.d.T.*)

tre à l'ombre jusqu'à la fin de ses jours. Il a violé et assassiné une créature sans défense.

— Vous paraissez certain de sa culpabilité, reprit Puri, espérant l'amener à abattre son jeu.

— Trois témoins l'ont vu se débarrasser du corps.

— J'entends bien, mais, dans ces conditions, pourquoi mon client n'a-t-il pas été inquiété au cours de ces deux derniers mois ?

Shekhawat n'eut pas une seconde d'hésitation.

— Les témoins craignaient des représailles, c'est évident.

Puri toussota.

— Je doute que l'argument tienne devant un tribunal.

— J'ai d'autres preuves solides en réserve.

— Comment cela se peut-il alors que l'accusé est innocent ?

— Pour le savoir, il vous faudra attendre demain, monsieur. Je n'ai pas la liberté de divulguer les éléments du dossier.

Puri laissa retomber ses paumes sur ses genoux, en signe de défaite.

— Bon, eh bien, je sens que vous allez me mettre des bâtons dans les roues… Vous êtes manifestement déterminé à boucler très vite cette affaire ; j'ai donc intérêt à me remettre au travail sur-le-champ.

Il se leva, se dirigea vers la porte, puis s'immobilisa comme s'il avait oublié quelque chose.

— Puis-je vous être utile ? s'enquit Shekhawat du ton patient avec lequel on s'adresse aux enfants et aux vieillards.

— Encore un détail, inspecteur…

Puri sortit son calepin et le feuilleta jusqu'à ce qu'il trouve ce qu'il cherchait.

— Ah ! voilà ! D'après mes sources, personne n'étant venu le réclamer, le corps de la victime a été brûlé. C'est bien ça ?

— En effet.

— Et l’unique photographie du cadavre est particulièrement floue…

Shekhawat plissa les yeux et l’observa d’un air soupçonneux, se demandant comment Puri avait obtenu ces informations.

— Si vous le dites…

— En outre, le visage était tuméfié et sanguinolent. La jeune fille a été brutalement frappée.

L’inspecteur acquiesça d’un vague hochement de tête, l’encourageant à continuer.

— Je suis curieux de savoir comment vous pouvez affirmer que le corps était bien celui de Mary.

— Il n’y a aucun doute là-dessus. Deux témoins l’ont identifiée d’après les photos.

— D’anciens domestiques des Kasliwal, je suppose…

— La défense sera informée en temps voulu, déclara le guerrier rajput avec solennité.

15

Facecream avait découvert, derrière l'aile réservée aux domestiques, une percée dans le mur d'enceinte permettant le passage d'une personne. Elle s'y était faufilée à deux ou trois reprises, pour aller appeler Puri depuis une cabine téléphonique, située quelques rues plus loin.

Mais Facecream n'était pas la seule à utiliser ce passage secret : la terre piétinée devant la brèche signifiait qu'un intrus pouvait pénétrer, ni vu ni connu, dans la propriété.

Déterminée à apprendre qui passait par là, elle tendit devant le trou une ficelle de coton reliée à une clochette accrochée dans sa chambre. En deux jours, elle n'avait tinté qu'une fois, et il s'agissait seulement d'un chien errant.

Ce soir-là, en partant retrouver Puri qui lui avait donné rendez-vous à minuit, elle prit soin de ne pas se faire prendre à son propre piège. Elle enjamba soigneusement le fil et se glissa à l'extérieur.

De l'autre côté du mur se dressait une villa abandonnée, aux fenêtres béantes, entourée d'un grand jardin envahi de ronces et d'herbes folles. Elle s'immobilisa pour détecter une éventuelle présence humaine dans la pénombre. Hormis les sauterelles, rien ne bougeait. Elle perçut au loin le moteur d'un rickshaw et le feulement d'un chat en colère. Au-dessus de sa tête, les chauves-souris filaient silencieusement au clair de lune, leurs ailes noires se découpant sur le ciel étoilé.

Jaya craignait les chauves-souris et les hiboux qui vivaient dans les frondaisons des *khejris*. Elle avait conseillé à son amie Seema de ne pas s'aventurer dans le jardin voisin, peuplé, disait-elle, de méchants djinns, gardiens jaloux de leur territoire, qui avaient chassé tous les habitants de la maison. La nuit, dans son lit, elle entendait leurs ricanements et les hurlements des hommes prisonniers du monde des esprits.

Au dire de Jaya, ces démons prenaient possession des humains ; récemment, l'un d'eux était entré dans le cerveau de sa tante et l'obligeait à parler des langues étranges. La pauvre femme avait dû son salut à un guérisseur itinérant qui l'avait emmenée devant la tombe d'un saint soufi afin d'exorciser l'esprit malveillant.

Mais Facecream ne craignait pas les djinns. Parvati, la déesse de la montagne, dont elle portait le talisman autour du cou, la protégeait des attaques des goules et des hommes. À son arrivée en Inde, elle avait vécu seule dans les rues de Bombay, développant un sixième sens pour flairer le danger. Et son khukuri ne quittait jamais sa ceinture.

Elle traversa le jardin, longea la villa, évitant adroitement les bouts de ferraille rouillés qui traînaient dans les hautes herbes, s'arrêtant à intervalles réguliers pour humer l'air, comme une biche aux aguets.

Arrivée au bout de la propriété, elle se glissa entre les vieilles grilles à moitié descellées, ajusta son châle et s'engagea dans la rue silencieuse.

Personne ne la vit passer : les vigiles qui gardaient l'entrée des villas avoisinantes ronflaient dans leurs guérites, et, à la station de rickshaws, les conducteurs dormaient aussi, affalés sur leur siège, tête renversée en arrière, pieds posés sur le guidon.

Un peu plus loin, en passant devant une grande maison ceinte de hauts murs, elle remarqua une silhouette furtive qui se fondit aussitôt dans l'obscurité.

Elle était suivie.

Le claquement caractéristique de chappals en caoutchouc prouvait que le traqueur n'était pas un djinn.

Le premier réflexe de Facecream fut de charger l'ennemi, khukuri bien en main ; mais, se souvenant des conseils de Puri qui lui disait toujours de dominer ses instincts guerriers, elle décida d'attendre un terrain d'attaque plus propice.

Elle marcha jusqu'au carrefour suivant, tourna à droite et, là, piqua un sprint et se jeta à plat ventre derrière la première voiture en stationnement, puis attendit, à l'affût.

Quelques secondes plus tard apparaissait une paire de jambes aux mollets poilus. Elles s'arrêtèrent, dansèrent d'un pied sur l'autre, ne sachant quelle décision prendre, puis reprirent leur route dans sa direction.

Facecream décida que ces chevilles maigrichonnes n'étaient pas de taille à se mesurer avec elle. Elle se redressa, fit le gros dos, comme un chat, et se prépara à bondir. Mais au dernier moment, elle se retint et poussa un sonore « Bouh » en tirant la langue, paumes écartées de chaque côté de ses oreilles.

La peur fit sursauter Tubelight, qui recula et faillit s'affaler sur le trottoir.

— Tu es folle ! Tu veux me faire mourir d'une crise cardiaque ?

— Chut ! Parle moins fort ! Tu vas réveiller les vigiles, susurra la Népalaise avec un sourire espiègle. Qu'est-ce que tu fais là ?

— Le patron est en retard et m'a envoyé te prévenir.
— Alors pourquoi me suis-tu ?
— Je savais que tu n'aimerais pas qu'on nous surprenne derrière la maison des Kasliwal.
— Tu ne cherchais pas plutôt à me faire peur ?
— Voyons, ne dis pas de bêtises ! Si j'avais voulu, je t'aurais eu par surprise…
Facecream éclata de rire.
— Tu faisais plus de bruit qu'un buffle en chaleur !
— Si j'avais été sur mes gardes, tu n'aurais jamais pu m'avoir.
— Comme tu voudras, *bhai* !

Puri les rejoignit et les conduisit au *Park View Hotel*, où il était descendu (aucun parc en vue, d'ailleurs, excepté le parc de stationnement sur lequel donnait sa chambre). Un établissement moderne, avec air conditionné, draps propres et toilettes à l'occidentale.

Le trio prit place à une table du restaurant, désert à cette heure tardive. Le veilleur de nuit posa devant eux une bouteille de scotch, des sodas, de la glace, trois verres, et retourna à la réception.

Puri servit un scotch à Tubelight. Facecream ne buvait jamais d'alcool, qu'elle considérait comme une « malédiction pour les femmes ».

— Bien, Miss Seema, je vous écoute. Votre message disait « urgent ».

En présence de Puri, Facecream se montrait toujours calme, sérieuse, respectueuse, voire affectueuse, en tout cas bien différente des personnages de fêtarde ou de gamine insolente qu'elle avait l'habitude d'endosser.

Puri l'observait avec admiration, se demandant quel était le vrai visage de Facecream. Le savait-elle elle-même ?

— Oui, monsieur, j'ai d'importantes informations pour vous.

Son élocution douce et mélodieuse contrastait avec le rude accent paysan qu'elle utilisait pour incarner le personnage de Seema.

— Depuis quelques jours, je m'occupe du ménage avec Jaya. Le soir, nous cuisinons nos repas et nous mangeons ensemble. Hier, après le dîner, elle m'a parlé des difficultés auxquelles elle a eu à faire face : elle avait quinze ans quand ses parents l'ont mariée à un cousin éloigné. Un enfant est né, qui est mort en bas âge. J'ai cru comprendre qu'il s'agissait d'une jaunisse. Il y a deux ans, son mari a trouvé la mort dans un accident de train. Ses beaux-parents ont alors décrété qu'elle était maudite et l'ont jetée dehors. Elle a voulu retourner dans sa propre famille, mais celle-ci l'a repoussée.

« Jaya a été hébergée ici, à Jaipur, par sa sœur aînée, qui lui a trouvé ce travail chez les Kasliwal. Les choses commençaient à s'améliorer pour elle quand un soir, en l'absence de sa sœur, son beau-frère l'a violée. Sa sœur l'a appris et l'a chassée de sa maison. Alors Jaya n'a plus eu d'autre choix que de venir vivre chez les Kasliwal.

Puri hocha la tête, l'encourageant à continuer.

— Jaya est timide et angoissée. Elle a peur la nuit et ne supporte pas de dormir seule. Ce soir, j'ai découvert pourquoi.

Tubelight alluma une cigarette et exhala un nuage de fumée en clignant des yeux.

— L'arrestation de M. Kasliwal, ce matin, l'a complètement bouleversée. Je l'ai trouvée en train de faire les lits, en larmes. Je lui ai demandé ce qui n'allait pas, mais elle a refusé de répondre. Je me suis assise à ses côtés et elle a fini par me dire : « Ce n'est pas lui. Le sahib est un homme bon. Il n'a pas tué

Mary. Ce n'est pas lui. » Je n'ai rien pu tirer de plus. Toute la journée, elle a paru ravagée par le chagrin. En portant le thé, elle a fait tomber une tasse. Mme Kasliwal l'a disputée, l'a traitée d'idiote. Jaya s'est enfermée dans sa chambre, sans manger. Après avoir fini mon service, je lui ai apporté des douceurs, j'ai peigné ses cheveux. Elle m'a pris les mains, m'a demandé si nous étions amies et si j'étais capable de garder un secret, un très grand secret, qui, si je le révélais, nous mettrait toutes deux en danger. Je lui ai promis de garder le silence. Alors elle m'a avoué connaître l'assassin de Mary ; elle l'a vu se débarrasser du corps.

Puri se trémoussa sur sa chaise.

— Continue…

— Ce soir-là, Jaya dormait profondément. Vers onze heures, un remue-ménage dans la chambre voisine l'a réveillée ; elle s'est levée et, dans l'entrebâillement de la porte, a vu Munnalal, le chauffeur, transporter Mary, exsangue, le regard fixe, jusqu'à la Sumo de Kasliwal. Il l'a déposée sur une bâche en plastique à l'arrière, a refermé la portière et a démarré, tous feux éteints.

— Et Jaya ? demanda Puri en sirotant son verre.

— Elle est sortie sur la pointe des pieds. Là, sur le sol, des gouttes de sang menaient jusqu'à l'endroit où était garée la voiture. La porte de Mary étant entrouverte, Jaya est entrée : il y avait du sang partout sur le matelas et, par terre, un couteau de cuisine ensanglanté.

— Mon Dieu ! fit Puri.

— Jaya a filé s'enfermer dans sa chambre à double tour. Elle est restée là, dans le noir, terrifiée, et a pleuré pendant des heures. Elle s'est finalement endormie. Au matin, les traces de sang avaient disparu.

— Est-elle donc retournée dans la chambre de Mary ?

— Oui. Hormis les posters sur le mur, toutes les affaires de Mary s'étaient envolées.

— Même le matelas ?

— Le matelas aussi. Et le sol avait été lavé à grande eau.

Puri réfléchit, lissant sa moustache du bout de l'index.

— Munnalal a dû revenir pour tout nettoyer, suggéra Tubelight.

— C'est possible. Voyons, mettons-nous à sa place… Au milieu de la nuit, il revient effacer les traces de son crime. Il lui faut aussi se débarrasser des effets personnels de la servante. Donc, il les emporte… et qu'en fait-il ? Deux solutions : il prend la voiture et va les jeter dans une décharge, ou bien il les balance de l'autre côté du mur.

— C'est plus que probable… risqua Facecream.

— Toi, tu as trouvé quelque chose, dit Puri en lui jetant un regard perçant.

La jeune femme sourit, remonta la jambe de son salwar, dévoilant, scotché à sa cheville, un objet enveloppé dans du plastique. Elle le posa sur la table et l'ouvrit : il s'agissait d'un couteau de cuisine à la lame rouillée.

— Je l'ai trouvé dans les taillis.

— Époustouflant, ma fille ! s'exclama Puri.

Tubelight laissa échapper un sifflement d'admiration.

— Bien joué. Moi aussi j'ai une bonne nouvelle. Mes gars ont repéré Munnalal. Il vit à Hatroi.

— Formidable ! Dis-leur de ne pas le quitter d'une semelle. J'irai lui rendre visite demain.

— Pour la suite, quelles sont vos instructions ? demanda Facecream.

— Essaie de sonder le jeune Kamat. Je veux savoir s'il fricotait avec la servante, comme le prétend Mme Kasliwal.

16

Mummy, comme beaucoup d'Indiens, avait un don pour retenir les nombres ; point besoin d'annuaire, son ordinateur interne lui suffisait.

Son défunt mari avait souvent mis ses talents à contribution.

— Quel est le numéro de l'oncle R.K. ? criait-il depuis son bureau de Pendjabi Bagh pendant qu'elle préparait les rotis dans la cuisine.

Mummy voyait les chiffres flotter devant ses yeux et répondait machinalement : 4-6-4-2-8-6-7.

Elle mémorisait ainsi sans difficulté les numéros des téléphones portables, en dépit de leur longueur.

Celui de Jyoti Auntie, par exemple, chef de service à l'ORT (Office régional des transports), était le 01 1600 2340. Les deux femmes jouaient souvent au bridge ensemble le samedi après-midi.

C'est elle que Mummy appela pour lui demander de retrouver l'adresse de Fat Throat à partir de la plaque d'immatriculation de la BMW.

— J'ai besoin de votre aide pour une déclaration de sinistre, vous comprenez, lui expliqua-t-elle le lendemain du jour où Majnu avait perdu la trace de Fat Throat dans Gurgaon.

— Oh, mon Dieu, que vous est-il arrivé ?

— Hier, un chauffard a embouti ma Zen et a pris la fuite, mentit Mummy. J'ai demandé à mon chauffeur de le poursuivre, mais cet imbécile ne sait pas conduire. Il s'est laissé coincer dans les embouteillages.

Jyoti Auntie compatit.

— Il m'est arrivé la même chose il n'y a pas si longtemps. Un scooter a éraflé mon Indica, et le conducteur ne s'est même pas arrêté pour s'excuser ! Heureusement, je travaille à l'ORT ! J'ai trouvé l'adresse, et mon assureur est allé rendre visite à ce monsieur et l'a obligé à me rembourser. À propos, avez-vous eu le temps de noter le numéro ?

— Inutile, j'ai une mémoire d'éléphant ! Une BMW noire immatriculée D-L-8-S-Y-3-4-2-5.

Le système informatique de l'Office étant momentanément en panne, Mummy la rappela une heure plus tard : la BMW appartenait à un certain Surinder Jagga, n° 3, A, bloc 2, immeuble Chandigarh, phase 4, secteur 18, Gurgaon.

Mummy nota le tout avec soin (elle n'avait pas la mémoire des adresses) et remercia sa partenaire de bridge.

— Vous viendrez jouer samedi ? s'enquit cette dernière.

— Certainement. Toutefois, il se peut que je sois retenue… Mon fils a quelques petits soucis et je veux l'aider.

— Rien de grave, j'espère ?

— Non, rien que je ne puisse résoudre.

Moins de deux heures plus tard, Majnu garait la Zen au pied de l'immeuble de Fat Throat, tout près de la BMW noire.

— Toi, reste là et ouvre l'œil ! ordonna Mummy. J'en ai pour dix minutes. En cas d'urgence, ou si je ne reviens pas, appelle la femme de mon fils. Tu connais le numéro, au moins ?

— Oui, madame, soupira Majnu qui n'écoutait qu'à moitié, pensant déjà qu'il n'était pas près de déjeuner.

Mummy se dirigea vers l'entrée du bloc 2. L'immeuble Chandigarh n'était pas à proprement parler une résidence haut de gamme. Il hébergeait en majorité des employés de centres d'appels et d'entreprises informatiques, originaires des villes moyennes du sous-continent, arrivés en masse pour vivre le nouveau rêve indien dans les environs de la capitale.

Le bloc 2 était déjà délabré, à l'instar de nombreux appartements de Gurgaon, vendus comme des petits pains à des prix faramineux par des sociétés immobilières sans scrupules, avec la promesse fallacieuse de fourniture d'eau et d'électricité vingt-quatre heures sur vingt-quatre. Moins de deux ans après l'achèvement des travaux, les façades se délitaient, les murs et les plafonds prenaient l'eau et les huisseries étaient faussées.

L'ascenseur étant bien évidemment en panne, Mummy dut emprunter l'escalier de service. Les entrepreneurs n'avaient même pas pris la peine de faire ôter les résidus de plâtre durci sur les marches en béton. Des fils électriques multicolores pendaient des murs, comme si les entrailles de l'immeuble se répandaient à l'extérieur.

Mummy atteignit le palier du troisième étage. L'appartement 3 A se situait à gauche. Elle remarqua une paire de mocassins noirs devant la porte. Sur le mur à droite, une plaque annonçait :

SHRI SURINDER JAGGA
PROMOTEUR IMMOBILIER
TRANSACTIONS EN TOUTE CONFIANCE

C'était tout ce dont la mère de Puri avait besoin. À présent qu'elle connaissait la profession de ce Jagga, elle pouvait se renseigner sur lui. Avec un peu de chance, quelqu'un lui apprendrait ce qu'il complotait avec Red Boots.

Au moment où elle s'apprêtait à redescendre l'escalier, la porte s'ouvrit sur Fat Throat, vêtu d'un kurta pyjama noir. Sa silhouette massive emplissait tout l'espace. Derrière lui, dans la pénombre du vestibule mal éclairé, Mummy aperçut un autre homme, plus petit.

Jagga plissa les yeux d'un air soupçonneux. L'avait-il reconnue ?

— Madame ? Vous êtes perdue ? demanda-t-il d'une voix glaciale.

Impressionnée par la stature et l'attitude agressive du colosse, Mummy bredouilla, prise de court :

— Je… je suis bien dans le bloc 3 ?

— Non. Ici, c'est le bloc 2.

— Dieu, que je suis bête ! Avouez qu'il y a de quoi se perdre… Merci, monsieur.

Elle avait descendu trois marches quand la voix de Fat Throat retentit.

— Attendez, Auntie-ji !

Le cœur de Mummy se mit à cogner dans sa poitrine. Sans se retourner elle plongea la main dans son sac à main et empoigna son pulvérisateur de poivre rouge.

« Si cela se trouve, hier soir, il nous a repérés… Imbécile de Majnu. C'est sa faute. »

— Quel appartement cherchez-vous ?

— Voyons… numéro 6 A, bloc 3, hasarda-t-elle.

— Les Chawla ?

— Oui, c'est ça.

— Le bâtiment juste en face. Voulez-vous que quelqu'un vous accompagne ?

— Non, non, merci, je vais me débrouiller.

Ouf, sauvée ! Alors qu'elle atteignait le premier coude de l'escalier, elle entendit des voix provenant de l'appartement de Surinder Jagga. Elle leva la tête et vit un homme âgé en sortir. Quand il se pencha pour enfiler ses mocassins, la lumière qui filtrait par la lucarne de la cage d'escalier éclaira son visage.

Mummy le reconnut aussitôt.

M. Sinha, un voisin de Chubby.

Il portait une grosse mallette dans chaque main.

17

L'arrivée d'Ajay Kasliwal au tribunal d'instance de Jaipur, le lendemain matin à onze heures, déclencha une confusion indescriptible.

Un désordre savamment orchestré par l'inspecteur Shekhawat.

Plutôt que de le faire entrer par une porte dérobée, loin de la furie médiatique, il fut escorté jusqu'à l'entrée principale dans une jeep de la police.

Une bonne vingtaine de policiers tentèrent mollement de le protéger de la meute des photographes qui ne cessaient d'affluer. Mais ceux-ci, très déterminés, encerclèrent rapidement le véhicule. Lorsque l'accusé en descendit, encadré par les forces de l'ordre, il fut accueilli par une horde de reporters armés d'objectifs et de micros, qui hurlaient tous leurs questions en même temps.

Deux robustes policiers empoignèrent Kasliwal, et le poussèrent, bras maintenus dans le dos, vers le tribunal, tandis que leurs collègues, tels des arrières de football américain, perçaient un tunnel dans la meute.

Debout sur les marches, Shekhawat, chemise amidonnée d'une blancheur immaculée, cheveux ondulés portant encore les sillons tracés par le peigne, observait cette scène de chaos fort télégénique.

Après que la vague des journalistes se fut écrasée contre la porte d'entrée et eut été repoussée avec succès, il condescendit à répondre à leurs questions.

— Est-il vrai que vous avez découvert des taches de sang ?

— L'examen du véhicule de Kasliwal a révélé la présence d'une grande quantité de sang séché sur le tapis de sol à l'arrière, ainsi que des cheveux de femme, qui sont actuellement à l'analyse. Nous avons également relevé des empreintes sanglantes sur la banquette arrière. Il ne fait aucun doute que le corps a été placé là avant d'être emmené vers sa destination finale.

— Pouvez-vous confirmer que Kasliwal s'est refusé à tout commentaire ?

— Oui, il n'a répondu à aucune question.

— Pour quelle raison a-t-il choisi le silence ?

— Il est libre de se taire. Mais c'est inhabituel, un homme innocent n'a rien à cacher.

Puri se glissa discrètement à l'intérieur du tribunal. Le couloir de la cour n° 6 fourmillait de prévenus et de plaignants entourés d'une pléthore d'avocats en chemise blanche et veste noire. Un huissier apparut et appela d'une voix nasillarde de camelot toutes les personnes destinées à comparaître.

Le juge qui présidait les audiences avait une longue journée devant lui ; la comparution de Kasliwal, bien que la plus médiatisée, n'était que l'un des vingt cas qu'il aurait à traiter.

Certains d'entre eux ne prendraient que quelques minutes à M. le juge : il entendrait les dépositions et ajournerait l'affaire par manque de preuves. Le temps que la police réunisse tous les éléments du dossier, le procès serait renvoyé sine die. D'autres, à l'inverse, dureraient trente à quarante minutes ; les avocats des parties opposées chicaneraient sur des points de jurisprudence remontant à l'époque des Moghols.

Dans le couloir, en attendant l'audition de Kasliwal, Puri bavarda avec un jeune avocat qui assurait sa propre défense contre un ancien client ayant réglé ses honoraires avec un chèque sans provision. Le litige s'éternisait depuis bientôt deux ans.

— Chaque fois que je cherche à obtenir une date de procès, expliqua-t-il, je dois graisser la patte à un greffier. De son côté, mon adversaire verse un pot-de-vin au juge, qui ajourne l'audience, et ainsi de suite.

— Le juge Prasad est gourmand, non ?

L'avocat eut un sourire narquois, prenant Puri pour un naïf.

— Sa boutique est toujours ouverte, ironisa-t-il. Ici on fait ses courses comme au supermarché.

Puri patienta encore vingt minutes avant que l'huissier sorte dans le couloir pour crier le nom d'Ajay Kasliwal.

On alla chercher le prévenu dans le parloir réservé où il avait pu consulter son avocat pendant une demi-heure.

Puri entra dans la salle d'audience, mais, la voyant pleine à craquer, préféra rester debout près de la porte. Le prétoire était encombré de vieux bancs et de chaises branlantes. Au fond, sur toute la largeur de la salle, se dressait la tribune, solide structure en bois qui faisait penser à une digue destinée à contenir la montée des eaux. Au centre, flanqué de deux greffiers et d'un sténotypiste, trônait le juge Prasad, impassible, en toge noire, le nez chaussé d'épais verres de lunettes.

À l'arrivée de Kasliwal, tous les cous se tordirent pour le suivre jusqu'au banc des accusés, une petite estrade en bois entourée d'une grille d'environ un mètre de haut, une antiquité qui devait remonter à l'époque des procès des cipayes, après la révolte de 1857.

À voir les cernes de son client, Puri se douta qu'il n'avait pas fermé l'œil de la nuit, dans sa cellule nue au sol cimenté. Le tic de sa paupière s'était accentué, l'obligeant à cligner sans cesse des yeux.

Quel terrible sentiment d'humiliation devait éprouver l'avocat ! Néanmoins, il arborait une attitude digne et fière, se tenant bien droit, mains dans le dos, menton relevé. Il parcourut la salle du regard et aperçut sa famille, y compris son fils Bobby, tout juste arrivé de Londres ; il leur adressa un sourire encourageant.

— L'État contre Ajay Kasliwal ! annonça l'huissier.

Le silence tomba sur l'auditoire, tandis que les journalistes de la presse écrite sortaient leurs stylos et leurs calepins.

Le juge Prasad n'était pas homme à s'encombrer de cérémonies. Ses gestes agacés suggéraient qu'il avait envie d'être ailleurs (selon les sources de Puri, il avait une prédilection pour le terrain de golf de Jaipur). L'audience ne se déroulait pas à la Haute Cour du Rajasthan : ici, pas d'ordinateurs, de micros, de climatisation, et encore moins de distributeurs de boissons chaudes offrant des cappuccinos mousseux.

En revanche, on y faisait des affaires.

Plus le juge bouclait de dossiers dans la journée, plus il enrichissait son patrimoine. En conséquence, il ne permettait pas aux avocats de rester derrière leurs pupitres respectifs pour procéder à d'interminables interrogatoires et contre-interrogatoires. Encore un luxe que seule la Haute Cour pouvait se permettre. Ici, à la cour n° 6, les débats se déroulaient juste devant lui, de façon que les transactions financières se fassent discrètement, à l'insu de l'auditoire.

— Approchez ! lança-t-il à Me Malhotra et au représentant du ministère public, Veer Badhwar.

Côte à côte, les deux hommes s'avancèrent jusqu'à la tribune. L'audience dura en tout et pour tout dix minutes. Le juge demanda à Me Badhwar de présenter le dossier d'accusation. Celui-ci ne se fit pas prier. Quand il eut terminé, on appela à la barre l'inspecteur Shekhawat, qui répéta que l'on avait trouvé des taches de sang à l'arrière du véhicule.

Après lecture de l'acte l'accusant de viol et d'homicide volontaire, on demanda à Kasliwal s'il plaidait coupable ou non coupable.

— Non coupable, Votre Honneur.

Me Malhotra demanda alors que son client fût remis en liberté sous caution.

— L'accusé peut-il nous dire où il se trouvait le soir du meurtre ?

— Votre Honneur, je vous fais respectueusement remarquer que la police n'a pas fourni la preuve absolue que la victime est l'ancienne domestique de mon client. Le corps, non identifié et non réclamé par les proches, a été incinéré vingt-quatre heures après sa découverte.

— Répondez à la question, fit le juge, impatient, tandis que le sténotypiste transcrivait l'échange à toute vitesse sur sa machine.

— Il se trouvait chez une connaissance, Votre Honneur.

— Et cette… *connaissance* souhaite-t-elle venir témoigner en sa faveur ?

— Nous n'avons pas encore pu la localiser, mais ce n'est qu'une question d'heures, j'en suis sûr.

— La police émet-elle une objection à la libération sous caution ? s'enquit le juge en s'adressant à Shekhawat.

— Oui, Votre Honneur. Il s'agit d'un crime odieux. L'accusé représente un danger pour la société.

Le juge griffonna quelques mots sur le dossier posé devant lui, consulta sa montre et déclara :

— Libération sous caution refusée. Le prisonnier sera reconduit en détention provisoire. Gardes, emmenez-le.

— Objection, Votre Honneur, intervint l'avocat. Mon client n'a pas de casier judiciaire. Et n'oubliez pas qu'il s'agit d'un membre éminent du barreau.

— Liberté sous caution refusée, répéta le juge. Vous pouvez toujours faire appel de la décision. Assesseur, veuillez nous donner une date pour le procès.

S'ensuivit un va-et-vient de dossiers et de paperasses. L'assesseur feuilleta des papiers, ouvrit un registre, suivit du bout de l'index des pages et des pages de colonnes et s'arrêta sur une case vierge.

— Le 9 avril à quinze heures quarante-cinq, annonça-t-il.

On était fin novembre.

Mes Badhwar et Malhotra furent remerciés et Kasliwal emmené hors de la salle vers la prison centrale de Jaipur.

La famille et les journalistes se précipitèrent à sa suite. En quelques secondes, par un effet de vases communicants, le prétoire se vida pour se remplir aussitôt des avocats et parties de l'affaire suivante.

Ne tenant pas à être happé par la foule, Puri s'attarda un peu dans la salle avant de quitter le tribunal. Là, sur les marches, il aperçut Bobby Kasliwal qui attendait sa mère et Malhotra, partis soudoyer l'assesseur afin de fixer une date d'appel pour la caution et tenter d'avancer le jour du procès.

Puri fut frappé par la ressemblance de Bobby avec son père : même stature, même nez, même menton. Il avait adopté une coiffure identique, cheveux peignés

— Qui donc, monsieur ?

— Cette Mary… lui avez-vous parlé ?

— Non, monsieur. C'était… c'était une domestique. Je veux dire… elle servait le thé, nettoyait mes vêtements. Moi, je révisais mes examens.

— Connaîtriez-vous son nom de famille ou le village dont elle était originaire ?

— Non, monsieur. Mais ma mère devrait le savoir.

Sans un mot, Puri tendit alors à Bobby une feuille pliée, copie de la photo de la victime. Le jeune homme l'ouvrit et grimaça à la vue du visage tuméfié.

— La reconnaissez-vous ?

— Je… je crois. Ça… ça lui ressemble, bredouilla-t-il, les yeux rivés sur le cliché.

Puis brusquement, il lui rendit le papier et courut vers le bord des marches vomir tout ce qu'il avait dans l'estomac.

18

Le général Kapoor appela Puri alors que celui-ci était en route pour voir Munnalal. Cela faisait trois fois qu'il cherchait à le contacter, mais le détective, trop occupé, n'avait pas décroché.

— Puri ! J'essaie de vous joindre depuis ce matin ! Où êtes-vous ?

— Je ne suis pas à Delhi, monsieur. Je travaille sur une affaire très importante…

— Plus importante que la mienne, à vous entendre ! s'indigna Kapoor.

Sans hésiter, Puri opta pour le ton de la conciliation. Étant – temporairement – à son service, il jugeait normal qu'un général admonestât ses troupes pour les faire marcher droit. À sa place, il aurait fait de même. Comme le disait un écrivain marathe : « La société indienne est faite d'hommes qui plient l'échine devant leurs supérieurs, tout en bottant le train de leurs subordonnés. »

— Monsieur, mon équipe est tout entière dévouée à votre affaire et y travaille d'arrache-pied. Mais un problème urgent m'a contraint à quitter Delhi pour un jour ou deux.

— Je me moque de vos excuses ! aboya Kapoor, comme s'il se trouvait sur un terrain de manœuvres.

Voilà une semaine que je suis sans nouvelles ! Pas la moindre information ! Au rapport !

Cela faisait tout juste cinq jours que les deux hommes s'étaient rencontrés aux jardins de Lodi. Depuis, l'équipe des Détectives Très Privés n'avait pas chômé. Comme il l'expliqua au général, deux de ses meilleurs enquêteurs avaient effectué un travail préliminaire consistant à se procurer les relevés bancaires et téléphoniques de Mahinder Gupta afin d'y repérer tout détail suspect ou indécent. Pendant ce temps, Flush s'était occupé de la domesticité et du voisinage, sans oublier les poubelles.

L'analyse des détritus ménagers participait d'une procédure standard dans toute enquête prénuptiale. « Pas de poubelles, pas de nouvelles ! » était l'un des mots d'ordre de Vish Puri. Une carte d'embarquement ou un mégot de cigarette taché de rouge à lèvres suffisaient parfois à faire capoter les projets matrimoniaux de plus d'un prétendant.

Heureusement il n'est guère difficile de faire main basse sur les ordures ménagères. Les détectives indiens, plus chanceux que leurs homologues américains, n'ont pas à explorer des poubelles malodorantes au fond de ruelles sombres et sordides. En Inde, vous pouvez acheter les ordures de votre voisin dans la rue.

Il suffit de se lier d'amitié avec le bon chiffonnier. Dans tout le pays, des dizaines de milliers d'hommes et de femmes intouchables font office d'éboueurs. Chaque matin, ils arpentent les villes en poussant leur brouette, aux cris de « *Kooraywallah* » et rapportent leur collecte sur une décharge à ciel ouvert. Là, au milieu des vaches, des chèvres, des chiens et des corbeaux, ils trient à mains nues des monceaux d'ordures, séparant les déchets biodégradables des sachets plastique, papiers d'aluminium, boîtes de conserve et bouteilles en verre.

Flush n'eut donc aucun mal à récupérer les poubelles de Gupta ; celui-ci vivait en célibataire dans une résidence huppée nommée la Tour céleste, qui, selon un panneau placardé sur le portail, fournissait un « environnement collectif » dans lequel les résidents pouvaient « fêter l'Inde nouvelle ! ». Jusque-là, Flush n'avait rien trouvé de compromettant.

— Pas de préservatifs, pas de bouteilles d'alcool, pas de revues porno, patron. Abonné à *The Economist* et au *Wall Street Journal Asia.* Votre Gupta est végétarien et consomme du lait caillé et des papayes en grande quantité. Il marche au Coca Light et aux boissons énergisantes. Il utilise aussi des produits de soins ayurvédiques pour la peau et les cheveux.

Puri apprit par ailleurs que Gupta fréquentait les milieux financiers et assistait à des conférences au titre prometteur tel que « L'externalisation des processus d'affaires dans le secteur financier – défis et opportunités ». Il se rendait au temple une fois par semaine et avait dans sa chambre un petit autel orné de portraits de ses parents, qui vivaient à Allahabad dans l'Uttar Pradesh, ainsi qu'un bon nombre d'effigies de Ganesh, d'Hanuman et de la déesse *Bahuchara Mata.*

Il employait une cuisinière deux heures l'après-midi et une femme de ménage qui astiquait chaque jour, outre les sols, les trois salles de bains/toilettes ; le reste du nettoyage était confié à une aide-ménagère.

Celle-ci déclara à Flush que son employeur était un homme discret et méticuleux. Elle n'avait qu'un reproche à lui faire : l'acquisition d'une machine à laver qui la privait désormais d'une partie de ses revenus, puisqu'elle lavait son linge auparavant.

La femme de ménage grommela quelque chose à propos de la paie et de l'évacuation de la douche, toujours bouchée par les poils de Gupta. Elle avait aussi à se plaindre de la memsahib du bout du couloir qui fricotait avec une femme mariée de l'appartement 4/67.

Malgré deux bouteilles de rhum généreusement offertes par Flush, le chauffeur de Gupta ne divulgua aucun secret honteux sur son employeur : pas de parties carrées dans l'alcôve, pas de nuits de débauche pimentées de cocaïne, pas de visites clandestines à des enfants de l'amour. Apparemment, Gupta passait ses soirées à jouer au golf ou à regarder les tournois retransmis à la télévision.

— Il est plus que réglo, patron, conclut Flush.

D'ordinaire, à ce stade d'une enquête prénuptiale, Puri proposait à son client d'en rester là. Mais, en l'occurrence, ne voulant rien laisser au hasard, il prépara son équipe à la phase n° 2.

Flush fut chargé de mettre le téléphone de Gupta sur écoute et de le filer. Puri avait prévu de rentrer à Delhi le soir même, comptant débarquer à la soirée que le futur marié organisait chez lui en l'honneur des deux familles et d'y dissimuler quelques mouchards.

Il expliqua son plan au général Kapoor, mais celui-ci semblait toujours insatisfait.

— Et ses diplômes ? Les avez-vous tous vérifiés ?

— Il a bien suivi ses études à l'université de Delhi. Cela nous a été confirmé.

— Des petites amies ?

— Nous avons interrogé deux de ses anciens collègues de chambrée : d'après eux, Gupta adressait à peine la parole aux étudiantes. Ne s'intéressait pas à la gaudriole. Ne touchait jamais à l'alcool ; pas la plus petite goutte, pas le moindre joint. Rien. Abstinent complet.

— Déjà marié ?

— Nous épluchons les registres de l'état civil, monsieur.

— Et à Dubaï ? Que faisait-il ?

— Il travaillait pour une banque américaine. J'ai pris contact avec un collègue, au Moyen-Orient. Un détective de premier ordre. Il mène son enquête.

— Des liaisons ?

— Féminines, monsieur ?

— Homme, femme, peu importe.

— Aucune trace, monsieur.

Le général Kapoor poussa un soupir exaspéré.

— Écoutez, Puri. Je vous veux sur le pont vingt-quatre heures sur vingt-quatre ! Le temps presse. Le mariage est dans trois semaines. Je suis convaincu que ça ne tourne pas rond chez ce type-là. Je l'ai vu dans ses yeux. Il est venu l'autre jour chez nous prendre le thé avec ma chère épouse. Pour moi, c'est clair : il lui manque quelque chose.

Il s'éclaircit la gorge.

— Vous savez, Puri, les hommes, ça me connaît. Quand vous combattez à leurs côtés, que vous les envoyez au front, que vous les voyez tomber sous le feu de l'ennemi et se vider de leur sang sous vos yeux, vous finissez par savoir ce que vaut un être humain. Ce type nous cache sa vraie nature ; je veux savoir de quoi il retourne. J'espère avoir de vos nouvelles dès demain.

Munnalal habitait au bout d'une rue sale et interminable. En levant le nez, on apercevait un enchevêtrement de fils électriques et de câbles de téléphone. Pris dans ces spires, tels des insectes dans une toile d'araignée, des cerfs-volants de papier et des sachets plastique se débattaient au vent.

Les ruelles adjacentes, qui se recoupaient dans un labyrinthe sans fin, étaient bordées d'étroites maisons de brique, toutes identiques, aux portes d'entrée très basses peintes de svastikas rouges destinés à éloigner le mauvais œil et surmontées de croisillons de fer forgé.

Puri descendit de voiture et remonta la rue à pied, conscient d'être la cible de tous les regards. Les gens l'observaient avec méfiance, persuadés d'avoir affaire à un policier en civil, un officiel ou un riche propriétaire.

Assise sur le pas de sa porte, une femme qui épouillait ses filles baissa le regard à son approche. Plus loin, trois vieillards accroupis dos contre un mur le détaillèrent des pieds à la tête, les yeux plissés, puis se chuchotèrent quelques mots à l'oreille.

Seuls les gamins du quartier, qui s'amusaient bruyamment avec des jouets de fortune, jantes de bicyclettes ou préservatifs gonflés comme des ballons, n'étaient pas intimidés par l'allure du détective. Un sourire jusqu'aux oreilles, ils tendaient la main vers lui en hurlant :

— Un stylo, m'sieu, un stylo !

Personne en revanche ne prêtait attention à Tubelight, qui, habillé en paysan, marchait une dizaine de mètres devant Puri. Rien ne laissait supposer qu'ils étaient ensemble. Il venait de passer quelques heures à jouer au *teen patta* avec les hommes du quartier dans une gargote. Tubelight avait retrouvé Puri à l'entrée de Hatroi vingt minutes plus tôt pour lui faire part de ses découvertes.

Glaner des renseignements sur Munnalal avait été un jeu d'enfant. Personne ne l'aimait dans le voisinage. Le bruit courait qu'il avait récemment hérité d'une grosse somme d'argent. Sinon, comment un simple chauffeur aurait-il pu acquérir un 4×4, qu'il louait à de riches touristes indiens en visite au Rajasthan ?

— Il paraît même qu'il a un téléviseur à écran plasma ! rapporta Tubelight. Il passe ses journées à regarder les matchs de cricket en buvant du whisky. Il est presque tout le temps bourré. Et il parie gros ! Il aurait misé vingt mille roupies chez les bookmakers.

Le vendeur de lassi s'était révélé une précieuse mine d'informations. Tout en servant ses délicieuses boissons au yaourt, il avait confié à Tubelight que Munnalal battait sa femme ; on la voyait souvent couverte d'hématomes sur le visage et le cou.

Un homme assis sur le trottoir derrière un étalage de cadenas, de peignes, de posters de déités hindoues et de stars bollywoodiennes confirma les dires du vendeur de lassi, ajoutant que Munnalal se disputait de façon régulière avec les gens du voisinage ; récemment une querelle avait éclaté entre lui et la famille Gujjar à propos d'un mur mitoyen. Ils en étaient venus aux mains et le voisin avait fini à l'hôpital avec une commotion cérébrale et un bras cassé.

— Un homme charmant, en somme, conclut Puri.

— Vous voulez que je le surveille, patron ? Pour voir ce qu'il a derrière la tête ?

— Un idiot tresse la corde pour se pendre, fit sentencieusement le détective. Comme je me sens d'humeur bavarde, je vais de ce pas secouer l'arbre et voir quels fruits vont en tomber. Nous allons rendre une petite visite à ce monsieur. Passe devant.

Arrivé devant la maison de Munnalal, Puri tambourina à la porte ; elle s'ouvrit sur une femme qui avait un beau coquard sous l'œil. Dévisageant le visiteur d'un air soupçonneux, elle lui demanda ce qu'il voulait.

— Vous êtes l'épouse de Munnalal ? s'enquit Puri en hindi d'un ton autoritaire.

— Et alors ?

— Allez lui dire qu'il a de la visite.

— Il est occupé.

— Ne me faites pas perdre mon temps.

La femme hésita, puis finit par le laisser entrer dans la courette.

— Bougez pas, je vais le chercher.

Puri, qui portait ses lunettes de soleil d'aviateur, regarda autour de lui : des jouets d'enfants traînaient par terre, près d'un panier de linge attendant d'être étendu. Dans un coin, un lit de cordes s'appuyait sur un mur poussiéreux.

De l'autre côté de la cour, la télévision marchait à plein tube : par la porte ouverte, un speaker braillard commentait un match de cricket. Soudain ce fut le silence. Puri entendit alors la voix de la femme, coléreuse, puis une dispute en rajasthani, langue que le détective ne comprenait pas, mais manifestement l'homme n'appréciait pas d'être dérangé.

Quelques instants plus tard, Munnalal apparut dans la cour et inspecta son visiteur de pied en cap. En le voyant aussi bien mis, il se redressa et rentra avec humeur son maillot de corps taché dans son pantalon, furieux d'avoir dû abandonner sa couche. Un gros homme pansu, aux cheveux gras, aux yeux creux injectés de sang. Des touffes de poils s'échappaient de ses aisselles. Il n'était pas rasé, une barbe de trois jours, noire et drue, lui mangeait les joues, le menton et le cou.

Mais ce physique peu avenant était compensé par une évidente roublardise. Il devina aussitôt la menace que représentait Puri et, plutôt que de lui demander d'un ton agressif son nom et le motif de sa venue, Munnalal opta pour l'obséquiosité.

— Bienvenue chez moi, monsieur, fit-il tout sucre, tout miel, en lui tendant la main.

Puri fit de même, sans grande conviction, écœuré par son haleine alcoolisée.

— Vous êtes Munnalal ?

— Oui, monsieur.

— Je suis venu vous proposer mon aide.

— Votre aide, monsieur ? s'étonna le chauffeur. Cela ne se refuse pas.

Il lança à son hôte un regard intrigué et lui fit signe de prendre place sur une chaise en plastique, à l'ombre.

— Installez-vous, monsieur. Je reviens.

Il disparut dans la maison et cria à sa femme d'apporter à boire.

Il revint, peigné, vêtu d'un salwar blanc propre.

— Que puis-je faire pour vous, monsieur ? s'enquit-il en s'asseyant en face de son hôte. Cigarette ?

Il lui tendit le paquet et alluma la sienne.

— J'aurais besoin de quelques renseignements…

— Bien sûr. Tout ce que vous voudrez, monsieur, répondit Munnalal avec un large sourire, écartant les bras d'un geste théâtral.

— Je crois savoir que vous étiez le chauffeur des Kasliwal.

— En effet, j'ai travaillé pour eux environ un an.

— Donc vous avez connu Mary, l'une des servantes ?

Le sourire de Munnalal se figea.

— Oui, monsieur. C'est pour me parler d'elle que vous êtes venu ici ?

— Vous la connaissiez bien ?

— Bien ? Non. À vrai dire…

Munnalal s'interrompit pour s'éclaircir la gorge.

— Pourquoi toutes ces questions, monsieur ? Qui êtes-vous exactement ?

— Un détective privé de Delhi, engagé par Ajay Kasliwal pour enquêter sur la disparition d'une de ses servantes.

Munnalal accusa le coup. Troublé, il réfléchit en tirant nerveusement sur sa cigarette.

— On dit à la télévision que le sahib a tué cette fille, lâcha-t-il enfin dans un nuage de fumée.

— Mon client est innocent. Il s'agit d'un coup monté. J'aimerais savoir ce que vous en pensez.

— Moi ? fit Munnalal avec un rire forcé. Je ne sais rien, monsieur. Je ne suis qu'un simple chauffeur.

— Vous *étiez* chauffeur. D'après mes sources, vous vous êtes enrichi, récemment.

— Qui vous a dit cela ? fit Munnalal, méfiant.

— Le bruit court dans le voisinage que vous menez un train de maharadjah. On vous appelle Munnalal-sahib. Vous buvez du whisky écossais. Vous pariez de grosses sommes au cricket. Tout cela doit coûter très cher.

Munnalal se tortilla sur sa chaise.

— Ça me regarde.

— D'où vient tout cet argent ?

— J'ai hérité d'un oncle. Il m'a laissé la maison.

— Un oncle ?

— Oui, il n'avait pas d'enfant et j'étais son préféré.

— Parlez-moi de la nuit où Mary a disparu, reprit Puri d'un ton patient. Le 21 août.

— Je n'ai rien à vous dire, monsieur.

— Rien du tout ?

Le détective sourit.

— Voyons, vous devez bien savoir quelque chose. Où étiez-vous ce soir-là ?

— J'ai accompagné le sahib à l'hôtel et je l'ai attendu sur le parking.

— Vous n'êtes pas rentré entre-temps ?

— Non. Je l'ai ramené chez lui vers une heure du matin.

Munnalal écrasa sa cigarette et en ralluma aussitôt une autre.

Puri croisa placidement ses mains sur sa bedaine.

— C'est curieux… Je crois savoir que vers vingt et une heures vous avez transporté le corps de Mary à l'arrière de la Sumo.

— Qui vous a dit ça ? explosa Munnalal, les yeux brillants de haine.

— C'est sans importance, fit Puri, flegmatique. Moi, je dois découvrir ce qui s'est passé exactement chez les Kasliwal le 21 août au soir. Sinon, je me verrai dans l'obligation de révéler ces informations à l'inspecteur Rajendra Singh Shekhawat. Vous le connaissez ? Non ? Un homme très énergique. À mon avis, il sait faire parler les gens.

Munnalal repoussa brutalement sa chaise et se leva. Puri crut un instant qu'il allait se jeter sur lui, mais l'homme se mit à arpenter la courette de long en large, comme un tigre en cage.

— Vous étiez là-bas, le 21 au soir, n'est-ce pas ?

— Je vous dis que j'ai pas bougé du parking de l'hôtel. Les autres chauffeurs vous le confirmeront.

Puri, qui jusqu'à présent n'avait pas quitté ses lunettes de soleil, les fit glisser sur l'arête de son nez et fixa Munnalal par-dessus la monture.

— Un témoin affirme vous avoir vu transporter le corps de Mary de sa chambre jusqu'à la voiture.

— Je n'ai tué personne ! hurla Munnalal.

Puri eut un geste apaisant.

— Ne vous fâchez pas. Tant que vous coopérez, vous ne risquez rien.

La femme de Munnalal sortit de la cuisine et leur apporta deux gobelets d'eau. Elle servit Puri, puis son mari, qui but à longs traits. Il lui rendit le gobelet, prit quelques roupies dans la poche de sa tunique et l'envoya acheter des cigarettes.

— Que voulez-vous ? demanda-t-il dès qu'elle se fut éloignée.

Puri posa le gobelet par terre, sans y toucher.

— Ce que tout le monde veut. Être tranquille.

Munnalal eut un rictus entendu.

— Tranquille comment ?

— Tout dépend. D'abord je veux savoir ce qui s'est passé ce soir-là chez les Kasliwal.

— Et si je refuse de vous le dire ?

— Inutile que je vous rappelle les procédés employés par la police pour faire parler les suspects…

Munnalal acquiesça d'un grognement et se rassit. Il demeura longtemps silencieux, à peser le pour et le contre.

— Monsieur, je n'ai pas tué cette fille, reprit-il enfin d'un ton conciliant. Elle a tenté de se suicider.

Ces paroles ne rencontrèrent qu'un raclement de gorge sceptique.

— C'est la vérité ! Quand je suis entré dans sa chambre, elle baignait dans son sang, allongée par terre. Elle s'était ouvert les poignets.

— Et qu'alliez-vous faire dans sa chambre ?

Munnalal hésita.

— Elle… elle me devait de l'argent. J'étais venu le lui réclamer.

Puri soupira.

— En mentant, vous n'arrangerez pas votre cas. Alors que faisiez-vous *vraiment* dans sa chambre ?

— Je me tue à vous le dire, monsieur ! Elle m'avait emprunté cinq cents roupies et je venais les chercher. Il y avait du sang partout. Elle s'était tailladé les veines avec un couteau de cuisine. Mais elle était encore en vie. J'ai noué des tissus autour de ses poignets pour arrêter l'hémorragie, je l'ai portée dans la Sumo et je l'ai conduite à la clinique.

— Et ensuite ?

— Une infirmière est venue la chercher. C'est la dernière fois que j'ai vu Mary.

— Le nom de la clinique ?

— Sunrise.

Puri prit son calepin et nota le nom.

— Après cela, qu'avez-vous fait ?

— Je suis retourné à l'hôtel chercher le sahib.

— Vous deviez avoir du sang sur vos vêtements…

— Oui, mais je l'ai nettoyé.

— Et le couteau ? Pouvez-vous m'expliquer comment il a atterri dans le jardin d'à côté ?

Munnalal haussa les épaules.

— Quelqu'un a dû le jeter par-dessus le mur.

— Vous ne l'avez pas touché ?

— Si. Je l'ai ramassé en entrant dans la pièce. Mais je n'y suis pas retourné.

— En avez-vous parlé à quiconque, le lendemain matin ?

— Non.

— Pour quelle raison ?

Munnalal parut piégé. Il tira une longue bouffée sur sa cigarette, et déclara, sans conviction :

— Je ne voulais pas d'ennuis.

Puri rechaussa ses lunettes de soleil.

— À présent, laissez-moi vous donner *ma* version : vous allez chez Mary pour vous glisser dans son lit. Ce n'est peut-être pas la première fois. Elle sort un couteau pour se défendre. Vous vous battez. Vous lui arrachez l'arme des mains et vous la poignardez. Peut-être est-elle morte sur le coup, ou bien encore vivante, comme vous le prétendez. Dans tous les cas, vous la chargez dans la Sumo et vous partez. Plus tard dans la soirée, vous revenez nettoyer la chambre, la vider de son contenu et vous débarrasser du couteau. Ensuite, vous entrez dans la maison de vos patrons pour dérober un cadre en argent, afin de faire croire que Mary l'a volé avant de s'enfuir.

— Je vous répète que je ne l'ai pas tuée ! Et je n'ai rien volé ! Allez donc à la clinique Sunrise. Ils vous diront qu'elle était vivante à son arrivée !

Puri se leva.

— Je n'y manquerai pas. Reste encore à éclaircir l'histoire du couteau. Et ce témoin qui vous a vu transporter le corps.

— Monsieur, je suis sûr qu'il y a un moyen de s'arranger. Je suis un homme raisonnable.

— Quand vous serez prêt à me dire toute la vérité, nous verrons si vous êtes raisonnable, dit Puri en lui tendant sa carte. Je vous donne jusqu'à demain matin. D'ici là, si je n'ai pas de vos nouvelles, je dirai tout ce que je sais à l'inspecteur Shekhawat.

19

Handbrake conduisit Puri et Tubelight à l'aéroport de Jaipur. Installés à l'arrière de l'Ambassador, ils discutèrent de l'affaire Kasliwal.

— Combien d'hommes surveillent Munnalal ?

— Deux. Zia et Shashi, patron.

— Ce sont des pros, j'espère ? Je ne veux pas la moindre anicroche.

— Ils connaissent leur boulot, patron. Vous voulez que je m'occupe de la clinique Sunrise ?

— Oui, c'est la priorité numéro un. Assure-toi que ce type a vraiment transporté la fille là-bas. Interroge les médecins, les infirmières, tout le personnel. Quelqu'un saura bien ce qu'elle est devenue.

— Vous pensez vraiment qu'elle a essayé de se suicider, chef ?

— Munnalal débite tellement de mensonges à la minute qu'il ne reconnaîtrait pas la vérité si elle tombait toute nue dans son *channa*. Mais pourquoi irait-il inventer cette histoire de clinique ?

— Vous pensez qu'il l'a tuée ?

Puri haussa les épaules.

— Nous n'avons pas tous les éléments en main. Trop de questions restent en suspens. En premier lieu, le corps n'a pas été identifié. La police fait fausse route, j'en suis sûr. Ne commettons pas la même erreur.

Le portable de Puri sonna. Après avoir regardé attentivement le numéro qui s'affichait, il répondit. Quand il eut raccroché, Tubelight lui fit part de sa théorie.

— Munnalal est bourré. Il viole la fille. Elle sort un couteau, ils se battent, il la poignarde, elle meurt. Il met le corps dans la voiture et s'en débarrasse sur Ajmer Road.

— Baldev, soupira Puri, utilisant pour une fois le vrai prénom de son employé, pourquoi toujours émettre des hypothèses sans fondement ?

Il ne voulait pas se montrer condescendant. Tubelight n'était-il pas son meilleur limier, même s'il avait tendance à tirer des conclusions hâtives ?

— Si l'on oublie d'enlever le capuchon d'un stylo, il n'écrit pas. Il en va de même pour l'esprit humain. Tenons-nous-en aux faits. Selon la police, la victime a été abandonnée sur le bord de la route le 22 août au soir. Si Munnalal est l'assassin, qu'a-t-il fait du corps pendant vingt-quatre heures ?

— Il a dû le déplacer, patron.

— Il est stupide, mais pas à ce point. De deux choses l'une : ou Mary et la victime ne sont pas la même personne, ou bien il s'est passé quelque chose après que Munnalal eut transporté la jeune fille hors de sa chambre.

Puri ôta ses lunettes et se frotta les yeux.

— Demande-toi, primo, pourquoi un chauffeur choisirait d'emmener la fille dans une clinique privée de luxe alors que l'hôpital public est juste à côté ? Secundo, pour quelle raison rôdait-il si tard autour de la maison ? Il n'était pas venu passer le plumeau, j'imagine. Jaya et les autres domestiques ont peut-être la réponse. Espérons que Facecream l'obtiendra. Tertio, si Munnalal n'est pas retourné sur la scène du crime, qui a lavé le sang et fait disparaître les affaires de Mary ?

— J'avoue que je n'avais pas pensé à tout ça, patron. Vous m'impressionnez.

— La déduction est ma spécialité, ne l'oublie pas, se rengorgea Puri. Mais elle doit se baser sur des preuves matérielles. Alors, à toi de jouer. Après ta visite à la clinique Sunrise, essaie de découvrir comment Munnalal s'est procuré tant d'argent. Si cela se trouve, ce salaud fait chanter quelqu'un. Le tout est de savoir qui est la victime.

Handbrake fit halte devant le terminal de l'aéroport et vint lui ouvrir la portière. Puri consulta sa montre : le dernier vol pour Delhi décollait une demi-heure plus tard. Il avait juste le temps d'acheter un billet et de passer les contrôles de sécurité.

— Vous revenez demain matin, chef ? demanda Tubelight.

— Oui. Handbrake va rentrer directement à Gurgaon. Nous repartirons à l'aube. Nous devrions arriver à Jaipur vers onze heures, onze heures trente.

— Vous avez pensé à vos pilules contre le mal de l'air, chef ?

Puri lui lança un regard résigné.

— Oui. Elles m'ont fait du bien, la dernière fois.

En fait, Puri ne souffrait pas du mal de l'air. Pure invention de sa part, destinée à cacher sa peur panique de l'avion. Il avait essayé toutes sortes de traitements pour guérir de cette phobie, mais, jusqu'à présent, tous avaient échoué, des poudres ayurvédiques à l'hypnose, en passant par l'atelier « Maîtrisez vos angoisses » animé par un vrai charlatan, le gourou Brahmachari, qui n'avait rien trouvé de mieux que de le faire monter dans une montgolfière. Suite à cette désastreuse expérience, Puri avait cauchemardé pendant des semaines.

Pour ne rien arranger, Mummy lui rappelait sans cesse la prédiction faite à sa naissance.

À en croire l'astrologue de la famille (le plus bel escroc qu'il y eût sur terre), son thème astral prédestinait Vishwas Puri à mourir dans un accident d'avion.

— Ne monte jamais dans ces engins de malheur, tu irais à ta perte, lui répétait sa mère depuis sa plus tendre enfance.

Puri, homme pieux et pratiquant, n'était pas superstitieux, conformément aux préceptes enseignés par son père. Selon lui, le charabia des astrologues avait un effet pernicieux sur la pensée des gens.

Rumpi ne partageait pas entièrement son point de vue ; comme toute bonne hindoue, elle croyait à l'influence des astres. Mais le détective avait toujours dit à ses trois filles que la divination n'apportait rien de bon.

— Imaginez qu'un devin vous prédise que vous épouserez un riche babu, leur avait-il expliqué un jour, alors qu'elles étaient adolescentes. Cette prédiction va fausser votre jugement et vous embrouiller le cerveau. Vous risquez de passer à côté de garçons de grande qualité avec lesquels vous vous seriez bien entendues. Et au bout du compte, vous ne serez jamais satisfaites !

— Mais je veux épouser un prince, papa ! s'était écriée Radhika, la plus jeune, âgée d'une douzaine d'années.

Le détective avait souri.

— Peut-être un jour, mon bébé, mais les Dieux seuls le savent. Crois en ton destin et ne cherche pas à l'infléchir.

Bien sûr, il était plus facile de prôner ces idées que de s'y tenir : chaque fois que Puri voyait un avion, une petite voix lui disait : « Qui sait ce qui t'arriverait si tu le prenais ?… »

Voilà pourquoi Puri, en dépit des trois cents morts par jour sur les routes indiennes, se sentait plus en sécurité en voiture. S'il devait choisir entre un vol de trois heures et un voyage en train de trente-six heures, il optait pour le chemin de fer. Mais là, pas de choix possible : la seule façon d'arriver à temps à la soirée organisée par Mahinder Gupta était de prendre l'avion pour Delhi.

Ce fut donc un Vish Puri particulièrement angoissé et nerveux qui passa les contrôles d'embarquement. Il avait acheté un billet classe affaires – tant qu'à affronter un destin tragique, autant avoir de la place pour bouger ses jambes.

Ce que les autres passagers et la délicieuse hôtesse pensèrent de lui, l'histoire ne le dit pas.

En entrant dans la cabine, Puri, tout désorienté, prit place sur le premier siège vide qui se présenta à lui. Quand son occupant légitime apparut, il refusa de bouger et n'accepta finalement de le faire qu'après intervention de l'hôtesse.

Celle-ci le pria ensuite d'ôter sa valise de l'allée centrale et de la mettre dans le coffre à bagages destiné à cet effet. Il s'exécuta si maladroitement que la valise s'ouvrit, répandant dans l'allée une partie de son contenu, dont un flacon de lotion après-rasage et des caleçons.

Puri tremblait tellement que l'hôtesse dut l'aider à boucler sa ceinture. Durant le décollage, il demeura raide et crispé sur son siège comme un condamné à mort sur la chaise électrique, les ongles enfoncés dans les accoudoirs de skaï, marmonnant un mantra :

— *Om bhur bhawa swaha tat savitur varay neeyam...*

Une fois dans les airs, il commença à transpirer d'abondance ; la crise d'aérophagie le gagnait. Il se mit à émettre force borborygmes et flatulences, au grand dam de sa voisine, une touriste australienne assise à sa droite, qui s'exclamait de temps à autre :

— Jésus ! Vous n'avez pas honte !

Il voulut calmer ses nerfs avec le fond d'une flasque de whisky qu'il avait gardée sur lui, mais l'hôtesse l'informa que la consommation d'alcool était interdite sur les lignes intérieures. Il dut la rempocher.

À l'atterrissage, il retint son souffle et ferma les yeux.

Quand les roues touchèrent le sol, il dégrafa sa ceinture de sécurité et se leva en titubant. L'hôtesse revint à la charge pour le sommer de rester assis jusqu'à l'arrêt complet de l'appareil et de ne défaire sa ceinture qu'après l'extinction du signal lumineux.

Puri obéit docilement. Mais dès qu'il aperçut la passerelle à travers le hublot, il bondit de son siège et, valise à la main, se rua vers la sortie.

— Nous espérons vous revoir bientôt sur nos lignes, monsieur, lui dit gentiment l'hôtesse au moment où il quittait la cabine.

— Pas si je peux l'éviter ! grommela le détective.

Puri avait réservé un taxi, une grosse Mercedes flamblant neuve. Un chauffeur en vareuse impeccable boutonnée jusqu'au menton, coiffé d'une casquette de capitaine au long cours ornée d'une feuille dorée, l'attendait à la sortie du terminal ; il brandissait une petite pancarte où était écrit « Monty Ahluwalia », le pseudonyme choisi par Puri pour l'occasion.

Sur le parking l'attendait aussi M. Somnath Chatterjee, un homme sans âge, d'une maigreur impressionnante, affligé d'une bosse entre les épaules, déformation accentuée par une vie de labeur, penché sur sa machine à coudre. Il flottait dans ses vêtements ; les manches de ses chemises qui lui arrivaient aux phalanges et ses pantalons toujours retroussés sur des chevilles osseuses donnaient l'impression qu'il avait brusquement rétréci à l'intérieur de son costume. Mais tous ceux qui, comme Puri, connaissaient M. Chatterjee depuis longtemps pouvaient témoigner qu'il avait toujours été d'une maigreur impressionnante. Cette négligence vestimentaire ne remettait pas en cause ses qualités de tailleur. M. Chatterjee possédait la plus prospère boutique de déguisements de tout Delhi.

Il descendait d'une noble lignée de tailleurs bengalis qui habillaient autrefois les gouverneurs de l'ouest du Bengale. Du temps de la Compagnie anglaise des Indes orientales, la famille avait ouvert une maison de couture à Calcutta et s'était adaptée aux goûts des colons occidentaux ; elle fournissait les tenues des hommes de la – fort peu – honorable compagnie et créait également des costumes pour des troupes de théâtre. L'aïeul de M. Chatterjee avait même taillé les uniformes du colonel Montgomery, du Service topographique de l'Inde, l'homme qui avait inspiré à Rudyard Kipling le personnage du colonel Creighton, dans *Kim*, récit d'intrigues et d'espionnage se déroulant pendant le Grand Jeu[1] avec la Russie.

L'entreprise Chatterjee & Fils avait quitté Calcutta pour Delhi en 1931, afin d'y suivre sa clientèle britannique. Et depuis vingt ans, M. Chatterjee était le créateur attitré des déguisements de Vish Puri.

En principe, ce dernier allait lui-même les chercher au magasin, bien caché dans une ruelle non loin de Chandni Chowk, dans le vieux Delhi. Vraie caverne d'Ali Baba encombrée du sol au plafond, la boutique recelait des centaines de costumes et d'accessoires divers. Au rez-de-chaussée étaient stockés les attributs des déités hindoues : costumes du dieu-singe

1. Baptisé ainsi pour décrire la lutte d'influence à laquelle se sont livrées, tout au long du XIXe siècle, la Grande-Bretagne et la Russie pour le contrôle de l'Asie centrale. (*N.d.T.*)

Hanuman, bras de Durga (fournis avec les courroies), trompes de Ganesh, tous bien suspendus sur des portants. On trouvait au premier étage des uniformes d'époques diverses : insignes de l'infanterie macédonienne, panoplies des guerriers marathes et rajputs, tenues de combat des Tigres tamouls, bonnets à poils des grenadiers. Le deuxième étage abritait les costumes traditionnels des centaines de communautés indiennes, rangés par ordre alphabétique, des Assamais aux zoroastriens. Une pièce entière était consacrée aux couvre-chefs, entre autres les chapeaux de cérémonie en bambou tressé des indigènes nagas, les turbans aplatis des hommes de Coorg et les casques coloniaux de l'armée britannique. Quant au dernier étage, il regorgeait de trésors : accoutrements de mendiants, lames d'avaleur de sabre, paniers de charmeur de serpent (avec cobra mécanique intégré), membres déformés amovibles.

Mais la vraie mine d'or pour le détective était la pièce réservée aux faux nez, moustaches, barbes, postiches et perruques (celle d'Indira Gandhi était parfaite). M. Chatterjee les gardait bien au frais, au sous-sol, enfermés dans des boîtes en carton sur lesquelles on pouvait lire : « Favoris sikhs », « Guidon de vélo rajasthani », « Bacchantes de babu bengali ».

Ce que l'établissement ne possédait pas en stock, Chatterjee le faisait fabriquer par les vingt-sept tailleurs qui travaillaient au dernier étage, assis jambes croisées devant leur machine à coudre, au milieu de montagnes de soieries, de cotonnades et de mousselines.

Puri venait souvent chercher les défroques les plus extravagantes, exigeant parfois des délais très brefs ; les tailleurs travaillaient alors pour lui jusque tard dans la nuit – comme le jour où il avait commandé une *dishdasha*[1] afin d'assister à une rencontre de polo.

1. Tenue traditionnelle irakienne. (*N.d.T.*)

Ce soir-là, Puri ne désirait rien d'exotique, seulement un costume sikh. Il grimpa dans l'antique camionnette où l'assistant de M. Chatterjee l'attendait avec une palette de fards et de la colle à moustache. Dix minutes plus tard, il en ressortit transformé, barbu, moustachu et enturbanné, *kirpan* à la ceinture, le nez chaussé d'affreuses lunettes à monture marron et à verres grossissants, les mains chargées de bagues en or. Il avait également troqué ses chaussures de ville contre des babouches de cuir noir.

Après avoir contemplé son œuvre, cou tendu en avant comme une tortue sortant la tête hors de sa carapace, M. Chatterjee eut une mimique satisfaite.

— Parfait, monsieur ! s'exclama-t-il de sa voix sifflante et haut perchée. Personne ne vous reconnaîtra ! Vous auriez fait un excellent acteur !

Puri gonfla la poitrine avec orgueil.

— Merci, monsieur Chatterjee ! Dans ma jeunesse, je jouais dans une troupe de théâtre amateur. En troisième, on m'a decerné le prix de l'acteur de l'année pour mon interprétation d'Hamlet. C'est vrai, j'ai souvent pensé monter sur les planches. Mais le devoir m'appelait…

— Sur quoi travaillez-vous, cette fois ? chuchota M. Chatterjee, toujours excité à l'idée d'aider le détective. Un meurtre ? ajouta-t-il d'un ton de conspirateur, l'œil brillant de curiosité. Ou courez-vous après le braqueur de banque qui a volé plus de cinquante millions ? J'ai lu ça dans le journal…

Puri n'eut pas le cœur de lui dire qu'il menait une simple enquête prénuptiale.

— Top secret, mon ami, chuchota-t-il en anglais.

— Ah, taap secret, taap secret ! gloussa le vieil homme ravi, en l'accompagnant à la Mercedes.

— Je vous fais confiance, monsieur Chatterjee, fit Puri en posant sa main sur l'épaule du bossu. Vous n'êtes au courant de rien, hein ?

— Plutôt mourir, monsieur ! s'écria celui-ci, le regard humide. On pourrait m'arracher les ongles, me crever les yeux, me couper les…

Puri lui tapota le dos.

— Rassurez-vous, rien de tout cela ne vous arrivera. À présent, vous devriez partir. Mieux vaut que l'on ne nous voie pas ensemble. Je passerai vous régler à votre bureau dans quelques jours, quand l'enquête sera bouclée.

— Merci, monsieur, et faites attention à vous, dit Chatterjee en retournant à sa camionnette.

Puri le regarda s'éloigner, certain que, sur le chemin du retour à Chandni Chowk, le vieux tailleur s'assurerait dans son rétroviseur qu'il n'était pas suivi et qu'il l'appellerait le soir même pour l'en informer.

Avant de se rendre chez Mahinder Gupta, Puri passa prendre Mme Duggal, qui devait l'accompagner à la soirée. Elle l'attendait à la réception d'un hôtel cinq étoiles. Dès qu'elle aperçut la Mercedes, elle vint à sa rencontre. Une fois installée sur la confortable banquette de cuir, elle admira l'intérieur élégant.

— Bon, je suppose que nous nous en tenons à la routine ? s'enquit-elle après qu'ils eurent échangé les politesses d'usage.

— Vous connaissez le proverbe : « Le mieux est l'ennemi du bien », répondit Puri.

— J'avoue beaucoup apprécier nos petites expéditions nocturnes, monsieur Puri, dit-elle de sa voix mélodieuse, même si la retraite est bien agréable. J'adore voir grandir mes petits-enfants. Vous ai-je dit que Praveen avait gagné une médaille d'argent vendredi, en brasse coulée ? Nous sommes très fiers de lui. Mais parfois je regrette le bon temps des aventures…

Si vous aviez croisé Mme Duggal en promenade avec sa voisine dans les allées de Panchsheel Park, vous n'auriez jamais deviné que cette petite femme élégante, aux cheveux gris tirés en arrière, au beau sourire innocent, travaillait autrefois pour les services secrets indiens.

En effet, dans les années 1980-1990, elle avait suivi son époux diplomate en poste dans les plus grandes ambassades étrangères. Embauchée officiellement comme secrétaire, sa véritable mission consistait en fait à surveiller ses compatriotes – conseillers, secrétaires, attachés, en particulier certains soupçonnés d'espionnage.

Son mari et ses enfants ignoraient cette double vie ; ils ne savaient même pas qu'on l'avait décorée pour services rendus à la patrie.

À Dubaï, elle avait repéré un traître et l'avait empêché de révéler l'identité d'une taupe haut placée qui infiltrait les services secrets pakistanais. Durant son séjour de quatre ans à Washington, ayant découvert que l'attaché militaire avait une liaison avec une espionne chinoise, Mme Duggal s'était arrangée pour que celle-ci envoie de faux plans de bases navales à ses supérieurs de Pékin. Et à Moscou, elle était parvenue à prouver l'implication d'un haut commissaire dans le scandale entourant le programme « Pétrole contre Nourriture » destiné à l'Irak.

Depuis quatre ans, cette femme hors du commun jouissait d'une retraite bien méritée à Delhi, jouant au bridge, gavant ses petits-enfants de *ladoos* faits maison, et passant de longs week-ends avec son mari, lui aussi retraité, dans leur maison de Haridwar, au bord du Gange.

À l'occasion, elle collaborait avec Puri, auquel elle avait fait appel quinze ans plus tôt dans le cadre d'une enquête discrète sur le chef cuisinier de l'ambassade à Moscou.

Le plus souvent, elle se faisait passer pour son épouse, rôle qui ne nécessitait aucun déguisement. Elle s'habillait avec cette simplicité qui lui avait si bien réussi quand elle travaillait pour les services secrets : sari de soie beige agrémenté de fils d'or et d'argent, *choli* noir, confortables chaussures à talons, et quelques beaux bijoux du Rajasthan.

Puri lui fit compliment de la sobriété de sa tenue.

— Je suis contente qu'elle vous plaise, Vishwas. Vous savez, je n'aime pas les couleurs trop voyantes.

Alors que la Mercedes filait vers Noida, Puri donna à son « épouse » deux micros magnétiques ingénieusement fabriqués par Flush, l'un en forme de guêpe, l'autre de mouche, et lui expliqua où elle devait les placer.

Mme Duggal les glissa dans son sac à main, à côté des pinces à cheveux et de la lime à ongles en métal qui lui servaient à crocheter les serrures.

— Ce devrait être un jeu d'enfant pour deux vieux briscards comme nous, conclut Puri. Nous ne resterons pas longtemps.

Mme Duggal sourit.

— Jusqu'à vingt-trois heures trente, mon époux m'attendra patiemment. Passé minuit, il s'imaginera que j'ai un amant !

Ils rirent de bon cœur tandis que la Mercedes s'engageait sur la trois-voies.

Une demi-heure plus tard, un ascenseur climatisé les conduisait au vingt-deuxième étage de la Tour céleste. Là, ils empruntèrent le couloir aux murs lambrissés qui menait aux appartements de standing du dernier étage. La climatisation ronronnait au-dessus de leur tête.

Puri sonna à la porte. Aussitôt un domestique les fit entrer dans un immense appartement, aux murs d'une blancheur étincelante. Environ soixante-dix personnes, membres et proches des familles Gupta et Kapoor, étaient réunies pour l'occasion. Puri se dit qu'au milieu de tout ce monde le couple respectable qu'il formait avec sa coéquipière passerait inaperçu. Ils furent chaleureusement accueillis par les parents de Mahinder Gupta, qui ne remarquèrent pas la légère claudication de Mme Duggal.

Puri échangea une vigoureuse poignée de main avec M. Gupta père.

— Je me présente, Monty Ahluwalia… Enchanté… mon épouse… dit-il dans un anglais laborieux, avec un terrible accent provincial.

— Quel bel appartement ! renchérit Mme Duggal à l'adresse de Mme Gupta. Vous pouvez être fiers de votre fils.

Tous quatre échangèrent des banalités pendant quelques minutes. Très vite les Gupta leur annoncèrent le prix de l'appartement : cinq *crores* !

— Et depuis, les prix de l'immobilier ont grimpé en flèche ! s'exclama M. Gupta. Notre fils a dépensé quinze lakhs pour l'aménagement de la salle de bains.

— Dix-sept, chéri, roucoula Mme Gupta en souriant, avant de se lancer dans la description détaillée du jacuzzi italien. Et si vous voyiez les toilettes ! Chasse d'eau automatique, lunette chauffante, et même sèche-postérieur ! Il faut ab-so-lu-ment les essayer !

Alors qu'il circulait au milieu des invités, goûtant au passage des sushis qui agacèrent ses papilles (il grommela à son voisin pendjabi que décidément il préférait de loin un bon vieux poulet au beurre), Puri commençait à comprendre pourquoi le général Kapoor voyait d'un mauvais œil le mariage de sa petite-fille avec un Gupta.

Les Kapoor appartenaient à l'élite intellectuelle et raffinée du sud de Delhi ; on trouvait en son sein des officiers, des ingénieurs, un ou deux chirurgiens, un juge à la Cour suprême. Ces gens-là se rendaient à des soirées culturelles au Stein Auditorium ou au Centre international indien, dégustaient des bons vins au club Gymkhana, visitaient musées et expositions. D'ailleurs, en tendant l'oreille, M. et Mme Ahluwalia surprirent une conversation à propos de la rétrospective, au musée d'Art moderne, de la grande peintre indo-hongroise Amrita Sher-Gil.

Un homme à la moustache grisonnante, vêtu d'une chemise de coton rayée à doubles manchettes et chaussé de mocassins, racontait à son voisin, également moustachu et habillé à l'identique, la croisière qu'il venait d'effectuer avec sa femme dans la région des Grands Lacs. Tout au fond de la pièce, le général Kapoor, en costume trois pièces, accompagné de son épouse, une dame aux cheveux gris argenté, s'entretenait avec une personne d'un certain âge drapée dans un sari mauve, à propos d'un gala de charité auquel ils avaient récemment assisté.

Le clan Gupta, à l'opposé, faisait partie de la caste des marchands. Les jeunes gens présents occupaient des postes dans des multinationales informatiques et travaillaient douze heures par jour, six jours sur sept. Cheveux fixés au gel, costumes de prêt-à-porter, montres en or au poignet, ils parlaient de marchés boursiers, de Bollywood, de cricket, fumaient, buvaient et riaient grassement en s'assénant de grandes claques viriles dans le dos. Leurs épouses avaient un net penchant pour les talons aiguilles pailletés et les saris fluo portés sur des dos-nus sans bretelles. Quatre d'entre elles, réunies dans la cuisine, admiraient la hotte aspirante en inox.

— Hou là là ! Qu'est-ce que ça brille ! entendait-on crier.

Puri et Mme Duggal bavardèrent avec la fiancée de Gupta, Tisca Kapoor, une jeune femme très corpulente, qui leur parut intelligente, cultivée et dont la principale inquiétude était l'entente entre les deux familles. Tout en parlant, Puri laissa tomber sa serviette et, se penchant pour la ramasser, colla un micro sous l'une des tables basses en galuchat.

Les deux complices se séparèrent. Puri traversa la pièce et fixa un second mouchard derrière une photographie encadrée. Puis il sortit sur le balcon, à la recherche d'un verre de whisky.

Pendant ce temps, Mme Duggal se dirigea en clopinant vers la cuisine ; là, quelques représentantes de la famille Gupta discutaient des qualités de la machine à laver à chargement frontal, qu'elles jugèrent d'un commun accord d'un excellent rapport qualité-prix. Elle colla la mouche magnétique sous le rebord de la hotte aspirante.

Ensuite elle chercha la chambre de Mahinder Gupta, plaça la guêpe factice au pied métallique du lit, puis se rendit à la salle de bains.

Dans un angle, la baignoire jacuzzi invitait à la détente et, en face, le fameux W-C à lunette chauffante attendait le postérieur des invités. En se lavant les mains au lavabo, Mme Duggal remarqua une armoire à pharmacie fermée à clé.

Curieuse, notre espionne sortit de son sac une épingle à cheveux et la lime à ongles. En quelques secondes, la serrure cédait.

Sur une étagère, elle avisa un flacon sans étiquette empli d'un liquide jaune pâle et deux seringues. Elle prit le flacon qu'elle glissa dans son étui à lunettes.

À ce moment, la voix de Mme Gupta mère s'éleva dans la chambre attenante.

— Venez visiter la salle de bains ! C'est par là…

Mme Duggal vit la poignée bouger. On frappa à la porte.

— Un moment, j'en ai pour une seconde !

Elle referma l'armoire à pharmacie, s'assit sur la cuvette des toilettes et se releva. La chasse d'eau se déclencha automatiquement.

Mme Duggal ouvrit la porte et se trouva nez à nez avec Mme Gupta et trois autres dames venues inspecter les lieux.

— Vous avez raison, ces toilettes sont merveilleuses, sourit-elle. On y est très bien assis…

20

Vers vingt-deux heures trente, ce soir-là, alors qu'à Delhi Puri déposait Mme Duggal devant chez elle, à Jaipur, la porte de Munnalal s'ouvrait avec fracas.

Quelques mètres plus loin, un mendiant à la main affreusement déformée, accroupi contre un mur, vit l'ancien chauffeur sortir de chez lui. Portable à la main, Munnalal composait un numéro de téléphone avec le pouce. De sa poche émergeait la crosse d'un pistolet.

Le visage angoissé de sa femme apparut dans l'encadrement de la porte.

— Le repas est prêt ! cria-t-elle dans son dos alors qu'il s'éloignait. Où tu vas ? Il est tard !

— Mêle-toi de tes oignons, salope ! brailla Munnalal par-dessus son épaule. Rentre à la maison ou tu t'en prends une !

Le mendiant, voyant Munnalal se diriger vers lui, commit l'erreur de tendre sa main atrophiée, qui ressemblait à une bougie fondue, pour quémander une aumône.

— Du pain pour manger, sahib…

En retour, il reçut une bordée d'injures. Un méchant coup de pied fit voler sa sébile, éparpillant les misérables piécettes dans le caniveau. L'infortuné poussa un gémissement et partit à quatre pattes récupérer l'écuelle qui avait atterri à l'envers dans une flaque fangeuse. Toujours en geignant, il reprit sa place contre le mur.

Deux passants, témoins de la scène, le prirent en pitié et laissèrent tomber quelques roupies dans la sébile.

— Que Shani Maharaj vous bénisse ! leur cria-t-il en ramassant les pièces, qu'il porta à son front et à ses lèvres.

Il suivit des yeux ses bienfaiteurs, attendit qu'ils aient dépassé la porte de Munnalal, puis se leva, ramassa ses maigres effets et, après s'être assuré que personne n'était en vue, dévissa prestement sa main déformée qu'il glissa sous son *lungi* maculé de boue et descendit la rue dans l'ombre de son agresseur.

— Salaud n° 1 a quitté son domicile, il marche vers toi, fit Zia, l'un des hommes de Tubelight, dans l'émetteur dissimulé à l'intérieur du pommeau de sa canne.

Une voix résonna dans son oreillette.

— Roger.

C'était Shashi, son coéquipier, qui regardait trop de films américains à la télé et s'entêtait à utiliser ce jargon de série B.

— Qui c'est, Roger ? siffla Zia dans l'émetteur.

— Ton père, andouille, railla Shashi.

— Ta gueule !

— Reçu cinq sur cinq, riposta son collègue.

Munnalal marchait très vite. Il s'arrêta au kiosque à cigarettes pour acheter un paan sucré qu'il fourra dans sa bouche avant de plaquer un billet sale sur le comptoir.

Bientôt il atteignit la rue principale et descendit du trottoir fissuré et imprégné d'urine. Frôlé par les camions qui se frayaient un chemin à grands coups d'avertisseur, à travers une brume de poussière et de fumée, Munnalal chercha des yeux un autorickshaw libre.

Zia l'observait, posté à l'angle de la rue, dissimulé dans l'ombre. Il prévint Shashi, garé un peu plus loin, de laisser tourner le moteur du scooter.

Munnalal trépignait ; tous les rickshaws qu'il hélait étaient occupés. Certains transportaient jusqu'à huit passagers, six à l'arrière et deux perchés sur les côtés, comme des surfeurs.

Cinq bonnes minutes s'écoulèrent. Une Bajaj Avenger bleue conduite par un homme casqué, visière abaissée, s'arrêta de l'autre côté de la rue. Tout d'abord, Zia n'y prêta pas attention, mais quand Munnalal finit par trouver un rickshaw, qui partit en direction d'Old Delhi, il remarqua que la moto faisait demi-tour pour le suivre. Zia courut retrouver Shashi, qui l'attendait sur son scooter.

— Quelqu'un suit Salaud n° 1 ! hurla Zia. Vite, démarre !

— Roger ! Identification formelle ?

— Quoi ?

— Identification formelle ! Tu l'as reconnu ?

— Comment veux-tu que je le reconnaisse, abruti ? Il a un casque et sa plaque d'immatriculation est illisible, à cause de la boue.

— Reçu cinq sur cinq ! Tu crois que c'est un affranchi ?

— Un quoi ? Tu peux parler hindi, que je comprenne ?

— Un affranchi, un goonda, quoi !

— J'en sais rien !

— Je le double et je reste entre eux deux ?

— Non, surtout pas ! Mais les perds pas de vue.

— Bien reçu !

L'autorickshaw descendit MI Road et passa en pétaradant devant le cinéma Minerva. De temps à autre, Munnalal crachait par terre, laissant des traînées rougeâtres de paan sur la chaussée.

Dix minutes plus tard, le rickshaw s'engagea dans la rue qui longeait l'arrière de la maison des Kasliwal et fit halte devant la villa abandonnée au jardin envahi d'herbes folles. Munnalal descendit, régla le conducteur qui redémarra aussitôt, en quête d'un nouveau client.

Munnalal s'assura qu'il n'avait pas été suivi et se glissa entre les grilles entrebâillées. Une seconde plus tard, sa silhouette se perdit dans les ténèbres. À l'angle de la ruelle, le motard surveillait ses faits et gestes. Il descendit de son engin, ôta son casque et continua à pied.

De leur côté, Zia et Shashi avaient garé leur scooter à bonne distance. Ils tournèrent au coin de la rue juste à temps pour voir le motard pénétrer dans le jardin.

— Pas question que j'entre là-dedans, murmura Shashi. J'ai entendu un hibou !

— Les hiboux n'ont jamais fait de mal à personne, andouille. Ils passent leur vie dans les arbres à faire hou-hou !

— D'accord, vas-y si tu te prends pour un héros. Moi, j'attends ici et je te couvre.

— Ça veut dire quoi « je te couvre », demi-portion ? Tu te prends pour Dirty Ari ?

— Harry, avec un H et deux r !

— C'est ça… J'y vais et toi tu restes ici, peinard. Fais un somme, pendant que tu y es.

Là-dessus, Zia pénétra à pas feutrés dans le jardin. En le voyant disparaître dans la pénombre, Shashi changea d'avis.

— Je me suis dit que je ferais mieux de surveiller tes arrières, chuchota-t-il quand il eut rejoint son compère.

Ensemble, ils avancèrent avec prudence dans les herbes. Le hibou se mit à ululer. Shashi agrippa Zia par le bras. Soudain, sortant de nulle part, un individu les bouscula, si violemment qu'ils tombèrent à la renverse, et s'enfuit au pas de course.

Zia et Shashi, hébétés, mirent plusieurs secondes à se relever.

— Prends-le en chasse, moi je vais voir ! ordonna Zia.

— Reçu cinq sur cinq !

Shashi se lança à la poursuite du fuyard, mais il ne courait pas assez vite. L'homme enfourcha la moto, donna un coup de démarreur, fit demi-tour et partit en trombe.

Shashi vit la Bająj Avenger disparaître de sa vue. Le scooter prêté par son cousin ne pourrait jamais la rattraper.

Il retrouva Zia devant les grilles.

— Il s'est envolé !

— Parle moins fort, idiot !

— Ne me traite pas d'idiot !

— OK, demeuré ! Alors, que s'est-il passé ?

— Il m'a échappé ! Et Salaud n° 1 ?

— Il est mort.

— Tu en es sûr ?

— Si je te le dis ! Raide mort, derrière la villa, un couteau planté dans la gorge.

Shashi écarquilla les yeux.

— Qu'est-ce qui s'est passé ?

— Ben à mon avis, il se l'est pas planté tout seul !

Shashi se prit la tête entre les mains et tapa du pied, faisant voler la poussière.

— C'est bien notre veine ! Ce gros salaud se fait zigouiller pendant qu'on est en service. Le patron va nous tuer !

— Tout ça, c'est ta faute ! T'aurais dû essuyer la plaque d'immatriculation et noter le numéro !

— Pourquoi moi ? Tu pouvais le faire aussi !

— C'était ton tour d'avoir une idée lumineuse, non ?

Shashi se mit à marcher de long en large. Soudain il se frappa le front.

— Et son portable, tu l'as récupéré ?

— Il l'avait plus sur lui. J'ai fait toutes ses poches. Plus de portefeuille non plus.

— Qu'est-ce qu'on fait, on appelle les flics ?

— T'es fou ! On se tire d'ici avant que quelqu'un nous voie.

— D'accord… Je veux dire Roger !

— Les imbéciles !

Ce fut la première réaction de Puri quand Tubelight lui téléphona à une heure du matin pour lui annoncer la mort de Munnalal.

— La police est au courant ? bâilla le détective, qui avait du mal à sortir des bras de Morphée.

— J'en doute, patron. Il fait nuit noire. Le corps n'a pas pu être repéré. Vous voulez que je passe un coup de fil anonyme aux filcs pour les prévenir ?

— Non, pas tout de suite. Ces crétins vont piétiner la scène du crime. Je me prépare. J'essaie d'arriver au plus vite.

Puri raccrocha et alluma la veilleuse à la tête de son lit. Rumpi bougea dans son sommeil.

— Que se passe-t-il, Chubby ? murmura-t-elle d'une voix endormie.

— Des problèmes… où est le chauffeur ?

— Il dort dans la chambre de Sweetu.

— Peux-tu aller le réveiller et préparer mes affaires ? Je dois repartir à Jaipur. Ça se corse. Nous avons un homicide sur les bras.

— Qui est-ce ?

— L'homme qui détenait toutes les réponses.

Puri s'habilla, monta dans son bureau prendre son .32 IOF et le glissa dans la poche de son pantalon. Quand il redescendit, Rumpi l'attendait devant la porte avec une petite valise, quelques rotis enveloppés dans du papier d'aluminium et un thermos de thé chaud.

Le détective sourit et lui caressa tendrement la joue.

— Merci, ma tendre épouse, murmura-t-il.

Rumpi se serra contre lui et sentit la crosse froide du revolver contre sa hanche.

— Fais bien attention à toi, Chubby.

Puri se mit à rire.

— Ne t'inquiète pas pour moi, ma chérie ! J'ai un sixième sens, quand il s'agit du danger.

— Oh, je ne pensais pas à ce danger-là… mais plutôt au risque mortel que tu cours à te bourrer de pakoras et de saucisses au poulet !

Puri dormit à l'arrière de l'Ambassador pendant tout le trajet jusqu'à Jaipur, qu'ils atteignirent au petit jour. Un Tubelight penaud et à moitié endormi l'attendait devant Ajmeri Gate. Il le conduisit directement sur les lieux du crime.

Hélas, la police les avait devancés. Trois jeeps et le fourgon de la morgue (qui ressemblait à une camionnette de livreur de lait blindée) stationnaient en face de la maison abandonnée. Puri demanda à Handbrake de garer la voiture et attendit. Quelques agents à l'air ahuri bavardaient devant les grilles. Cinq autres hommes ne tardèrent pas à sortir du jardin, à la queue leu

leu ; les deux premiers portaient la civière sur laquelle reposait le corps de Munnalal, deux autres les suivaient, fusil à l'épaule ; Shekhawat fermait la marche, cigarette au bec.

Puri sortit de l'Ambassador pour le saluer.

— Bonjour, inspecteur.

— Que faites-vous ici ? s'étonna Shekhawat.

— J'allais rendre une visite matinale à mon client.

L'inspecteur consulta sa montre.

— À cette heure-ci ?

— Eh oui ! Je suis un lève-tôt !

Puri désigna du menton la civière que l'on glissait à l'arrière du fourgon.

— Que s'est-il passé ?

— Un individu d'une quarantaine d'années, retrouvé avec un couteau planté dans la gorge.

Shekhawat exhiba le sachet plastique contenant l'arme du crime.

— Mon Dieu ! s'exclama Puri, feignant la surprise. On sait qui c'est ?

— Non. Pour l'instant, *naamaalum*, inconnu au bataillon. Il avait ça sur lui…

Il montra un second sachet, qui renfermait le pistolet de Munnalal.

— Puis-je voir le corps ? s'enquit Puri. Le meurtre a eu lieu près du domicile de mon client. Je connais peut-être la victime.

Shekhawat le précéda jusqu'au fourgon et demanda aux ambulanciers de soulever la couverture.

Le visage de Munnalal était figé dans une expression d'horreur absolue. De la plaie située à la gauche du cou, le sang avait coulé abondamment, inondant la chemise. Les lèvres et le menton du mort étaient rougis par le jus du paan.

— Vous le reconnaissez ? demanda Shekhawat.

Puri esquissa une grimace d'ignorance.

— Hélas, non, inspecteur.

La couverture fut rabattue sur le cadavre. Puri et Shekhawat s'éloignèrent.

— Vos hypothèses, inspecteur ?

— Nous avons reçu un appel anonyme au milieu de la nuit. Un témoin a vu deux hommes sortir en courant du jardin et sauter sur un scooter. Il a eu le temps de relever le numéro de la plaque. À mon avis, ces deux-là ont tué pour voler un portefeuille et un téléphone portable.

— Vol crapuleux donc…

— C'est ce qu'on dirait.

Puri observait les nombreuses traces de roues sur la chaussée, maudissant intérieurement la police de ne pas avoir dressé un périmètre de sécurité autour de la villa. Si seulement il était arrivé avant ces balourds !

— Très bien, inspecteur, je vois que vous avez l'affaire en main. Bonne journée.

Il retourna d'un pas nonchalant à sa voiture, mais, dès qu'il fut installé, il ordonna à Handbrake de foncer chez les Kasliwal.

L'Ambassador démarra en trombe ; Puri vit dans le rétroviseur que l'inspecteur suivait le véhicule des yeux. L'expression de son visage le mit mal à l'aise. Shekhawat ne tarderait pas à découvrir que Munnalal était l'ancien chauffeur de Kasliwal ; ce meurtre allait rejaillir négativement sur l'affaire. Puri imaginait déjà la une des journaux le lendemain matin :

L'ANCIEN CHAUFFEUR DE L'AVOCAT EMPRISONNÉ RETROUVÉ MORT. LA POLICE SOUPÇONNE UN HOMICIDE.

— Tubelight, peut-on remonter à tes hommes à partir de la plaque d'immatriculation du scooter ?

— Impossible, patron. Pourquoi ?

— Shekhawat a le numéro.

— Comment ça se fait ?

— À mon avis, c'est le tueur qui le lui a fourni. Ils n'ont vraiment pas été à la hauteur. Qu'ils rentrent à Delhi au plus vite. Je tiens à mettre les choses au point, quand l'enquête sera bouclée.

L'Ambassador tourna à droite au bout de la rue, puis encore à droite et stoppa devant Raj Kasliwal Bhavan. Puri ne bougea pas, ruminant ses pensées.

— Quelque chose ne va pas, chef ? demanda Tubelight.

— J'ai ma petite idée sur cette histoire. Et si j'ai raison, ça va mal finir…

Tubelight ne chercha pas à en savoir davantage. Le détective ne dévoilait jamais son jeu tant qu'il n'était pas sûr d'avoir mené une affaire à son terme – attitude guidée par sa prudence naturelle et sa nature pointilleuse.

— Et la clinique Sunrise, qu'est-ce que ça a donné ? s'enquit finalement Puri.

— J'ai parlé à la réceptionniste. Elle affirme qu'aucune jeune fille correspondant au signalement de la servante n'a été amenée ce soir-là. Mais je crois qu'elle ment. J'y retourne à sept heures pour parler au vigile qui était de garde la nuit du meurtre.

— Pour l'instant, le meurtre n'est qu'une hypothèse, lui rappela Puri.

— Bien, chef. Quels sont vos projets ?

— J'ai besoin de vérifier certains détails. Toi, prends la voiture et dis à Handbrake de revenir me chercher. Nous passerons te récupérer à la clinique vers huit heures.

Puri sortit de l'Ambassador, se ravisa et lança à Tubelight, par la portière :

— Ouvre l'œil. Le type qui a descendu Munnalal savait ce qu'il faisait.

— Un professionnel, chef ?

— Sans aucun doute. Et qui tue de sang-froid.

21

Puri suivit l'allée de briques qui contournait la maison des Kasliwal et s'arrêta devant la porte de la cuisine. Elle était fermée. À l'intérieur, aucun bruit.

Il jeta un coup d'œil alentour pour s'assurer que la voie était libre avant de se diriger vers le quartier des domestiques ; là, il se faufila dans l'étroit passage séparant le bâtiment du mur d'enceinte de la propriété.

Il identifia aisément la petite fenêtre de la chambre de Seema en suivant la ficelle qui partait du mur. Selon le signal convenu, il frappa trois fois à la vitre et imita l'appel du coucou indien. Quelques secondes plus tard, la fenêtre s'ouvrit et Facecream apparut.

— Vous n'auriez pas dû venir ! chuchota-t-elle. Ils vont bientôt se lever. La memsahib fait son yoga à sept heures sur la pelouse.

— Munnalal a été assassiné cette nuit juste derrière ce mur.

— Cette nuit, monsieur ? Ici ? Je n'ai rien entendu !

Puri décela la fierté blessée dans la voix de son équipière.

— D'après toi, le tueur aurait-il pu venir de chez les Kasliwal ?

— Personne ne peut entrer ni sortir d'ici sans que je le sache, patron.

Puri la mit brièvement au courant des événements de la nuit. Quand il eut terminé, Facecream demanda :

— Patron, la moto… c'était une Bajaj Avenger bleue ?

Les yeux de Puri pétillèrent d'excitation.

— Oui ! Oh ! toi, tu sais quelque chose…

— Bobby Kasliwal en possède une de cette marque. Hier soir, il est parti à vingt-trois heures quinze.

— Et il est rentré à quelle heure ?

— Après minuit.

— C'est bien ce que je craignais, soupira Puri.

— Pourquoi, monsieur ?

— Bobby gare-t-il sa moto dans le garage ? demanda-t-il sans répondre à sa question.

— Oui.

— Je vais aller voir. Autre chose à me signaler ?

— J'ai cuisiné les domestiques, à propos de Munnalal. Ils n'en pensent pas que du bien ! Jaya dit qu'il n'arrêtait pas de la harceler, de la tripoter. Un soir où il était saoul, il a voulu forcer la porte de sa chambre.

— Sait-elle s'il se passait quelque chose entre lui et Mary ?

— Une nuit, Jaya a entendu des bruits provenant de la chambre voisine. C'était fin juillet, elle venait juste d'être embauchée. Elle ne peut affirmer avec certitude qui était avec Mary.

Puri entendit un froissement de feuilles venant du coin du bâtiment et fit signe à Facecream de fermer sa fenêtre. Les mains derrière le dos, il s'éloigna, feignant d'explorer le jardin ; si quelqu'un lui demandait ce qu'il faisait là, il pourrait toujours prétendre chercher des indices.

Le froissement s'amplifia.

À ce moment-là, un grand corbeau noir apparut en sautillant, très occupé à retourner les feuilles de son bec.

Puri fit signe à Facecream qu'il s'agissait d'une fausse alerte ; elle rouvrit la fenêtre et reprit le cours de son récit :

— J'ai fait boire Kamat, l'aide-cuisinier. Il aimait bien Mary, mais je doute qu'il y ait eu quelque chose entre eux. Il m'a avoué qu'il était puceau.

— T'a-t-il paru agressif ?

— Oui, mais pas méchant. Il a essayé de me peloter, je l'ai giflé. Il est parti en pleurant.

Quant au jardinier, elle le jugeait inoffensif.

— Il fume tellement de charas qu'il ne fait plus la différence entre ses fantasmes et la réalité. Il invente des histoires sur tout le monde. Et il déteste Kasliwal. Il raconte partout que le sahib venait me retrouver la nuit.

— Eh bien ! murmura Puri. Quoi d'autre ?

— C'est tout, monsieur. Avez-vous songé qu'après votre visite, Munnalal, comprenant que Jaya l'avait vu charger le corps dans la voiture, ait pu décider de la faire taire ?

— Cela expliquerait pourquoi il avait une arme sur lui. Mais il y a une autre possibilité…

Sa phrase fut interrompue par la voix aiguë de Mme Kasliwal, qui appelait depuis la porte de la cuisine.

— Seema ! Seema ! Mon thé, tout de suite !

— Patron, il faut que je vous laisse. Je ne suis pas dans ses petits papiers. Hier, j'ai cassé une assiette et elle m'a retiré quarante roupies de mon salaire. Il ne va pas me rester grand-chose !

— Patience, encore quelques jours et nous te sortirons d'ici. On se reparle ce soir, à l'heure habituelle.

Seema se hâta vers la cuisine. Puri l'entendit dire à sa maîtresse :

— Haan-ji, memsahib. Tout de suite, memsahib.

Les deux femmes entrèrent dans la maison et refermèrent la porte. Puri se dirigea furtivement vers le garage, situé de l'autre côté du jardin, sur la gauche. Par chance, la porte n'était pas verrouillée. Une Bajaj Avenger bleue était remisée au fond ; une boue rougeâtre maculait la plaque minéralogique. En inspectant l'engin sous toutes les coutures, le détective découvrit une tache de sang sur la poignée d'accélérateur et une autre sur le casque.

— Bobby ? Il est parti voir son père à la prison, répondit Mme Kasliwal quand Puri lui demanda où était son fils.

Assise en tailleur sur la pelouse, elle pratiquait un exercice respiratoire, majeur sur le front, pouce bouchant une narine afin de pouvoir expirer très fort de l'autre.

— À quelle heure, madame ?

Mme Kasliwal souffla par le nez à plusieurs reprises, en changeant de narine, puis posa ses mains sur ses genoux, paumes vers le ciel, avant de répondre :

— Vers six heures et demie.

— En êtes-vous certaine, madame ?

— Bien sûr, monsieur Puri !

Elle passa ensuite à la demi-torsion vertébrale dite du Seigneur des poissons.

— A-t-il son portable sur lui, madame ?

Mme Kasliwal reprit sa posture initiale et se redressa en expirant profondément.

— Certainement, monsieur Puri. Mais pourquoi ce soudain intérêt pour mon fils ?

— Eh bien, j'aimerais m'entretenir avec lui d'une certaine affaire…

— De quoi s'agit-il ?

— Je me demandais si… s'il pourrait me rapporter de Londres une ou deux casquettes à son prochain voyage. Voyez-vous, je ne porte que des Sandown, fabriquées à Piccadilly. Donc si votre fils pouvait m'en rapporter… Naturellement, je le paierai.

Elle le fixa d'un air incrédule.

— Des casquettes, monsieur Puri ? Vous me parlez de vos casquettes, alors que mon mari moisit en prison ? Où en est l'enquête ?

— Elle progresse à grands pas, madame.

— C'est ce que vous dites, monsieur Puri, mais je n'en vois pas la trace ! Vous dépensez nos roupies et pour quel résultat ? Aucun ! Franchement, je me demande ce que vous faites de vos journées.

Elle enfonça son menton dans sa poitrine, expulsant l'air de ses poumons.

— Heureusement, Me Malhotra m'assure que la police manque de pièces à conviction. Je suis sûre qu'il va parvenir à faire libérer Chippy.

Puri sortit son calepin et un stylo.

— Pouvez-vous me donner le numéro de portable de Bobby, madame ?

Elle le débita si vite qu'il dut le lui faire répéter trois fois avant de parvenir à le noter correctement.

— Merci, madame, dit-il en rempochant son calepin. Je vais vous laisser. Ah, encore une chose : votre ancien chauffeur, Munnalal, a été assassiné hier soir.

Mme Kasliwal se crispa légèrement.

— Le meurtre a eu lieu dans la propriété qui jouxte la vôtre, vers minuit. Avez-vous entendu quelque chose ?

— Absolument rien ! À cette heure-là, je dormais profondément, monsieur Puri. J'avais eu une journée épuisante. Mais comment savez-vous qu'il a été assassiné ?

— On lui a planté un couteau dans la gorge, madame.

Mme Kasliwal fronça le nez comme si elle avait reniflé quelque chose de déplaisant, puis secoua lentement la tête.

— Nous vivons une époque dangereuse, monsieur Puri. Cet homme a dû être pris dans une rixe entre voyous…

— Tout est possible, madame. Cela dit, il est curieux que votre chauffeur ait été poignardé à deux pas d'ici.

— Qui sait ce qui s'est passé, monsieur Puri ? Ces gens-là ne vivent pas comme nous.

— Venait-il vous voir, madame ?

— Moi, monsieur Puri ? Mais pour quelle raison ? s'écria Mme Kasliwal, vibrante d'indignation.

— Aurait-il eu besoin d'aide ?

— Quel genre d'aide, monsieur Puri ?

— J'ai cru comprendre qu'il devait faire face à certaines difficultés financières.

Mme Kasliwal leva les yeux au ciel.

— Ce n'est pas la nouvelle du siècle, monsieur Puri ! Munnalal réclamait toujours des avances. À force de boire et de jouer, ce genre d'individu s'attire toujours des ennuis.

— Ne lui avez-vous jamais offert un extra ?

— Qu'allez-vous insinuer ? demanda-t-elle avec dédain.

— Disons, une prime ?

— Il recevait son salaire, un point c'est tout. À présent, cela suffit. *Buss !* J'ai répondu à vos questions. Me Malhotra doit arriver à neuf heures trente pour préparer la défense. Et j'organise la réunion mensuelle de la Société des aveugles. Une longue journée m'attend.

— Ne vous excusez pas, madame. Il est également temps pour moi de m'en aller. Je n'ai pas encore pris mon petit déjeuner.

Puri récupéra Tubelight dix minutes plus tard à la clinique Sunrise.

Celui-ci pouvait à peine contrôler son enthousiasme.

— Patron, patron, le gardien de nuit se souvient d'avoir vu une fille le 21 août au soir ! Couverte de sang, mais bien en vie !

— Il en est certain ?

— Tout ce qu'il y a de plus certain. Elle a été déposée par un homme qui conduisait une Sumo, et dont la description correspond à celle de Munnalal. Mais ce n'est pas tout, patron : le lendemain, elle a quitté la clinique !

— Quitté la clinique ? Et comment ?

— Un taxi est venu la chercher.

— Elle était seule ?

— Le gardien ne s'en souvient pas – ou plutôt il s'est fermé comme une huître quand je lui ai posé la question.

— Sait-il où allait le taxi ?

— Il a entendu dire : « À la gare centrale ! »

— Parfait, parfait ! Bon travail !

Tubelight sourit jusqu'aux oreilles.

— Merci, patron !

Puri demanda à Handbrake de le conduire illico à la gare.

— Patron, vous ne voulez pas d'abord interroger le directeur de la clinique ? reprit Tubelight. Le Dr Sunil Chandran.

— Suivons la piste pendant qu'elle est encore chaude. Mais j'irai rendre une petite visite à ce monsieur plus tard ; je veux savoir pourquoi on a laissé partir Mary et qui a payé la facture…

Sur le quai n° 2, là où le Jat Express pour Old Delhi s'apprêtait à partir, des centaines de passagers chargés de valises et de ballots prenaient d'assaut les compartiments déjà bondés de deuxième et troisième classe.

Les femmes accompagnées d'enfants, les personnes âgées et les infirmes étaient éjectés d'emblée, comme la balle du blé d'une moissonneuse-batteuse, tandis que les plus forts et les plus déterminés bataillaient pour grimper dans le train, poussant, tirant, s'agrippant les uns aux autres en hurlant à qui mieux mieux.

Puri vit un jeune homme, un véritable acrobate, s'accrocher au wagon, effectuer un rétablissement spectaculaire, puis ramper sur le toit pour tenter de s'introduire dans le train par-dessus les têtes de ses concitoyens massés devant les portières. Mais comme un fan pendant un concert de rock, il fut catapulté en arrière par une marée de mains levées qui le rejetèrent sans ménagement sur le quai. Nullement perturbé, le jeune homme retomba sur ses pieds et courut réitérer l'opération.

Le détective poursuivit son chemin. Sur le quai, les cris des vendeurs de chai et de citronnade rivalisaient avec les annonces retentissantes des haut-parleurs, précédées par les accords d'orgue propres à toutes les gares indiennes. Un groupe de travailleurs migrants, attendant un train dont le départ avait manifestement été retardé, dormaient à même le ciment, sur de vieux journaux.

Près de la salle d'attente des premières classes, Puri avisa trois porteurs. Ils faisaient la pause, assis sur leur brouette de bois, exténués par leurs allées et venues incessantes à charrier des bagages.

Tout comme les autres coolies que Puri avait déjà interrogés à l'entrée de la gare, ces hommes secs et musculeux étaient repérables à leur tunique rouge vif et à la plaque de cuivre qu'ils portaient au bras.

Puri leur demanda s'ils se souvenaient avoir vu une jeune indigène le 22 août au soir. Il en fit une description aussi précise que possible, à partir des éléments glanés sur elle et de ses propres déductions.

— Une vingtaine d'années, indigène chrétienne du Jharkhand[1]. Sans doute très affaiblie et probablement des bandages aux poignets. Elle a dû monter dans un train à destination de Ranchi.

Les porteurs lui firent répéter la date, puis, après un long conciliabule, parvinrent à la conclusion qu'ils n'avaient pas vu la jeune fille.

— On s'en souviendrait, assura l'un d'eux.

Le détective se dirigea alors vers le dernier quai. Là, il remarqua un petit coolie portant trois énormes sacs sur la tête, qui suivait une famille prenant l'Aravali Express en partance pour Mumbai.

Puri marcha à ses côtés tandis qu'il remontait le quai vers les deuxièmes classes.

— Oui, sahib, je me souviens très bien d'elle, lui dit le garçon après avoir chargé les bagages dans le train. Elle pouvait à peine marcher, la pauvre. Elle avait l'air malade. Oui, ses poignets étaient bandés.

1. L'un des trois États indiens créés en 2000, le Jharkhand a été détaché du Bihar. Il possède 40 % des ressources minérales du pays. Sa capitale est Ranchi. (*N.d.T.*)

— Est-elle montée seule dans le train ?

— Oui, sahib. Mais un homme l'a accompagnée…

Il s'interrompit brusquement.

— Je suis pauvre, sahib. Aidez-moi et je vous aiderai.

Puri sortit cent roupies de son portefeuille et les lui donna. Le gamin empocha l'argent sans sourciller ; c'était pourtant l'équivalent du salaire quotidien d'un coolie.

— Elle a pris le Garib Niwas.

— Tu l'as vue monter ?

— Oui, sahib, je l'ai aidée.

— Tu lui as parlé ?

— Oui, sahib, je lui ai demandé si elle avait besoin d'un docteur, mais elle m'a pas répondu. Elle avait l'air assommé, elle regardait droit devant elle, sans cligner des yeux.

— Et l'homme qui l'accompagnait ?

— Il a attendu le départ du train et il est parti.

— Peux-tu me le décrire ?

— Sahib, je suis pauvre…

Puri lui tendit un autre billet de cent roupies.

— Un gentleman d'âge moyen, costume sombre, chemise blanche, chaussures bien cirées.

Toujours admiratif devant le don d'observation du petit peuple indien, le détective nota le nom du coolie et partit à la recherche du chef de gare.

Vingt minutes plus tard, il était de retour à la voiture ; Tubelight et Handbrake l'y attendaient.

— J'ai trouvé une dénommée Mary Murmu sur la liste des passagers du Garib Niwas pour Ranchi le 22 août.

— Alors, qu'est-ce qu'on fait, patron ? demanda Tubelight.

— Toi et Facecream, vous gardez un œil sur Bobby Kasliwal. Il est compromis jusqu'au cou dans cette histoire. Je veux une surveillance permanente, de nuit comme de jour.

— Vous croyez qu'il a tué Munnalal ?

— Une chose est sûre : il était sur la scène du crime.

— Et vous, patron, vous faites quoi ?

— Je pars pour le Jharkhand dès ce soir. Je dois retrouver cette Mary.

— Le Jharkhand, c'est grand, patron… Ça va vous prendre du temps. Par où vous allez commencer ?

— Les mines d'uranium de Jadugoda.

22

Le registre des passagers du Garib Niwas attestait que l'acheteur du billet de train avait réservé, au nom de Mary Murmu, une place en troisième classe dans un tortillard qui traversait une partie du sous-continent ; il mettait trente heures pour rallier Jaipur à Ranchi, s'arrêtant dans toutes les gares sur un trajet de près de mille deux cents kilomètres.

Quand il était étudiant et sans le sou, Puri prenait toujours des billets de troisième classe. Il plongea avec nostalgie dans ses souvenirs. Le balancement quasi hypnotique du train, l'esprit de camaraderie qui régnait entre les passagers tous aussi pauvres. Que de souvenirs merveilleux… Mais il se remémora aussi la dureté des conditions de transport. Aujourd'hui, voyageant en première classe dans le rapide Jaipur-Ranchi, il se représentait la jeune fille épuisée, sans rien à manger ni à boire, à demi inconsciente, dans un coin de compartiment, sur un banc de bois, les pieds de ses voisins assis sur la banquette supérieure se balançant à hauteur de son visage.

Un train bondé de paysans qui se hissaient dans les wagons entre deux gares, occupant tout l'espace disponible. Mary avait dû partager sa banquette avec six ou sept autres passagers. N'ayant personne pour garder sa place pendant qu'elle allait aux toilettes, elle avait certainement dormi recroquevillée dans le couloir.

À chaque arrêt, les rayons brûlants du soleil venaient frapper le toit, transformant les wagons en fournaise, les ventilateurs métalliques vissés au plafond ne brassant que de l'air chaud. Sans parler du piétinement incessant des colporteurs vendant pêle-mêle biscuits, thé, épingles de nourrice et raticide. Et que dire des relents des latrines, dont le contenu, dans les trains indiens, tombe directement sur la voie ferrée ?

Quelqu'un avait-il pris Mary en pitié, une mère compatissante qui lui aurait donné un peu d'eau et quelque chose à manger ?

La jeune fille était-elle arrivée vivante à Ranchi ?

Les chances étaient bien minces. Or, sans Mary, ou du moins sans la preuve irréfutable qu'elle n'avait pas terminé son existence sur le bas-côté d'une route du Rajasthan, Puri peinerait à prouver ce qui s'était réellement passé dans la nuit du 21 août. Une réservation de train au nom de la jeune fille ne suffirait pas à établir l'innocence de Kasliwal.

Le détective regardait l'incroyable paysage du Rajasthan défiler derrière la vitre. Le soleil se couchait sur une mosaïque de petits champs ; la terre sèche et roussie, creusée de sillons laissés par les charrues, attendait avidement les pluies de mousson.

Il suivit des yeux un troupeau de chèvres noires guidées par un gamin armé d'un bâton, sur un chemin poussiéreux menant à un groupe de maisonnettes. Un peu plus loin, assis sur un lit de cordes, près de son buffle qui ruminait avec circonspection, un vieil homme, à la superbe moustache blanche et au turban écarlate, regardait passer le train.

Puri atteignit Ranchi au petit matin. Il avait réservé un 4×4 qui l'attendait devant la gare pour l'amener aux mines de Jadugoda.

— Le soir, j'aurais refusé de vous y conduire, lui dit le chauffeur dès qu'ils eurent quitté la capitale, une ville sinistrée qui souffrait manifestement d'une crise économique. Les routes sont très dangereuses, à cause des naxalites.

Une grande partie du Jharkhand, ainsi que d'autres territoires de l'est et du centre de l'Inde, surnommés « le Corridor rouge », était contrôlée par les rebelles maoïstes du mouvement naxalite ; ils menaient une lutte incessante, s'opposant aux grands propriétaires terriens et au pouvoir central qui avaient chassé des centaines de milliers de paysans de leur terre. Mais comme beaucoup d'activistes dans le monde, ils terrorisaient désormais les gens qu'ils étaient supposés défendre, levant des impôts sur les villageois, volant leurs récoltes, endoctrinant leurs enfants.

Et ils assassinaient des milliers de personnes chaque année.

— La semaine dernière, ils ont tué un camionneur qui refusait de payer une taxe routière, expliqua le chauffeur. Ils ont mis le feu à la cabine. Et hier soir, c'était le tour d'un attaché militaire, à Ranchi. Une bombe sous sa voiture, et boum !

Puri avait lu un article sur cet attentat dans le journal. L'homme était le troisième en quelques mois à perdre la vie dans une explosion criminelle. Le Premier ministre avait récemment dit à propos des naxalites qu'ils représentaient une grande menace pour la sécurité intérieure du pays.

— Pensez-vous que les maoïstes resteront longtemps populaires ? demanda-t-il au chauffeur.

— Bien sûr, monsieur. Les pauvres voient tous ces riches dans leurs belles voitures et leurs grandes maisons. Ils se sentent arnaqués.

« Oui, on a ouvert la boîte de Pandore, songea Puri. Espérons que le prix à payer ne sera pas trop élevé. »

En dépit des nids-de-poule qui faisaient cahoter le véhicule, Puri parvint à s'assoupir. Il se réveilla à peu près une demi-heure avant d'arriver à Jadugoda.

À sa gauche s'étendait un paysage lunaire, plat, rocheux, aride. Les seuls attributs terriens étaient les rares arbres, épais, au tronc noueux, restes d'une forêt primitive rasée pour laisser la place à des rizières dépendantes des moussons. À sa droite s'élevaient des collines escarpées. Çà et là, le sol hérissé d'arbustes éparpillés était piqueté d'affleurements rocheux et balafré de ravines creusées par les pluies torrentielles.

Les mines d'uranium se trouvaient dans le sous-sol de ces collines, clôturées de fil de fer barbelé. De grands panneaux jaunes au logo de l'entreprise minière interdisaient l'accès au site.

Le 4×4 se trouva bientôt coincé derrière un convoi de tombereaux chargés de roches grises d'apparence ordinaire, qui, d'après les explications du chauffeur, étaient transportées dans un centre de traitement à quelques kilomètres de là. Le minerai serait broyé et soumis à un traitement chimique ; l'uranium ensuite extrait sortait sous forme de « gâteau jaune ».

— Monsieur, savez-vous que notre gâteau jaune a servi à fabriquer la bombe nucléaire indienne ? fit le chauffeur, fier de la contribution du Jharkhand à l'armement nucléaire de son pays.

— Connaissez-vous quelqu'un qui travaille dans ces mines ? s'enquit le détective.

— Monsieur, il n'y a que les indigènes qui font ça…

Le chauffeur sous-entendait que, bien qu'originaire de la région, il appartenait à une caste hindoue et ne se mêlait donc pas aux *Adivasis* qui vivaient traditionnellement dans la forêt.

— J'avais un cousin qui conduisait ces camions, poursuivit-il joyeusement. Au bout de douze ans, il a dû arrêter. Les médecins de la mine ont parlé de tuberculose et lui ont donné des antibiotiques. Mais ça s'est pas arrangé. Il est mort.

— Quel âge avait-il ?

— Quarante-deux ans.

Le chauffeur demeura un instant silencieux, puis reprit, sourcils froncés :

— Vous savez, monsieur, dans les journaux, ils font des campagnes contre les mines en disant que ça tue les gens, qu'on devrait refuser d'y travailler. Mais y a pas de travail ici ! Conduire un camion, ça paie bien. Alors, même si deux, trois personnes y passent…

Ils étaient toujours coincés derrière les tombereaux. Une bourrasque souleva de la poussière d'uranium qui vint se déposer sur le pare-brise. Bien que toutes les vitres fussent fermées, Puri, par réflexe, cacha son nez et sa bouche dans le creux de son bras. En le voyant, le chauffeur se mit à rire.

— Monsieur, vous ne risquez rien à respirer un peu de poussière ! Regardez…

Il abaissa sa vitre, passa la tête à l'extérieur et respira à pleins poumons.

— Est-ce que j'ai l'air malade ?

« Jadugoda ressemble comme deux gouttes d'eau à n'importe quelle bourgade indienne construite en bord de route », songea Puri alors qu'ils s'arrêtaient à un croisement pour demander leur chemin. Des vendeurs de paan et de bidis s'activaient derrière des étals de bois branlants ; les feuilles de tabac et de citron enveloppées dans du papier d'aluminium voletaient au vent comme des serpentins. Plus loin, un stand de légumes et un éventaire croulant sous les pastèques voisinaient avec l'étal d'un boucher ; de grosses mouches bourdonnaient autour des quartiers de viande suspendus à des crochets.

Un pêcheur assis en tailleur sur une bâche en plastique écaillait avec adresse un poisson de rivière à l'aide d'un gros couteau qu'il coinçait entre ses orteils. À ses côtés, une vieille femme accroupie vendait des bâtonnets de *meswak*.

La scène n'aurait pas été complète sans le grand margousier à l'ombre duquel somnolaient les chiens et les tire-au-flanc qui, toute la journée, regardaient passer les voitures.

Puri remarqua un monument peu courant dans les villages indiens : au milieu du carrefour se dressait un mémorial représentant trois guerriers adivasis armés d'arcs et de flèches, en souvenir de ces héros qui, avec leurs armes primitives, s'étaient courageusement battus contre les Anglais.

Du temps de Chanakya, ils avaient opposé une farouche résistance à l'Empire maurya, sortant de leurs repaires dans la jungle pour lancer des raids sur les caravanes. Mais depuis la création de la République indienne, ils avaient été exploités de façon éhontée et privés du droit de vote. Pour leur malheur, leurs terres ancestrales étaient situées sur les plus grands gisements de minerais du monde ; au cours des cinquante dernières années, l'État les avait réquisitionnées quasiment sans compensation pour les Adivasis. Des centaines de milliers d'entre eux se retrouvaient sans toit ni terre, tentant de survivre comme piocheurs de tranchées, porteurs de briques ou laveurs de toilettes publiques.

Situées au plus bas de l'échelle sociale, ces populations pâtissaient de nombreux préjugés défavorables.

— Ils ne sont guère cordiaux, se plaignit le chauffeur, alors que le 4×4 quittait le croisement poussiéreux. Et ils boivent comme des trous !

Quelques minutes plus tard, ils passaient devant la petite agglomération construite dans les années 1960 par l'Uranium Corporation of India pour loger ses cadres et leurs familles, venus des différents États de l'Inde. Dans cette enclave, on trouvait école, hôpital, beaux immeubles et aires de jeux verdoyantes.

En sortant de la ville nouvelle, le chauffeur tourna à gauche, s'engagea dans une ruelle empierrée et fit halte devant un édifice carré, en béton. Sans la croix accrochée à l'entrée, Puri n'aurait jamais deviné qu'il s'agissait d'une église.

Il descendit du véhicule et alla frapper au battant métallique. Un vieil homme vint ouvrir, vêtu d'une chemise, d'un blue-jean et coiffé d'une casquette de base-ball. Il portait autour du cou un petit crucifix en or. Il aurait pu passer pour un aborigène australien. Ses yeux clignaient au ralenti, donnant l'impression qu'il était à moitié endormi. À la vue du visiteur, sa bouche s'élargit dans un grand sourire.

— Bonjour, vous désirez ? demanda-t-il dans un anglais poli et laborieux.

— Bonjour, je cherche le prêtre… commença Puri.

— Je suis le père Peter, répondit le vieil homme. C'est un plaisir pour moi de vous rencontrer.

— Mon père, je m'appelle Jonathan Abraham. Je m'occupe à Delhi d'une association caritative qui vient en aide aux familles chrétiennes adivasis, mentit le détective.

Il tendit au prêtre la carte le désignant comme directeur de campagne d'une organisation non gouvernementale qu'il utilisait souvent comme couverture : Assistance aux populations nécessiteuses de l'Asie du Sud (APNAS). Suivaient deux numéros de téléphone ; en les composant vous tombiez sur Mme Kaur, une femme très aimable qui vous proposait de vous envoyer la brochure de l'association.

Le prêtre étudia longuement la carte, toujours en clignant des yeux.

— Oh ! fit-il, ravi. Vous venez de Delhi ?

— Oui, mon père. Nos bureaux sont là-bas.

L'homme sourit de toutes ses dents.

— Alors, vous êtes la réponse à mes prières, monsieur Abraham ! Prenez la peine d'entrer…

Puri savait que s'il demandait tout de go aux gens de cette communauté où se trouvait Mary Murmu, il éveillerait les soupçons et se heurterait à un mur de silence. En outre, il ne tenait pas à ce que Mary – si elle était toujours en vie – apprenne qu'un étranger la cherchait.

Il souhaitait créer un climat de confiance afin que la jeune fille puisse raconter ce qui avait réellement eu lieu à Jaipur. Pour cela, il avait besoin de gagner sa sympathie.

Puri avait la chance de pouvoir facilement passer pour chrétien, ayant suivi une partie de sa scolarité dans un couvent de religieuses qui lui serinaient des prières à longueur de journée. Les préceptes du gourou de Nazareth étaient par ailleurs faciles à observer. (En revanche, se prétendre musulman présentait de nombreuses chausse-trappes, car la maîtrise des prières de l'islam requérait des heures et des heures de pratique.)

Les prêtres catholiques étaient bien plus manipulables que les représentants d'autres religions et bien moins cupides que les pandits qui passaient leur temps, la main tendue, à vous réclamer de l'argent.

Le père Peter ne désirait qu'une seule chose : une nouvelle croix pour son église, l'actuelle étant rongée par les termites.

— Je suis moulu et elle vermoulue, plaisanta-t-il, en montant dans le 4×4.

Puri promit de lui faire envoyer une croix neuve. Il l'invita à déjeuner dans une gargote en bord de route, seul endroit où se restaurer à Jadugoda. À la fin du repas, tout en délogeant les bouts de cartilages de mouton coincés entre leurs dents, ils parlèrent des indigènes de la région. Le prêtre lui apprit que seules quarante familles de la région s'étaient converties au christianisme ; les autres s'accrochaient à leur foi animiste.

Sept ou huit de ces familles portaient le patronyme de Murmu. Puri expliqua au père Peter le but de sa mission : le ministère du Développement avait identifié les Murmu comme étant pauvres parmi les pauvres et il souhaitait déterminer leurs besoins.

Le prêtre accepta ses explications sans poser de questions et se proposa de lui servir de guide.

Ils retournèrent au croisement du centre-ville et tournèrent à gauche sur une petite route qui serpentait à flanc de colline. Partout se dressaient de hautes barrières et des panneaux jaunes portant la mention « Interdiction d'entrer ». Le chauffeur expliqua que le centre de traitement de l'uranium se trouvait derrière la rangée d'arbres sur leur gauche.

— Vous voyez cette canalisation qui sort de la forêt ? intervint le prêtre. Elle transporte les déchets toxiques de l'usine – un mélange boueux de produits chimiques et de roche pulvérisée.

Puri la suivit des yeux : elle passait sous la route, traversait la vallée étroite et longeait une gigantesque digue édifiée en travers de la vallée voisine.

— Les déchets sont déversés ici, n'est-ce pas ?

— Derrière la digue se trouve ce qu'ils appellent le bassin de décantation des résidus, poursuivit le prêtre. L'accès en est strictement interdit. Quand j'étais petit, j'allais avec mes copains sur la colline et nous jetions des pierres dans la boue.

Souvenirs d'enfance qui firent naître un sourire espiègle sur ses lèvres.

— Une fange si épaisse que la surface durcit quand il fait chaud ; les vaches qui s'y aventurent sont happées comme par des sables mouvants.

Leur destination était un hameau perdu dans l'ombre de la digue.

En ce début d'après-midi, le soleil tapait fort ; seuls quelques poulets couraient sur les petits chemins sablonneux entre les maisonnettes de pisé.

Le prêtre frappa à la porte de la première maison ; un Adivasi à la peau noire, vêtu d'un sarong et coiffé d'une casquette de base-ball, apparut sur le seuil. La vue de son visiteur lui fit manifestement très plaisir et, après moult sourires et politesses, le détective fut invité à entrer dans une cour intérieure soigneusement balayée. Puri remarqua d'un côté des piles de bouses de vache séchant au soleil, de l'autre une parabole accrochée à un bananier.

Leur hôte les installa à l'ombre d'un auvent de chaume. Sa fille apporta de l'eau fraîche et un paquet de biscuits fourrés. Elle était trop jeune pour être Mary et Puri apprit très vite qu'elle n'avait pas de sœur aînée. Il sortit néanmoins son calepin et entreprit de poser des questions sur la situation financière de la famille. Le père Peter lui servait d'interprète.

Le couple avait eu deux fils ; l'aîné travaillait dans les mines où, à longueur de journée, il chargeait des cailloux sur un tapis roulant, sans gants de protection ni masque antipoussière. Ils avaient perdu le second, né handicapé psychomoteur, à l'âge de sept ans.

— Pouvez-vous me décrire vos problèmes quotidiens ? demanda Puri.

Le père esquissa une grimace, comme s'il ne savait pas par quel bout commencer, tant il avait de choses à dire. Avant, il était employé à la mine avec son fils, mais, depuis quelques mois, trop fatigué, il n'allait plus travailler ; le revenu de la famille avait donc diminué de moitié. Comme les sept cents autres millions d'Indiens qui continuaient d'attendre les retombées de la croissance économique, la famille survivait avec moins de deux dollars par jour. Et pour ne rien arranger, l'eau de leur puits était empoisonnée par les infiltrations toxiques de l'usine de traitement.

— Elle est impropre à la consommation, expliqua le prêtre, toujours souriant. Mais ils s'en servent pour laver le linge.

— Avez-vous songé à quitter le village ? demanda Puri.

— Cette terre est tout ce qui nous reste. La forêt a pratiquement disparu et nous n'avons nulle part où aller.

Puri prit ostensiblement des notes sur son calepin puis remercia son hôte et, avant de s'en aller, lui offrit mille roupies de la part de l'association, en lui recommandant bien de ne plus utiliser l'eau du puits contaminé. L'homme haussa les épaules d'un air résigné.

Le lendemain, en fin d'après-midi, Puri et son guide frappèrent à la porte du huitième et dernier logis de la liste.

Une maison plus petite que les précédentes, bâtie près d'un grand sal[1]. À l'ombre de l'arbre, une adolescente et une jeune femme aux bras chargés de bracelets jouaient à un jeu qui rappelait le jeu de dames, appelé *Bagha-Chall*, Tigres et Chèvres. Le damier était une grille dessinée dans le sable ; vingt-quatre petits cailloux colorés servaient de pions, les mêmes que Puri avait trouvés dans la chambre de la servante à Jaipur.

Le prêtre leur adressa un grand sourire.

— Bonjour, Mary, que Dieu te bénisse, dit-il en santhal, la langue de la région.

— Bonjour, mon père, répondit la jeune femme rayonnante.

Elle se leva et repoussa d'un geste vif une mèche rebelle ; ce faisant, ses innombrables bracelets de verre glissèrent vers son coude et Puri remarqua alors la large cicatrice qu'elle avait au poignet.

— Ton père est là ? demanda le prêtre.

— Oui, il fait la sieste à l'intérieur.

— Va le réveiller, mon enfant. Ce gentleman a fait le voyage depuis Delhi et voudrait lui parler.

Mary décocha à Puri un regard soupçonneux.

— Qu'est-ce qu'il lui veut ?

— Il est là pour nous aider.

— Et comment ?

— Ne pose pas tant de questions, mon enfant. Va vite chercher ton père.

Puri la suivit des yeux, tandis qu'elle marchait vers la maison. C'était une belle jeune femme, mince, avec de longs cheveux noirs attachés en queue-de-cheval. Son visage à la peau sombre, aux traits arrondis des indigènes, ressemblait de façon frappante à celui de la victime abandonnée sur Ajmer Road.

1. Grand arbre cultivé en Inde pour son bois de charpente. Sa résine est utilisée comme encens. (*N.d.T.*)

— La pauvre petite a beaucoup souffert, glissa le prêtre au détective, dès qu'elle fut hors de portée de voix.

— Que lui est-il arrivé ?

— Je préfère ne pas y penser. Elle refuse d'en parler, même à sa mère. Comme beaucoup de nos jeunes filles, elle est partie très loin chercher du travail en ville. À son retour, il y a deux ou trois mois, elle pouvait à peine marcher. Il lui a fallu des semaines pour se remettre, mais, grâce à Dieu, elle est sauvée.

— Comment a-t-elle pu arriver jusqu'ici ?

— Le Seigneur la protégeait. En descendant du train, à Ranchi, elle a perdu connaissance, mais un membre de notre communauté l'a conduite à l'hôpital.

Quelques minutes plus tard, Puri prit place sur un tapis en face de Jacob, le père de Mary. Calepin à la main, il évalua les difficultés rencontrées par la famille. Sur le pas de la porte, Mary triait des lentilles, tout en écoutant la conversation. L'air suspicieux, elle ne quittait pas des yeux le visiteur.

Comme la plupart des chefs de famille que Puri avait interrogés, Jacob travaillait dans les mines. Son salaire lui permettait tout juste de nourrir sa famille. Il se sentait vieillir et regrettait de ne pas avoir de fils pour le seconder. L'année précédente, après une récolte de riz désastreuse, il avait envoyé sa fille aînée à Jaipur.

— Elle nous a fait parvenir un peu d'argent, et puis elle est tombée malade et elle est revenue. Ma santé va déclinant. Bientôt nous allons mourir de faim.

Puri expliqua à Jacob que l'association caritative qu'il représentait allait leur venir en aide. Il sortit une calculatrice de sa poche, fit mine de se livrer à de savants calculs et déclara que, la famille n'ayant pas de fils, elle avait droit à un don immédiat de quatre mille roupies. C'était bien plus que le salaire mensuel de Jacob Murmu, qui en resta sans voix. Il prit la liasse de billets des mains de son bienfaiteur et dit au prêtre, les larmes aux yeux :

— C'est un miracle !

Puri accepta son invitation à dîner ; avant que le soleil soit couché, il parvint à prendre discrètement une photo de Mary, de loin, avec son téléphone portable.

Le soir, à la lueur d'une lampe à huile, ils mangèrent un repas simple et délicieux, préparé par Mary et sa mère. Du poisson, du riz et des lentilles. Puri les complimenta et accepta volontiers une deuxième, puis une troisième assiette.

Plus tard, après avoir partagé la pipe du prêtre avec Jacob et le chauffeur venu les rejoindre, il fit une proposition à son hôte.

— J'aimerais prendre votre fille à mon service, chez moi, à Delhi. Son salaire mensuel serait de quatre mille roupies, logée, nourrie.

Mary, qui avait suivi la conversation, parut terrifiée.

— Non, père, je n'irai pas ! s'écria-t-elle.

Ignorant ses protestations, Puri ajouta :

— Monsieur Murmu, je comprends que vous vous fassiez du souci pour sa sécurité et son bien-être. Je vous propose donc de l'accompagner à Delhi. Je me charge d'acheter vos billets. Et si le père Peter veut se joindre à nous, il pourrait en profiter pour acheter une croix neuve, n'est-ce pas, mon père ?

Jacob Murmu ne pouvait décliner une telle offre. C'était la réponse à toutes ses prières.

En dépit des réticences de sa fille, il accepta la proposition. Ils partiraient pour Delhi le lendemain.

23

La petite Maruti Zen de Mummy avançait au pas sur la route bordée de murs hérissés de verre pilé. Ici, à Mehrauli, au sud-ouest de Delhi, se cachaient les résidences de campagne les plus luxueuses des environs de la capitale, bâties sur des terres illégalement acquises par des gens fortunés ou bien introduits. Quelques années plus tôt, pendant la fête de Holi, Mummy avait été invitée dans l'une de ces villas, qui ressemblait à un palais moghol miniature, avec arcades de marbre et jardins parfumés.

— 23… grogna Majnu, alors qu'ils passaient devant un portail de fer forgé, flanqué d'une plaque en marbre de Carrare gravée au nom du propriétaire.

Le chauffeur boudait. Il en voulait encore à sa patronne de l'avoir contraint à passer des heures à filer Red Boots.

Mummy cherchait le numéro 19. Elle avait été informée par l'une de ses anciennes voisines de Pendjabi Bagh, Neelam Auntie, que Rinku Kohli, l'ami d'enfance de Puri, habitait là. La rumeur courait que ce vaurien y passait ses soirées et ses nuits, ne retournant à son épouse, ses enfants et sa vieille mère qu'au petit matin.

Ce qui se passait dans la « ferme » de Rinku n'était un secret pour personne. Mais sa popularité n'avait pas diminué pour autant dans la communauté de Pendjabi Bagh : les hommes l'appréciaient pour différentes raisons ; il était riche, conduisait un gros 4×4, buvait du scotch directement importé d'Écosse, assistait à des rencontres de cricket et racontait des blagues salaces. Quant aux femmes, elles étaient toujours prêtes à pardonner les écarts de conduite d'un bon garçon pendjabi, du moment qu'il respectait ses aînés, observait les rituels familiaux et engendrait des fils beaux, solides et sûrs d'eux.

— Il se fait beaucoup d'argent ! avait commenté Neelam Auntie, admirative.

Mummy avait toujours fermé les yeux sur les faiblesses de Rinku. L'ayant pratiquement élevé, elle le considérait un peu comme un fils, un rejeton qui avait choisi un chemin bien différent de celui suivi par Chubby.

Voilà pourquoi elle n'hésitait pas à aller lui demander de l'aide. Rinku était peut-être une fripouille, comme son père, et un mari plus que volage, il n'en respectait pas moins les vieilles dames à cheveux gris de Pendjabi Bagh.

— 19 ! C'est là ! Arrête-toi ! cria-t-elle à Majnu.

La Maruti Zen fit halte devant les grilles. Un gardien s'approcha de la portière.

— Dites à Rinku Kohli qu'il a de la visite, lança Mummy par-dessus l'épaule du chauffeur.

— Madame, il n'y a personne ici à ce nom.

— Dites-lui que Baby Auntie est là et qu'elle lui apporte ses *ras malais* préférés.

Le gardien hésita.

— Écoutez, je sais qu'il habite là, s'énerva Mummy. Alors, prévenez-le.

L'homme retourna à contrecœur dans sa guérite vitrée et décrocha un téléphone. Une minute plus tard, il ressortit et déclencha l'ouverture du portail ; la Zen s'y engouffra.

La « ferme » trônait au milieu d'un hectare et demi de pelouse vert émeraude tondue au millimètre, bordée de haies parfaites et de plates-bandes luxuriantes. Le bâtiment en lui-même était un défi au bon goût : une structure rouge brique aux fenêtres oblongues et aux avant-toits jaune vif qui faisait penser à la Maison du Rire dans une fête foraine. Mummy aperçut de loin l'eau bleue d'une piscine et deux *goris* en bikini qui bronzaient au soleil. Un Indien mince et séduisant, en short et lunettes de soleil, parlait au téléphone en fumant un cigare.

Majnu se gara devant l'entrée. Au moment où Mummy descendait de voiture, Rinku dégringola le perron d'un pas élastique.

— Baby Auntie, quelle surprise ! dit-il en se penchant pour lui toucher les pieds.

— Namaste, *beta*, dit-elle en lui tapotant l'épaule. Je passais par là. Je ne te dérange pas, j'espère ?

— Pas du tout ! Vous êtes toujours la bienvenue chez moi. Venez prendre le thé.

Il s'apprêtait à rentrer dans la maison, mais se ravisa.

— Tout compte fait, allons plutôt sur la pelouse. Nous serons plus au calme.

Il la conduisit vers une table installée à l'ombre d'un arbre.

— *Chai lao !* cria-t-il à un domestique qui sortait de la maison, avant d'avancer une chaise à sa visiteuse. Alors, Baby Auntie, où est passé Chubby ?

— Qui peut le dire ? Il est tellement secret !

On apporta le thé. Rinku servit sa visiteuse, puis prit un ras malai dans la boîte en plastique que Mummy avait posée sur la table. Il le dégusta avec force grognements appréciateurs.

C'était le moment ou jamais.

— Beta, tu sais qu'un goonda a tiré sur lui, na ?

Le visage de Rinku s'assombrit. Il ôta ses lunettes de soleil.

— Oui, je suis au courant, Auntie-ji. Désolé.

— Il s'en est fallu d'un cheveu qu'il nous quitte à jamais, Rinku. Ses plants de piments lui ont sauvé la vie.

— Ah ! Remercions sa bonne étoile !

— Le problème, c'est qu'il ne sait pas prendre soin de lui. Et quand je veux l'aider, il se fâche ! Tu sais comme il est têtu…

— Oh, je ne le sais que trop bien, Auntie-ji !

— Toi, tu me comprends, beta. C'est pourquoi je suis là aujourd'hui. Mais je t'en prie, pas un mot de tout cela à Chubby, na. De mon côté, je ne lui dirai pas que tu m'as aidée dans cette affaire.

Rinku lui tapota gentiment la main.

— Auntie-ji, Chubby est un frère pour moi, et vous une mère. Vous êtes ma famille. Dites-moi seulement ce que je dois faire.

Mummy lui expliqua comment elle avait retrouvé la trace du tireur, un inspecteur de police corrompu nommé Inderjit Singh, et que celui-ci avait rencontré un promoteur immobilier, Surinder Jagga, dans un restaurant chinois, où, attablés devant du whisky et des nems, les deux hommes avaient parlé d'un meurtre.

— Depuis, j'ai mené ma petite enquête : figure-toi que ce Jagga désire construire un immeuble de bureaux à l'emplacement de la maison de Chubby.

Il a déjà acheté les terrains adjacents. Récemment, un voisin âgé, M. Sinha, lui a vendu sa propriété, certainement sous la pression. L'affaire a été étouffée.

— Jagga a-t-il déjà fait une offre à Chubby ?

— Ma bru m'a dit qu'un promoteur était venu il y a quelques semaines leur proposer une grosse somme d'argent. Chubby l'a mis à la porte. Comme Jagga n'a pas proféré de menaces, mon imbécile de fils ne se doute pas que c'est lui qui a commandité l'assassinat.

— Jagga et Singh ont dû décider de se débarrasser de lui, pensant faire porter le chapeau à quelqu'un d'autre. Devenue veuve, Rumpi n'aurait eu d'autre choix qu'accepter leur offre et vendre.

— De vrais bandits, ces deux-là, renchérit Mummy.

Rinku paraissait hésiter entre la féliciter ou la gronder d'avoir pris autant de risques.

— Je vois que vous vous démenez, sourit-il.

— Que faire d'autre, beta ? Il faut bien que quelqu'un veille sur Chubby.

— Oui, Baby Auntie, nous nous faisons tous du souci pour lui. Mais à votre âge, vous ne devriez pas vous mêler de ce genre d'affaire. Ces gens-là peuvent être dangereux. Les promoteurs immobiliers sont de la pire engeance.

— Ne dis pas de bêtises, mon garçon. Je suis une grande fille.

Rinku éclata de rire.

— Je n'en ai jamais douté, Baby Auntie. Mais vous en avez assez fait. Laissez-moi régler cette histoire, d'accord ? Je m'en occupe.

— Tu connais ce Jagga ?

— Disons que je connais des gens qui le connaissent…

Un peu hésitant, il marqua une pause avant d'ajouter :

— Je vous promets d'arranger cette affaire. Faites-moi confiance.

— Pas de brutalités, hein, beta ?

— Bien sûr que non, Baby Auntie !

— Et pas un mot à Chubby.

— Je resterai muet comme une tombe, promis. Venez, je vous raccompagne à votre voiture.

Flush, de son côté, ne restait pas inactif : il suivait les faits et gestes de Mahinder Gupta, grâce aux mouchards laissés dans son appartement par Puri et Mme Duggal.

Jamais il n'avait eu à surveiller un individu aussi ennuyeux. Le quotidien de M. Gupta était désespérément prévisible.

Un exemple : le matin précédent, Gupta, levé à six heures moins le quart, passa dix minutes sur la cuvette de ses toilettes automatiques (qui lui aspergèrent et lui séchèrent le postérieur avant de lui dire « Bonne journée »), quitta son pyjama pour enfiler un survêtement, et se rendit à la cuisine où il avala un grand verre de boisson protéinée.

À six heures trente arriva Bunty, son entraîneur personnel (payé mille roupies de l'heure). Gupta eut droit à une séance intensive de musculation pendant une demi-heure dans sa salle de gymnastique.

Ensuite, il prit une douche, revêtit un élégant costume trois pièces et noua sa cravate.

À sept heures trente, l'ascenseur le conduisit jusqu'au garage souterrain où était garée sa BMW bleue. Pavan, le préposé à l'entretien des voitures, qui l'avait astiquée à la perfection, reçut un pourboire de vingt roupies.

Le chauffeur de Gupta prit le volant ; bientôt le véhicule rutilant franchit les grilles du lotissement et prit la direction de Noida. Contrairement à la plupart des voitures, la BMW n'avait pas à batailler pour se frayer un chemin dans la frénésie du trafic matinal. Étant donné le statut brahmanique des BMW dans la répartition des castes véhiculaires indiennes (les cyclistes étant les dalits de l'asphalte), peu de conducteurs osaient lui couper la route ou la coller de trop près, de peur de contaminer sa carrosserie immaculée.

Pendant ce temps, Gupta, assis à l'arrière de l'habitacle climatisé, à mille lieues des vapeurs d'essence et des cris des colporteurs, gardait un œil sur l'écran de télévision miniaturisé qui diffusait les cours de la Bourse, consultait sur son portable les mails reçus de Hong Kong pendant la nuit et passait des coups de téléphone à New York, Mumbai et Singapour.

À l'entrée principale de la société Analytix Technologies, les gardiens bombèrent le torse au passage de la BMW ; celle-ci quitta la route poussiéreuse et bosselée pour s'engager sur le bitume noir et lisse du parc de stationnement, et fit halte devant un immeuble vitré.

Mallette à la main, Gupta prit l'ascenseur qui menait à son bureau. Il y passa la journée, interrompant seulement son travail à midi pour grignoter un *dosa*.

À vingt heures quinze, il quitta Analytix Technologies, ayant troqué son costume trois pièces contre une tenue de golf – pull vert à col montant, pantalon écossais et casquette Tiger Woods.

Il arriva au Golden Greens à vingt heures trente et disputa une partie avec un certain Pramod Patel, responsable des comptes à termes.

Il marqua un *eagle* au cinquième trou, un *birdie* au huitième et finit à sept sous le par[1].

De retour au clubhouse, il prit un Coca Light au bar et, peu après vingt-deux heures, rentra chez lui ; après s'être douché, il passa une heure au téléphone, tout d'abord avec ses parents, puis avec sa fiancée.

Il s'endormit devant la télévision en regardant les deuxièmes journées du tournoi de golf de Vallarta qui se déroulaient au Mexique, et se mit à ronfler.

— Je parie qu'il rêve de petites balles blanches, marmonna Flush, toujours en planque dans sa camionnette garée au pied de la Tour céleste.

Sept jours de surveillance continue n'avaient rien donné. Aucune anomalie dans les relevés bancaires et téléphoniques, pas de visites de sites pornographiques sur Internet, ni de contacts avec un bookmaker, ni d'importants retraits d'argent en liquide.

Quand il ne travaillait pas, ne jouait pas au golf ou n'était pas assis sur ses toilettes à la japonaise, Gupta allait au cinéma voir des films bollywoodiens à l'eau de rose ou achetait des savons à la lavande dans des parfumeries bio de luxe.

Flush se sentait chaque jour plus frustré de ne pas parvenir à trouver le point faible de ce jeune homme de bonne famille. Voir des Indiens vivre dans un tel luxe le révoltait, alors que la majorité de la population se contentait de survivre misérablement. Il souhaitait de toutes ses forces écorner la vie parfaite de Mahinder Gupta.

Le seul espoir désormais résidait dans ce flacon anonyme empli d'un liquide jaune, subtilisé par Mme Duggal dans l'armoire à pharmacie.

1. Par : nombre de coups standards pour terminer un trou ou un parcours. *Eagle* : trou joué en deux coups sous le par. *Birdie* : trou joué en un coup sous le par. (*N.d.T.*)

Gupta était-il séropositif ?

Une chose était sûre : l'homme ne prenait pas de drogues et n'avait aucun contact avec les centaines de revendeurs opérant à Delhi.

— Il ne s'est même pas fait livrer une pizza, patron, annonça Flush au téléphone à Puri, au terme d'une journée de filature infructueuse.

24

Sitôt rentré du Jharkhand, Puri laissa Mary et son père aux bons soins de Rumpi et se rendit à l'agence.

Satisfait du devoir accompli, il s'assit derrière son bureau et envoya Door Stop, le garçon de courses, lui chercher des *kathi rolls* au mouton, avec beaucoup de chutney. Il les dévora en quelques minutes, prenant bien soin de ne pas tacher sa saharienne, puis passa quelques coups de téléphone.

Il appela d'abord Tubelight pour l'informer de son succès au Jharkhand, qu'il décrivit comme un « coup de maître ». Il lui fit part de la suite de son plan, en précisant qu'il n'annoncerait pas immédiatement la bonne nouvelle aux Kasliwal.

— J'ai autre chose en tête, conclut-il. Qu'a donné la surveillance de Bobby ?

— Rien de particulier, patron, répondit Tubelight. Il sort rarement de sa chambre. D'après Facecream, il déprime. Et il s'est disputé avec sa mère.

— À quel sujet ?

— Difficile à dire. Mais apparemment, ça criait des deux côtés… À part ça, il va tous les matins voir son père en prison.

Puri téléphona ensuite au général Kapoor pour lui assurer que l'enquête avançait à grands pas. En retour, il reçut une avalanche de reproches, son client jugeant qu'au contraire les résultats se faisaient attendre.

En dernier lieu, Puri s'occupa de la tentative d'homicide sur sa personne ; il passa quelques coups de fil à ses indicateurs pour voir s'ils avaient du nouveau. Un officier de police du Bureau central d'investigation, auquel le détective avait rendu service à plusieurs reprises dans le passé, mit hors de cause le principal suspect, Swami Nag. Plusieurs témoignages se recoupaient : le bandit assistait à une course de chevaux à Dubaï le jour de la tentative d'homicide sur Puri.

— Sauf à posséder le don d'ubiquité, Sa Sainteté n'a pas pu tirer sur vous, plaisanta l'officier.

Épuisé par son voyage en train depuis Ranchi, Puri se cala contre le dossier de son confortable fauteuil, mit les pieds sur son bureau et ferma les paupières.

Quelques secondes plus tard, il sombrait dans un sommeil profond.

Il rêva qu'il se trouvait devant les murailles légendaires de Pataliputra[1], l'ancienne capitale de l'Empire maurya, forte de soixante-quatre portes et cinq cent soixante-dix tours. À l'ombre d'un figuier sacré centenaire, un sage méditait. Le devant de sa tête était rasé, ses cheveux flottaient sur ses épaules, un gros anneau brillait à son oreille. Sur son front, trois lignes blanches parallèles, signe de détachement de ce monde.

Puri, reconnaissant son gourou Chanakya, alla s'agenouiller devant lui et toucha ses pieds.

— Gourou-ji, c'est un tel honneur… Bénissez-moi.

1. L'un des anciens noms de Patna, capitale du Bihar. (*N.d.T.*)

— Qui es-tu ? demanda Chanakya, très occupé à rédiger son traité.

— Vish Puri, fondateur et directeur de l'agence Détectives Très Privés, le meilleur détective du pays, répondit Puri, quelque peu vexé que le sage n'ait jamais entendu parler de lui.

— Comment sais-tu que tu es le meilleur ?

— Gourou-ji, j'ai reçu le prix du Super Limier décerné par la Fédération mondiale des détectives en 1999, une distinction qu'aucun autre détective indien n'a reçue à ce jour. Ma photo a paru en couverture du magazine *India Today*.

— Je vois, fit Chanakya avec un sourire énigmatique. Dans ce cas, pourquoi venir me demander assistance ? Qu'est-ce qu'un homme comme moi peut faire pour toi ?

— Gourou-ji, quelqu'un a tenté de me tuer et j'ai besoin de votre aide pour le retrouver.

Chanakya ferma les yeux et réfléchit à la requête de son disciple. Une éternité s'écoula avant qu'il n'ouvre les paupières.

— Sois sans crainte, Vish Puri. Tu recevras l'aide dont tu as besoin. Mais tu dois accepter de ne pas avoir prise sur tout. Chacun de nous a parfois besoin d'une main secourable.

— Merci, Gourou-ji ! Merci ! Je vous suis très reconnaissant. Mais dites-moi, s'il vous plaît, qui va m'aider ?

Avant que Chanakya puisse donner sa réponse, la voix d'Elizabeth Rani, dans l'interphone, interrompit brutalement la rêverie du détective.

— Monsieur, le laboratoire nous a communiqué le résultat de l'analyse. Dois-je vous l'apporter ?

Puri consulta sa montre : il s'était assoupi une demi-heure.

— Oui, bien sûr, madame Rani, répondit-il encore somnolent, en appuyant sur le bouton qui commandait l'ouverture de la porte.

Il s'agissait de l'analyse du liquide mystérieux trouvé dans l'armoire à pharmacie de Mahinder Gupta.

Après avoir bu un chai, Puri appela Flush pour lui annoncer les résultats.

— Testostérone.

— C'est tout, chef ? fit Flush, déçu. Les types qui font de la muscu en prennent régulièrement. Ils veulent ressembler à Monsieur Muscle, alors ils se dopent à la testo. Il est facile de s'en procurer au marché noir. Et la plupart des pharmaciens acceptent d'en vendre.

— Je ne doute pas que Gupta veuille de gros biceps pour mieux serrer sa dulcinée dans ses bras, mais, d'après ce que nous savons sur lui, je subodore qu'il prend ces hormones pour une tout autre raison.

— VIH, patron ? C'est peut-être pour ça qu'il perd ses cheveux…

— Non, je ne crois pas. Trouve le nom de son médecin et essaie de savoir s'il l'a consulté récemment.

Afin que Mary se sente chez elle dans sa nouvelle maison, Puri avait demandé à Rumpi d'escamoter les statuettes hindoues (il tenait à se faire passer quelque temps encore pour Jonathan Abraham). Il avait également envoyé Sweetu passer quelques jours chez un cousin, de peur que le gamin ne puisse tenir sa langue.

Le père de Mary, rassuré sur l'avenir de sa fille, resta deux heures et retourna à la gare ; il expliqua à Rumpi que son épouse et sa cadette avaient besoin de lui. Mary, en larmes, le regarda partir, puis rejoignit Monica et Malika à la cuisine, où elle les aida à préparer le repas. Lorsqu'elles lui demandèrent si elle avait déjà travaillé, elle répondit que c'était son premier emploi.

Après le déjeuner, elles se rendirent dans la buanderie et lui montrèrent comment utiliser la machine à laver, qui devait être remplie avec des seaux, car l'eau était rare au robinet après huit heures du matin.

Rumpi l'emmena ensuite au marché pour lui acheter des vêtements neufs. Mary choisit des kurtas, des salwars et des chunnis aux couleurs vives, des sous-vêtements et deux paires de chappals. Rumpi lui offrit également une brosse à cheveux et quelques produits d'hygiène. Puis elles allèrent au cabinet médical voir le Dr Chitrangada Suri ; après examen, la généraliste expliqua à Rumpi que non seulement sa protégée souffrait de malnutrition et de déshydratation, mais qu'elle avait des vers et des poux ; elle rédigea une ordonnance contenant entre autres des vitamines et des sels minéraux. Puis, en anglais, elle précisa que la jeune fille avait récemment tenté de s'ouvrir les veines ; malgré une perte importante de sang, elle paraissait bien se remettre physiquement.

Ce soir-là, une fois Malika partie retrouver sa belle-mère impossible, son mari alcoolique et ses deux enfants, Monica et Mary préparèrent le souper, firent la vaisselle, montèrent ramasser le linge sur la terrasse, dînèrent ensemble puis allèrent se promener dans le voisinage. Elles croisèrent d'autres domestiques qui profitaient comme elles de la fraîcheur du soir. Monica s'arrêta pour échanger avec eux les derniers potins du quartier, puis acheta des glaces avec l'argent de poche que Rumpi lui avait donné.

À vingt heures trente, elles s'assirent dans le salon avec Rumpi et regardèrent *Kahani Ghar Ghar Ki*, le feuilleton télévisé le plus populaire du pays, une série toujours pleine de rebondissements extravagants, d'affaires d'adultères, de meurtres, de complots et de kidnappings.

Dans cet épisode, la belle-fille de la famille, après une opération de chirurgie esthétique, revenait à l'écran, mariée à un autre homme. Monica expliqua que l'actrice jouant la bru avait été renvoyée du plateau pour avoir osé réclamer une augmentation de salaire.

À vingt et une heures, Rumpi annonça que Puri n'allait pas tarder à rentrer, et qu'elles devaient aller se coucher. On avait installé un matelas dans la petite chambre de Monica. Mary y découvrit son cadeau de bienvenue : un jeu de Tigres et Chèvres tout neuf. Son regard s'éclaira à la vue du sachet empli de jolis cailloux colorés et du beau plateau de bois savamment rainuré. Monica lui proposa une partie ; elle releva le défi avec joie.

Elle se révéla une joueuse enragée et battit rapidement son adversaire à plate couture.

— Je suis la championne de mon village ! s'écria-t-elle. Si les hommes acceptaient de jouer avec moi, je les battrais tous !

Les deux jeunes filles se couchèrent peu après ; Mary s'endormit aussitôt, mais Monica eut du mal à trouver le sommeil, se demandant pourquoi sa nouvelle amie avait l'air si triste et quelle raison elle avait de garder ses bracelets de verre pour dormir.

À minuit, réveillée en sursaut par un sanglot déchirant, Monica se redressa. Mary pleurait, assise sur son lit.

Monica se leva, alluma la lumière et passa un bras autour des épaules de la jeune fille.

— Ce n'est rien, tu as fait un mauvais rêve…

Complètement réveillée, Mary se laissa aller contre son oreiller en gémissant :

— Je l'ai perdu ! Je l'ai perdu !

— Perdu quoi ? demanda Monica.

Mais Mary refusa de répondre et pleura longtemps à chaudes larmes avant de se rendormir.

25

Flush appela Puri le lendemain matin pour lui communiquer le nom du médecin de Gupta.

— Comment as-tu fait pour l'obtenir si vite ? s'étonna le détective.

— Il est passé le voir ce matin avant d'aller travailler.

— Comment s'appelle-t-il ?

— Dr Ghosh.

— Subhrojit Ghosh ? 6-B Hauz Khas ?

— C'est ça, patron. Vous le connaissez ?

— Si je le connais… fit Puri en riant.

— C'est lui qui a prescrit la testostérone.

— Bien joué ! Maintenant tu peux remballer ton matériel et rentrer chez toi.

— L'opération est terminée, patron ?

— Je prends le relais. Je sais pourquoi Gupta consulte Ghosh.

Puri se rendit dans la banlieue verdoyante de Hauz Khas, au sud de la capitale, un quartier construit parmi les ruines de l'ancien sultanat de Delhi.

Il connaissait bien l'endroit : le cabinet médical était situé au sous-sol de la maison bâtie sur deux étages par le père de Ghosh, et dans laquelle celui-ci avait grandi.

Puri collaborait régulièrement avec lui lors de ses enquêtes criminelles. Ghosh lui avait été recommandé pour ses compétences d'expert médical ; depuis, Puri avait souvent recours à lui et tous deux passaient d'agréables soirées au club Gymkhana, à jouer aux échecs et à parler politique.

Le détective franchit le portail de la propriété et descendit directement au sous-sol ; l'assistante le pria de patienter dans la salle d'attente. Puri prit place sur une banquette en rotin et feuilleta un magazine à sensation. Sur la couverture figurait une star de Bollywood qui, quelques années plus tôt, avait été au centre de l'une des enquêtes prénuptiales les plus abracadabrantes de l'agence, « l'Affaire du comptable disparu ». À l'époque, l'actrice, encore peu connue du public, usait et abusait de ses charmes auprès des producteurs, réalisateurs et personnalités en vue de Mumbai.

On la voyait aujourd'hui posant sur un canapé de cuir blanc en compagnie de ses parents et de ses caniches. « La famille avant tout », disait la légende.

Puri reposa le magazine sur la table basse, avec un grognement de mépris. À ce moment, la porte du cabinet s'ouvrit.

— Ce cher vieux Chubby ! s'exclama Ghosh en ouvrant les bras. Ça fait un bail, hein ? Depuis quand ne s'est-on pas vus ?

— Trop longtemps, fit Puri, en l'étreignant avec affection. Au moins six mois.

— Entre, entre… Veux-tu un chai ?

— Oui, et un de tes fameux biscuits au chocolat que tu caches dans ton tiroir.

— Un chai bien sucré pour mon ami, dit Ghosh à son assistante, avant de lui désigner une chaise et de s'asseoir à ses côtés.

Il lui tapota le genou.

— Quel plaisir de te voir ! Comment vas-tu ?

— En pleine forme, et toi ?

— Moi aussi. Mais tu m'as négligé, ces derniers temps…

— Je sais, Shubho-*dada*…

Shubho était le diminutif de Subhrojit et *dada* signifiait frère aîné en bengali, la langue maternelle de Ghosh.

— … mais je suis débordé, ces temps-ci. J'ai l'impression que cette ville devient folle ! Une vague criminelle sans précédent déferle sur Delhi ; il ne se passe pas une journée sans un viol ou un kidnapping. Tu as entendu parler de la fusillade de Connaught Place ? Tu t'imagines ? Des goondas qui tirent sur des hommes d'affaires en plein jour ! Même moi, j'ai failli recevoir une balle sur ma terrasse.

— Je suis au courant. Rumpi m'a téléphoné. Elle dit que tu travailles trop et que ta tension n'est pas bonne. Elle m'a demandé de t'en toucher deux mots, à l'occasion. Tu sais, Chubby, tu as vraiment l'air fatigué.

— Normal, ma tendre épouse a décidé de me laisser mourir de faim. Comment veux-tu survivre en ne mangeant que des lentilles et du riz ?

— Dois-je en conclure que tu as fait une croix sur les saucisses au poulet ? fit Ghosh, goguenard.

— Pas tout à fait… admit Puri avec un sourire canaille.

— Je m'en doutais. À quand remontent tes dernières vacances ?

— Si je comprends bien, j'ai droit à une consultation gratuite, docteur ?

— Je te repose la question, Chubby : à quand remontent tes dernières vacances ?

— Je ne peux pas fermer l'agence, Shubho-dada. Les gens ont besoin de mon aide. Vers qui peuvent-ils se tourner ? La police ? Quand on pense que le directeur général des forces centrales de réserve a fait poignarder et étrangler son amant journaliste ! Sais-tu qu'à Noida, où des voyous dévalisent régulièrement les banlieusards sous la menace d'armes fabriquées dans notre pays, les lignes téléphoniques des commissariats sont coupées ? Et pourquoi ? Factures impayées ! Les flics n'ont même pas de quoi mettre de l'essence dans leurs voitures !

— Je sais, Chubby. Tiens, rien qu'hier, on a cambriolé la maison de mon oncle Rajesh. Les malfaiteurs ont bâillonné et ligoté ma tante Sarita.

— Mon Dieu !

— Mais tu n'es pas responsable de ce chaos. Tu n'es pas Batman. Nous ne sommes pas à Gotham City, mais à Delhi. Tu ne peux pas nettoyer la ville à toi tout seul.

— Il faut bien que quelqu'un fasse quelque chose ! s'écria Puri. Mon père a œuvré chaque jour de son existence pour une Inde meilleure. Je lui dois de…

— Ton père était un honnête homme, Chubby, tout le monde le sait, l'interrompit Ghosh. Quiconque possède une once de morale ne peut en douter. Maudites soient les méchantes langues. Ce n'est pas à toi de réparer les erreurs du passé. Ta santé est précieuse. Regarde-toi, tu ne rajeunis pas… Et tu ne mincis pas non plus ! Pense à Rumpi ! Elle a besoin de toi.

L'assistante apporta le thé et déposa le plateau sur le bureau. Ghosh ouvrit son tiroir et en sortit un paquet entamé de biscuits au chocolat, importés de Grande-Bretagne.

— Je ne devrais pas t'en offrir, mais tu vas m'accuser de radinerie, dit-il en tendant le paquet à Puri. D'ailleurs, il n'en reste pas beaucoup !

— Mon petit doigt me dit que tu en as d'autres en réserve, planqués quelque part…

— C'est bien possible ! fit Ghosh avec un clin d'œil.

Ils grignotèrent leurs biscuits avec délices en sirotant le chai à petites gorgées, puis Ghosh retourna s'asseoir à son bureau, tout auréolé de ses diplômes universitaires, obtenus en Inde et à Harvard, accrochés au mur derrière lui.

— Chubby, je suppose que ta visite n'est pas seulement amicale. De quoi s'agit-il, cette fois ? Poison inconnu ? Crâne fracassé ?

— Non, je viens te parler de l'un de tes patients.

— Ah, là, je t'arrête tout de suite.

— Ne t'inquiète pas, Shubho-dada. Je sais que tu es tenu au secret professionnel. Je ne te demande pas de me révéler quoi que ce soit. Sans nommer personne, je vais te décrire un individu. Si mon postulat est faux, tu n'auras qu'à me le dire. D'accord ?

— Cela me paraît correct.

— Patient d'une trentaine d'années. Travaille dans les milieux financiers. Vit à Noida, dans un appartement luxueux, avec salle de gymnastique privée, toilettes parlantes et tout le toutim. Actuellement fiancé, doit se marier sous peu. Fanatique de golf. Je dirais même, obsédé par le golf.

Ghosh se pencha sur son bureau, prit un stylo à plume et commença à gribouiller sur le buvard du sous-main.

— J'ai étudié son passé et j'ai découvert des détails révélateurs, poursuivit Puri. Enfant, s'isolait de ses camarades d'école, avec une tendance précoce à la dépression. Belle réussite universitaire et professionnelle, mais reste toujours sur ses gardes. Après une partie de golf, par exemple, ne se change pas dans les vestiaires et préfère rentrer se doucher chez lui. Ne boit pas une goutte d'alcool, sans doute par crainte de perdre le contrôle…

Il s'interrompit pour finir sa tasse de thé et prendre le dernier biscuit du paquet.

— Je pense qu'il est sous testostérone et que tu lui en prescris depuis l'adolescence. Étant donné ta spécialisation, je dirais qu'il a… un problème spécial, qu'il dissimule depuis toujours. L'ironie de la chose est qu'il n'a précisément… rien à cacher.

Un léger sourire éclaira les traits du médecin.

— Chubby, quel est exactement le but de ta démarche ?

— La famille de la *fiancée* m'a chargé d'enquêter sur lui. Maintenant que je connais son secret, je me fais du souci pour l'avenir de cette jeune femme. Si elle ignore la vérité, elle sera victime d'une vaste supercherie, et je suis dans l'obligation de la prévenir.

Le médecin hocha la tête. Il mouilla son index, récupéra les miettes de biscuit dans le paquet et lécha son doigt.

— C'est certainement un sujet très intime. Je te suggère d'aller parler à cette jeune femme.

— Très bien. Dans ce cas, j'irai la voir.

— Mais souviens-toi d'une chose, mon vieux : le cœur a ses raisons que la raison ne connaît pas…

Ghosh s'étira et jeta un coup d'œil à sa montre.

— J'ai terminé mes consultations. Si nous allions au Gymkhana boire un verre ou deux et disputer une partie d'échecs ?

— Tu espères me battre, hein ?

— Je crois me rappeler que j'ai gagné la dernière partie, Chubby.

— Oui, mais tu avais profité de ma faiblesse.

— Ah bon ?

— J'étais fin saoul !

Ce soir-là, en revenant de leur promenade, Mary et Monica trouvèrent Puri, rentré plus tôt que d'ordinaire, en train de regarder les informations télévisées, affalé sur le canapé de cuir bleu. Pas question pour elles de suivre leur feuilleton préféré ! Mais Puri les invita à rester auprès de lui : il se contenterait de la présentation des titres du journal et leur laisserait ensuite la place.

Timidement, les deux jeunes filles s'assirent par terre devant le canapé et regardèrent la télé en silence.

Soudain l'écran changea d'image (Puri ayant discrètement appuyé sur la télécommande du magnétoscope) : une chaîne hindi diffusait un reportage sur le procès d'Ajay Kasliwal à Jaipur.

On vit l'avocat monter les marches du tribunal, menotté, et l'inspecteur Shekhawat expliquant aux journalistes qu'il pouvait prouver la culpabilité de l'accusé de manière irréfutable.

Il s'agissait en fait d'un montage vidéo réalisé par Flush : quelques prises de vues de Raj Kasliwal Bhavan, puis un reporter expliquant que le corps de la servante, nommée Mary, avait été chargé dans la Sumo et abandonné sur Ajmer Road. Suivaient des scènes filmées devant le tribunal le premier jour de l'audience. Le reportage se concluait sur un plan rapproché de Mme Kasliwal, puis de Bobby clamant l'innocence de son père.

Mary fixait l'écran, hébétée, une main sur la bouche, comme pour s'empêcher de crier. Quand Bobby apparut, elle pointa un doigt vers le téléviseur et poussa une exclamation étranglée. Puis sa tête tomba mollement en avant. Elle avait perdu connaissance.

Quand elle rouvrit les yeux, elle était allongée sur le canapé, le front rafraîchi d'une serviette humide ; Rumpi se tenait à ses côtés et une dame aux cheveux argentés, vêtue d'un sari vert, tricotait dans son fauteuil.

— Comment te sens-tu ? s'enquit Rumpi avec douceur. Repose-toi, tu as eu très peur.

— Madame ! s'exclama Mary. Je l'ai vu !

— Qui donc ?

— Lui !

Elle détourna la tête et enfouit son visage dans le coussin de soie pourpre.

Rumpi posa la main sur son épaule.

— Ne pleure pas. Il ne t'arrivera rien. Demande à Mummy-ji.

— Rumpi a raison, ma fille, ici tu ne crains rien, renchérit cette dernière en posant son tricot.

Elle se leva et vint s'asseoir sur le canapé.

— Nous nous occuperons de toi. Allons, sèche tes larmes et redresse-toi. Veux-tu du thé ? Il est encore chaud.

Mary hocha la tête et tamponna ses yeux avec le mouchoir que lui tendait la vieille dame.

— Voilà qui est mieux, mon enfant, dit Rumpi en lui servant une tasse de thé. Tu es en sécurité ici.

Elle lui laissa le temps de boire quelques gorgées, puis lui demanda la raison de son évanouissement.

— Si tu nous le dis, nous pourrons t'aider.

Mary parut terrifiée.

— Non, madame, je ne peux pas.

— C'est ce que tu as vu à la télévision qui t'a bouleversée ?

Mary baissa la tête et plongea le nez dans sa tasse. Quelques larmes salées se mêlèrent au thé au lait. Rumpi lui caressa la tête.

— Ma fille, si tu sais quelque chose, tu dois parler. C'est très important. L'homme que tu as aperçu, menotté, Shri Ajay Kasliwal, est accusé d'avoir poignardé une jeune servante. Elle s'appelait Mary, comme toi. S'il est condamné, Shri Kasliwal passera le reste de sa vie en prison. Il est même possible qu'il soit condamné à mort.

Mary ne leva pas le nez de sa tasse.

— Ma chère enfant, intervint Mummy d'un ton ferme, finis ton thé, s'il te plaît !

Mary s'exécuta docilement.

— À présent, regarde-moi et dis-nous si tu as travaillé à Jaipur, chez les Kasliwal.

La jeune fille leva les yeux vers elle. Ses lèvres se mirent à trembler.

— Oui, chuchota-t-elle avant d'éclater en sanglots.

Quand elle se fut calmée, Mummy reprit d'un ton apaisant :

— Si tu es cette même Mary, alors Shri Kasliwal est innocent. Toi seule peux le sauver. Il faut aller à Jaipur témoigner au tribunal.

Mary lui lança un regard affolé.

— À Jaipur ? Oh, non, madame ! C'est impossible ! Je ne peux pas !

Rumpi lui prit la main.

— Tu veux que Shri Kasliwal aille en prison pour un crime qu'il n'a pas commis ? insista Mummy.

Mary baissa la tête et répéta, butée :

— Non, madame, je ne peux pas.

— Pourtant il le faut, mon enfant. C'est ton devoir. Tu n'as pas le choix. Le destin d'un homme et de sa famille est entre tes mains. Mais rassure-toi, tu n'iras pas seule. Je viendrai avec toi.

26

Avant de conduire Mary et Mummy à Jaipur, Puri se rendit au club Gymkhana où il avait donné rendez-vous à sept heures du matin à Tisca, la petite-fille du général Kapoor.

Il arriva un peu en avance, afin de consulter le panneau affiché à la réception. On pouvait y lire le menu du jour (galettes fourrées aux saucisses et gâteau à la fraise), et la liste des nouveaux postulants. Une notice, signée par le colonel Gill, faisait remarquer que seul le port de chaussures de ville était autorisé dans les locaux, précisant : LE COUINEMENT DES SEMELLES DE CAOUTCHOUC EST UNE NUISANCE AUDITIVE.

Chaussé de souliers qui ne couinaient pas (il avait pris soin d'en changer avant d'entrer dans le club), le détective se dirigea vers les jardins. Au loin, un jardinier tondait la pelouse à l'aide d'un vieil engin tiré par un buffle.

En passant, Puri commanda du thé et des sandwichs au concombre et alla s'installer à l'écart. Trois mètres au moins le séparaient d'une tablée de femmes en saris qui relataient à haute et intelligible voix combien d'argent elles avaient gagné en Bourse.

Tisca Kapoor ne tarda pas à le rejoindre.

— Monsieur, loin de moi l'idée d'être impolie, mais je suis assez pressée, lança-t-elle en se laissant choir sur une chaise en rotin, à peine assez large pour accueillir son majestueux postérieur. Mon grand-père tenait à ce que je vous rencontre, mais j'avoue ne pas avoir saisi l'objet de votre appel.

— En fait, je suis venu en ami vous parler de votre mariage.

La jeune femme leva les yeux au ciel.

— C'est bien ce que je craignais ! Pappu vous a demandé de me ramener à la raison, n'est-ce pas ? Vous pouvez économiser votre salive, monsieur. Des tas de gens ont déjà essayé avant vous. J'aime beaucoup mon grand-père, je sais que c'est un héros, mais mon choix est fait et j'ai la bénédiction de mes parents. Cela devrait suffire, non ? Buss !

— Je vous demande seulement de me consacrer quelques minutes, mademoiselle Kapoor. C'est vrai, votre grand-père m'a chargé d'une enquête prénuptiale. Celle-ci a révélé certains détails très délicats à expliquer. Je suis persuadé que si votre grand-père venait à en prendre connaissance, le mariage serait aussitôt annulé. C'est pourquoi je voulais vous rencontrer. Donc si vous aviez la gentillesse de répondre à quelques questions… Je tiens à protéger vos intérêts.

— Vous êtes détective privé, n'est-ce pas ? Une sorte de Sherlock Holmes indien, c'est ça ?

— Sherlock Holmes est un personnage de fiction, chère mademoiselle, moi, je suis bien réel, répondit Puri, vexé. Sachez que je suis le meilleur détective de tout le pays. Des gens importants vous le confirmeront. Et ils vous diront aussi que je suis un homme très discret. Un peu de thé ?

— Volontiers.

— À présent, dites-moi dans quelles circonstances vous avez connu M. Gupta.

Tisca eut une brève hésitation.

— Sur les bancs de la faculté, soupira-t-elle.

— À l'université de Delhi, c'est ça ?

— Je vois que vous avez bien fait votre travail, monsieur.

— C'était votre petit ami ?

— Non, juste un ami.

— Et ensuite ?

— Mahinder est parti travailler à Dubaï, mais nous sommes restés en contact. L'an dernier, il est revenu. Nous avons commencé à passer du temps ensemble. Au mois d'août, nous avons décidé de nous lancer.

— Aviez-vous déjà pensé au mariage ?

— J'avoue que je n'ai jamais eu beaucoup de prétendants. Avec mon poids, vous comprenez…

— Alors pourquoi lui, tout d'un coup ?

Tisca sourit.

— Nous nous sommes toujours bien entendus.

— Alors il s'agit d'un mariage d'amour ?

— Oui, j'aime Mahinder.

— Et lui, vous aime-t-il, mon enfant ?

Tisca Kapoor eut à nouveau une brève hésitation.

— Je crois, répondit-elle. Il est gentil et très dévoué.

Puri but une longue gorgée de thé et mordit dans son sandwich à pleines dents.

— Vous ne pensez donc pas fonder une famille… observa-t-il, la bouche pleine.

— Pourquoi dites-vous cela, monsieur ? s'enquit la jeune femme, soudain sur ses gardes.

— Vous devez être au courant de ses problèmes…

— Problèmes ? Quels problèmes ? Je ne vois pas à quoi vous faites allusion.

— Allons, ma chère, ne faites pas semblant de ne pas comprendre. Je tiens seulement à m'assurer que vous ne serez pas flouée. Si Mahinder Gupta s'est montré tout à fait honnête à votre égard, libre à vous de l'épouser. Je ne dirai rien à votre grand-père.

Tisca garda le silence. Son expression trahissait un mélange d'inquiétude et de désarroi.

— Selon moi, vous connaissez son secret depuis longtemps. Soit il s'est confié à vous, soit vous l'avez découvert par hasard…

Tisca demeura longtemps songeuse, puis reprit :

— À l'université, tout le monde se moquait de moi parce que j'étais grosse. Les garçons ne me regardaient pas. Mahinder, lui, était gentil. Nous avions de longues conversations, à propos de tout et de rien. Je suis tombée amoureuse sans même m'en rendre compte. Quand je le lui ai avoué, il est parti en courant ; après ça, il ne m'a plus adressé la parole pendant deux semaines. Et puis un jour, il est revenu, pour me dire que nous ne pourrions jamais être ensemble. Et il m'a dit pourquoi.

Elle s'interrompit, puis lâcha très vite, tout bas :

— Il est né sans sa virilité.

Puri lui tendit un verre d'eau fraîche.

— Ne soyez pas embarrassée, mademoiselle. Dans mon métier, le détective cède souvent la place au psychologue. Il existe peu de choses que je n'aie déjà entendues.

Tisca but une gorgée d'eau.

— Comprenez-moi, monsieur, c'est un secret que je n'ai jamais révélé à personne. Mahinder m'a fait jurer de ne rien dire. Ses parents ont caché la vérité dès sa naissance, sinon les hijras seraient venus le réclamer.

— Ils ont bien fait. Ils auraient certainement voulu l'emmener.

— Et plus tard, à l'école, il aurait été la risée de tout le monde. Voilà pourquoi Mahinder est si réservé et si solitaire. Mais c'est un homme adorable, croyez-moi.

— Donc après toutes ces années, vous allez vous marier… Simplement par respect des convenances ?

— Oui et non. J'aime Mahinder, de tout mon cœur. Mais je subis une telle pression de la part de ma famille ! Ma mère me harcèle depuis des années. « Quand vas-tu te décider à te marier, Tisca chérie ? » Là au moins, je ne l'aurai plus sur le dos.

— Elle voudra des petits-enfants, remarqua Puri. Que comptez-vous lui dire ?

— Nous avons tout prévu. Nous adopterons un garçon et une fille.

Le détective hocha la tête.

— Bien, bien… Comprenez-moi, je tenais à m'assurer que M. Gupta ne profitait pas de la situation.

— Donc vous n'en parlerez à personne ?

— Vous pouvez me faire confiance, mademoiselle. La confidentialité est ma devise, plastronna-t-il.

Tisca Kapoor, bientôt Mme Gupta, poussa un soupir de soulagement.

— C'est très gentil à vous. Je ne sais comment vous remercier.

Le détective rayonnait de fierté.

— Nul besoin de me remercier, mademoiselle. Je n'ai fait que mon travail. Venez, je vous raccompagne à votre voiture.

— Qu'allez-vous dire à mon grand-père ? demanda Tisca, avant de démarrer.

— Je lui expliquerai que vous êtes fiancée à un honnête homme, répondit Puri.

En son for intérieur, il n'était guère pressé d'annoncer la nouvelle au général.

27

L'Ambassador se gara devant le tribunal de Jaipur à seize heures quarante-cinq le lendemain après-midi.

C'était le premier jour du procès d'Ajay Kasliwal, l'assassin de la servante ; l'audience avait débuté quelques heures plus tôt.

Une nuée de journalistes s'était agglutinée devant l'entrée principale. Six camions-télé garés sur le trottoir arboraient des paraboles aux logos de chaînes d'information en langue anglaise et hindi. Des reporters posaient d'un air pénétré devant des caméras montées sur pied, relayant le développement de l'affaire pour les dizaines de millions de téléspectateurs potentiels répartis sur les trois millions de kilomètres carrés séparant le Cachemire de Kanyakumari[1]. Des photographes en gilet kaki, penchés sur leurs ordinateurs portables, retransmettaient des images saisies une heure plus tôt, montrant Kasliwal entrant dans le tribunal. Des grappes de journaleux aux cheveux grisonnants se pressaient autour des vendeurs de chai, fumant cigarette sur cigarette, échangeant les informations les plus fantaisistes.

S'ils avaient connu l'identité de la jeune indigène timide et apeurée qui, à quelques mètres d'eux, gravissait les marches du tribunal, ils l'auraient encer-

1. Petite ville située à l'extrême sud de l'Inde. (*N.d.T.*)

clée comme des corbeaux affamés harcelant un chat errant. Mais le scoop leur passa sous le nez.

Puri précéda Mummy et Mary dans les couloirs bondés, jusqu'à la cour n° 6. Une foule impatiente piétinait devant le prétoire, cherchant, en dépit de la note en gros caractères annonçant LA SALLE EST PLEINE, à amadouer l'appariteur posté à l'entrée.

Pour une fois, la force de persuasion de Puri échoua. L'homme ne voulait rien savoir. « Pas possible, pas possible », ne cessait-il de répéter. À la troisième tentative, le détective dut s'avouer vaincu.

— Tu ne sais pas t'y prendre, Chubby, le gourmanda Mummy. Tu as du coton à la place de la cervelle, ma parole ! Je te parie qu'avec moi ça va marcher. Attendez ici, tous les deux, je m'en occupe.

Puri se hérissa. Il aurait préféré se passer des services de sa mère, mais il n'avait pas eu le choix : il fallait un chaperon à Mary et Rumpi était restée à la maison pour les préparatifs de Diwali.

— Mummy-ji, je t'en prie, ne te mêle pas de ça. Je me débrouille.

— Chubby, quand vas-tu enfin accepter de ne pas avoir prise sur tout ? Chacun de nous a parfois besoin d'une main secourable.

Puri tressaillit. C'était, mot pour mot, la phrase prononcée par Chanakya, dans son rêve.

Elle poussa une exclamation agacée.

— Mummy-ji... peux-tu répéter ce que tu viens de dire ? bredouilla-t-il, médusé.

— Allons, Chubby, tu ne crois pas qu'il serait temps de mettre ton orgueil de côté ? Je suis ta mère après tout. Ce que tu entreprends me tient à cœur. Il est évident que dans une situation de ce genre, une femme sait mieux s'y prendre ! Attendez-moi, tous les deux. Je reviens.

Pour une fois, Puri fit ce qu'on lui dit. Il alla s'asseoir sur un banc avec Mary, à quelques pas de là, et prit son mal en patience.

Le brouhaha du couloir l'empêchait d'entendre ce que Mummy racontait à l'appariteur, mais, peu à peu, celui-ci se dérida, puis s'attendrit. Puri crut même le voir essuyer une larme.

Quelques instants plus tard, l'homme lui faisait signe d'entrer.

— Mummy-ji, que lui as-tu raconté ?

— Pas le temps pour des explications. Tu vois ? Les mères peuvent parfois servir à quelque chose ! Dépêche-toi, il pourrait changer d'avis. Ces gens-là sont si faciles à acheter ! Nous t'attendons ici.

Dans le prétoire, le public silencieux écoutait, attentif, le contre-interrogatoire de l'inspecteur Shekhawat par Me Malhotra, qui se montrait à la hauteur de sa réputation de redoutable avocat.

— Inspecteur, vous dites avoir trouvé des taches de sang dans le véhicule de l'accusé. Mais convenez que ce sang peut appartenir à n'importe qui ! Un passager qui saigne du nez ou s'égratigne…

— Il ne fait aucun doute qu'il s'agit du sang de la victime, le coupa Shekhawat, péremptoire.

— La charge de la preuve incombe à la police, inspecteur. Deux et deux doivent toujours faire quatre, n'est-ce pas ?

— Trois témoins ont vu Ajay Kasliwal s'arrêter sur le bord de la route et jeter le corps de la servante sur le bas-côté.

— Nous y reviendrons dans un instant, dit Malhotra. Commençons par ces taches de sang. Je disais donc… Je disais donc…

L'avocat avait perdu le fil de sa pensée. Il venait de lire la note que Puri était parvenu à lui faire passer.

— Maître Malhotra ? s'enquit le juge. Vous disiez ?

— Veuillez m'excuser, monsieur le juge…

L'avocat paraissait proprement stupéfait.

— On vient de m'informer d'un événement qui pourrait infléchir le cours du procès. Puis-je vous demander une pause de quelques minutes afin de m'entretenir avec l'un de mes associés ?

— Le procédé n'est guère régulier, maître. Je vous accorde une minute, pas plus.

— Merci, monsieur le juge.

Avocat et détective bavardèrent à voix basse, puis Malhotra reprit le contre-interrogatoire, en lui donnant une nouvelle orientation.

— Inspecteur Shekhawat, comment pouvez-vous affirmer avec certitude que la servante de la famille Kasliwal et la victime retrouvée sur Ajmer Road sont une seule et même personne ?

— Deux membres du personnel l'ont identifiée, à partir de la photographie prise à la morgue ; trois employés à mi-temps ont confirmé leurs dires.

— Et si Mary était vivante ? Supposons qu'elle entre à cette minute dans le prétoire ; ces mêmes témoins seraient-ils en mesure de la reconnaître ?

— Sans aucun doute, affirma Shekhawat avec arrogance.

— Merci, je n'ai plus de questions, conclut Malhotra. Mais je me réserve le droit de rappeler ce témoin à la barre.

Shekhawat fut remercié.

— Monsieur le juge, j'aimerais faire entrer un nouveau témoin qui, j'en suis sûr, pourrait faire gagner un temps précieux à la cour, dit l'avocat alors que l'inspecteur regagnait sa place dans la salle.

— C'est l'heure du thé, lui fit remarquer le juge.

— Monsieur le juge, si vous m'octroyiez cinq minutes, l'affaire pourrait être éclaircie.

— Requête accordée, maître.

— La défense appelle Mary Murmu ! clama l'avocat d'une voix de stentor.

— Qui est Mary Murmu ? demanda le juge.

— La victime présumée, monsieur le juge, l'ancienne domestique de la famille Kasliwal, répondit Malhotra avec une nonchalance amusée.

De la salle monta une exclamation de surprise : tous les visages se tournèrent vers la porte.

Ajay Kasliwal, debout au banc des accusés, se haussa sur la pointe des pieds et tendit le cou pour voir par-dessus l'océan des têtes.

La porte s'ouvrit et Mary entra, les yeux baissés, les traits à demi dissimulés derrière son *pallu*. Mummy marchait à ses côtés. On conduisit la jeune femme jusqu'à la barre des témoins.

— Veuillez décliner votre identité, ordonna le juge en hindi, tandis que Mummy allait prendre place non loin de sa protégée.

Mary marmonna son nom.

— Parlez plus fort, jeune fille, et montrez-nous votre visage !

Elle ôta son pallu.

— Je m'appelle Mary Murmu, énonça-t-elle distinctement.

— Menteuse ! hurla une voix féminine dans la salle.

Mme Kasliwal, debout, pointait sur elle un index accusateur.

— Elle ment ! Ce n'est pas elle !

À peine avait-elle prononcé ces mots qu'elle perdit connaissance et s'écroula sur le sol.

Un indescriptible charivari s'ensuivit.

28

Il faisait nuit noire. Facecream, accroupie derrière un buisson, faisait le guet depuis une heure dans le jardin des Kasliwal, suivant les ordres de Puri, transmis par Tubelight en l'absence des Kasliwal.

— Le patron arrivera vers huit heures. L'assassin de Munnalal court toujours. Il pourrait s'en prendre à lui. Alors, veille au grain.

La jeune femme s'était placée à un endroit stratégique, à droite de l'aile des domestiques : elle avait vue sur toute la pelouse et sur l'intérieur du salon dont les rideaux, contrairement à l'habitude, n'étaient pas tirés. Mais la journée d'aujourd'hui n'avait pas été une journée ordinaire.

Au petit déjeuner, Madame s'était montrée particulièrement aimable et d'humeur enjouée ; Facecream l'entendit affirmer au téléphone que Me Malhotra allait rapidement démolir les théories de l'inspecteur Shekhawat et que tout serait bientôt fini.

Mais vers dix-huit heures trente, Ajay Kasliwal, enfin libre, avait ramené à la maison une épouse en pleine crise d'hystérie.

— Vish Puri veut notre ruine ! hurlait-elle. Ne le laisse pas entrer chez nous !

Peu après, le médecin de famille arriva et administra à Madame un puissant sédatif. La patiente devait dormir, il ne fallait surtout pas la déranger, expliqua-t-il. L'arrestation et le procès l'avaient épuisée.

Suivant les instructions du docteur, Ajay Kasliwal avait donc donné leur soirée aux domestiques, sauf à Jaya, chargée de fournir à la demande les glaçons de son whisky et les serviettes humides destinées à rafraîchir le front de Madame.

Facecream voyait la petite bonne s'activer dans la cuisine. Bablu, le cuisinier, était rentré chez lui, Kamat parti au cinéma, et le jardinier fumait son charas dans sa chambre ; des volutes parfumées s'échappaient de sa fenêtre ouverte.

Le patron n'allait pas tarder.

Si le meurtrier de Munnalal préparait un mauvais coup, il entrerait probablement par le fond du jardin. Facecream avait pensé à vérifier la tension de la ficelle qui courait du mur jusqu'à la clochette accrochée dans sa chambre.

Aucun être humain n'était passé par la brèche depuis la pose de la cordelette ; elle se demandait si elle connaîtrait un jour l'identité de la personne qui, le soir de son arrivée, avait cherché à forcer sa porte.

— Rien à signaler derrière. Terminé, chuchota-t-elle dans le mini-émetteur que Tubelight lui avait clandestinement fait passer.

— Rien à signaler devant. Terminé, répondit Tubelight, qui faisait les cent pas dans la rue devant l'entrée de Raj Kasliwal Bhavan.

L'Ambassador franchit le portail à vingt heures dix et remonta l'allée gravillonnée.

— Patron arrivé. Terminé, annonça Tubelight.

Puri gravit les marches du perron et s'arrêta pour prendre une grande inspiration. Il s'était rarement trouvé dans une position aussi peu enviable. Pourtant sa mission était accomplie ; contre toute attente, il avait retrouvé la servante disparue, permettant ainsi l'abandon des chefs d'inculpation contre son client. Une enquête brillante, donc, l'une de celles qui figureraient longtemps dans les annales de l'agence Détectives Très Privés.

Mais une grande injustice avait été commise – sans parler d'un meurtre sordide et prémédité ; Puri ne pouvait laisser le coupable impuni, même si la vérité devait anéantir son client.

Il tapota la poche de sa veste et, rassuré de sentir son fidèle pistolet, tira sur le cordon de la sonnette.

Des bruits de pas se firent entendre. Quelqu'un déverrouilla la porte, qui s'entrebâilla sur Ajay Kasliwal.

— Puri-ji ! Le ciel soit loué, vous êtes là ! Entrez, entrez…

— Comment va-t-elle ?

— Le médecin lui a donné un somnifère. Il dit qu'elle a subi un choc terrible et qu'il la verra demain matin à la clinique, pour lui faire passer quelques examens. Puri-ji, elle perd la tête, elle prétend que vous allez ruiner notre famille.

— Je suis désolé pour vous, monsieur Kasliwal. Mais je devais amener Mary au tribunal. C'était le seul moyen de vous disculper.

— Cependant, pourquoi ma femme prétend-elle que cette jeune fille n'est pas Mary ?

— Je dois vous expliquer un certain nombre de choses. Mais auparavant, il y a plus urgent. Bobby a…

— Oui, au fait, où est passé mon fils ? Il était pourtant au tribunal ! Je l'ai cherché partout et puis, comme les journalistes menaçaient de nous manger tout crus, je me suis dépêché de ramener sa mère à la maison.

— Monsieur, Bobby a essayé de…

La voix du détective fut couverte par le crissement de pneus d'une jeep de la police qui se garait juste derrière l'Ambassador. L'inspecteur Shekhawat en descendit et ouvrit la portière arrière. Bobby apparut, menotté, dans la lumière de la véranda.

— Qu'est-ce que ça veut dire ? s'écria Kasliwal. Bobby, tout va bien ? Qu'est-il arrivé ? Puri-ji, pour l'amour du ciel, expliquez-moi ce qui se passe dans cette maison !

— Nous l'avons surpris qui tentait d'entrer dans la chambre d'hôtel où M. Puri a installé la servante, intervint Shekhawat. Je m'apprêtais à l'emmener au poste pour le questionner, mais j'ai exceptionnellement accédé à la requête de M. Puri qui m'a demandé de faire un détour par ici.

— Les menottes sont inutiles, inspecteur, intervint le détective. Bobby ne cherchera pas à s'enfuir.

L'inspecteur considéra le prisonnier d'un air dubitatif, tel un pêcheur hésitant à remettre sa prise à l'eau.

— Je suppose que vous avez raison, soupira-t-il, peu convaincu. Mais je tiens à rester, pour enfin comprendre ce qui se trame ici. Si je n'obtiens pas au plus vite des éclaircissements, je réglerai le problème à ma façon.

En entrant dans le salon, ils trouvèrent Savitri Kasliwal allongée sur le canapé, enveloppée dans une couverture. Le médecin, un homme d'une cinquantaine d'années aux cheveux poivre et sel, était assis à ses côtés et contrôlait son pouls. À la vue des quatre hommes, il eut un geste irrité.

— J'avais dit « pas de visites », Ajay-ji ! s'exclama-t-il en se levant. Il ne faut pas la déranger. Messieurs, sortez immédiatement de cette maison ! Ma patiente est souffrante. Ajay-ji, j'ignore qui sont ces gens…

— Inspecteur Rajendra Singh Shekhawat, fit le policier en montrant sa plaque, et Vish Puri, détective privé. À qui ai-je l'honneur ?

— Dr Chandran, médecin traitant de Mme Kasliwal.

— Dr Sunil Chandran ? s'enquit Puri.

— En effet.

— Je crois savoir que vous êtes également le frère *rakhi* de Mme Kasliwal ?

— Oui, nous avons grandi ensemble, nous sommes comme frère et sœur. Que se passe-t-il, messieurs ?

— Il y a eu homicide et nous cherchons à savoir qui l'a commis, expliqua Shekhawat.

— Le moment est malvenu, je crois. Elle a fait une crise de nerfs. J'ai déjà vu ce genre de pathologie. Le stress déclenche une sorte de congestion cérébrale. Revenez un autre jour.

— Je crains que l'affaire ne puisse attendre, rétorqua Puri. Servez-vous un verre, docteur-sahib, et asseyez-vous. Je suis d'ailleurs ravi de vous rencontrer. Vous nous faites gagner un temps précieux.

— J'avais justement fini. J'allais partir.

— Je dirais plutôt que vous *êtes* fini, docteur-ji, déclara Puri, sévère. Asseyez-vous, je vous en prie.

— Il n'en est pas question ! s'écria le médecin. Ajay-ji, je m'en vais. Prenez la température de Savitri toutes les heures, et prévenez-moi s'il y a le moindre changement. Vous pouvez me contacter sur mon portable.

Il prit son stéthoscope, le rangea dans sa trousse et se dirigea vers la porte. Mais celle-ci était barrée par la masse imposante de Shekhawat, une main posée sur la crosse du pistolet qui sortait de son étui.

— Faites ce que M. Puri vous dit, docteur-sahib, ordonna-t-il, mâchoire crispée.

Puri prit place près de la cheminée. Bobby s'agenouilla à côté de sa mère ; l'anxiété et la colère assombrissaient son jeune visage. Son père fixait le détective, attendant ses explications. Le médecin avait fini par s'asseoir, bien à contrecœur, bras croisés sur la poitrine, dans une attitude méfiante. L'inspecteur gardait toujours la porte.

— Cette affaire complexe requérait beaucoup de perspicacité et de clairvoyance, commença le détective ; mais je me suis montré à la hauteur de la tâche.

Shekhawat leva les yeux au ciel, puis regarda sa montre.

— Monsieur Puri, nous n'allons pas y passer la nuit, s'impatienta-t-il. Dites-nous qui a tué Munnalal.

Une telle impertinence irrita Puri au plus haut point. S'il avait une chose en horreur, c'était qu'on l'interrompe pendant l'exposé des conclusions d'une enquête. Pour lui, il s'agissait d'un moment de gloire à savourer avec lenteur.

— Au fil de ma longue carrière, j'ai appris à ne pas partager les informations relatives à une affaire en cours, poursuivit-il. Il est important qu'elles restent confidentielles. On croit que je reste les bras croisés, or, rien n'est plus loin de la réalité ! Vish Puri est toujours dans le feu de l'action ! Voyez-vous, le jour même de la mort de Munnalal, je me suis rendu chez lui pour le rencontrer…

Il s'interrompit pour s'éclaircir la gorge.

— Un individu fort déplaisant et assez retors, je dois dire. Je l'ai sur-le-champ confronté à l'évidence : nous savions qu'il avait transporté le corps de Mary dans le coffre de la Sumo la nuit du 21 août.

— Monsieur Puri, intervint Bobby, sortant brusquement de son silence. Qu'entendez-vous par « le corps » de Mary ?

— Laissez-moi vous expliquer. Jaya, ayant vu Munnalal porter Mary de sa chambre à la voiture de votre père, en a conclu qu'il l'avait tuée. Aussi, terrifiée, n'a-t-elle rien dit à personne.

— Mais qu'est-il arrivé à Mary ?

— C'est précisément ce que j'ai demandé à Munnalal. Il a admis l'avoir chargée dans la voiture. En revanche, il a farouchement nié l'avoir tuée ; selon lui, elle avait tenté de s'ouvrir les veines. C'est pourquoi il l'a emmenée à la clinique Sunrise.

En entendant le nom de l'établissement, Bobby et son père se tournèrent vers le Dr Chandran.

— Votre clinique, docteur-sahib, remarqua Ajay Kasliwal d'une voix dure.

— Oui, mais je ne me souviens pas de cette patiente. Ce Munnalal a menti, c'est évident. Monsieur le détective ne vient-il pas de nous dire que c'était un individu peu fiable ?

— Munnalal était un menteur de première, j'en conviens, mais, pour le coup, il disait la vérité. Votre gardien de nuit se souvient très bien de Mary. Il a même ajouté qu'après l'admission de la jeune fille vous êtes revenu à la clinique, vers minuit, pour vous en occuper personnellement.

— J'ignore de quoi vous parlez, fit Chandran d'un air dédaigneux.

— Dans ce cas, comment se fait-il que le lendemain soir vous ayez accompagné Mary en taxi à la gare ? Sachant très bien qu'elle était trop faible pour supporter le voyage et qu'elle risquait de mourir en route, vous lui avez cependant acheté un billet de train pour Ranchi. Un porteur vous a reconnu.

Bobby lança au médecin un regard lourd de mépris.

— C'est vrai, mon oncle ?

— Tissu de mensonges, beta. Ne l'écoute pas. Cet homme essaie de salir le nom de la famille. Diviser pour régner, comme le faisaient les Anglais.

— Il ne fait rien de tel ! s'insurgea Kasliwal. Puri-ji, comment une servante a-t-elle pu s'ouvrir les veines sous mon propre toit sans que je sois mis au courant ?

— Monsieur, pardonnez-moi, mais vous n'êtes jamais là. Vous plaidez toute la journée, et, le soir, vous sortez beaucoup. Vous êtes un homme très sociable. La gestion de la maison, du personnel, incombe à votre épouse. Voilà pourquoi on vous a dissimulé les récents événements.

Sans laisser à Kasliwal le temps de protester, le détective enchaîna :

— Après avoir déposé Mary à la clinique Sunrise, Munnalal est revenu ici. Avant l'aube, la chambre de Mary a été nettoyée à grande eau et débarrassée de ses affaires. Munnalal a jeté le couteau de cuisine par-dessus le mur d'enceinte – entre parenthèses, ce couteau est en ma possession. Il ne restait dans la chambre que deux posters et quelques cailloux.

Puri révéla ensuite, en toute modestie, qu'il avait pensé à les faire analyser et que la piste l'avait mené à Jadugoda.

— Je me moque de vos cailloux ! Pourquoi a-t-on assassiné Munnalal ? le pressa Kasliwal.

— J'allais justement y venir, monsieur. En fait, cet homme n'a été qu'un simple instrument. Il s'est borné à suivre les instructions. Après avoir découvert Mary baignant dans son sang, il a demandé ce qu'il devait en faire. On lui a ordonné de l'emmener à l'hôpital. En route, Munnalal a réfléchi : la tentative de suicide de Mary pouvait être une aubaine. La poule aux œufs d'or. Ce genre d'individu adore collectionner secrets et commérages ; il les garde sous le coude pour les mauvais jours. Il n'est pas bête : il devine pourquoi la jeune fille a tenté de mettre fin à ses jours et, le lendemain, revient ici réclamer une grosse somme d'argent, en échange de son silence.

— Mais cela veut dire que…

Bobby termina la phrase de son père.

— C'est maman. C'est elle.

Un silence de plomb s'installa dans le salon. Tous avaient les yeux rivés sur le détective.

— Votre fils a raison, monsieur. Votre épouse a ordonné à Munnalal d'amener Mary à la clinique et a demandé à son frère, le Dr Chandran, de « s'occuper d'elle » et de la mettre dans le premier train en partance pour le Jharkhand.

— Puri-ji, voilà vingt-neuf ans que nous sommes mariés. Je ne peux croire qu'elle ait fait une chose pareille !

Kasliwal se tourna vers Chandran :

— Sunil, dites-moi que ce n'est pas vrai !

— Ajay-ji, cet homme a tout inventé ! C'est ignoble ! Nous devrions appeler Me Malhotra et lui dire de venir immédiatement !

— Docteur Chandran, les relevés de votre téléphone portable montrent que vous avez appelé quatre fois Mme Kasliwal la nuit où Munnalal a été poignardé, le coupa Puri. L'un de ces appels a été passé exactement vingt-cinq minutes après le meurtre.

— Je parle beaucoup avec ma sœur au téléphone. Elle n'arrivait pas à dormir et…

— Oh, mais taisez-vous à la fin, Sunil ! lança Kasliwal. Je veux entendre la suite. Je vous en prie, Puri-ji, continuez…

— Quelques minutes après mon entrevue avec votre ancien chauffeur, celui-ci a téléphoné à votre épouse pour lui réclamer une nouvelle somme d'argent, afin de me réduire au silence. En retour, elle lui a demandé de venir la voir à la nuit tombée. Il a quitté son domicile, a pris un autorickshaw. Mais quelqu'un le suivait en moto : votre fils, monsieur, qui voulait savoir ce qu'il était advenu de Mary. Bobby est arrivé dans la propriété voisine quelques instants après le meurtre. Il a découvert le corps sans vie de Munnalal et a pris ses jambes à son cou. Bouleversé et désorienté, il a passé ces derniers jours dans sa chambre à chercher à comprendre ce qui s'était réellement produit. Il craignait d'être accusé du meurtre de Munnalal. Mais rassurez-vous, Vish Puri ne l'a jamais soupçonné.

— Bien, si ce n'est pas Bobby, qui a tué Munnalal ? intervint Shekhawat.

— La plaie prouve que le crime a été commis par un professionnel. Il est arrivé sans bruit derrière sa victime, lui a planté un couteau dans la gorge, tout en la bâillonnant de l'autre main. Ce qui explique pourquoi la bouche et le menton du mort étaient couverts de jus de paan. Vous avez dû parvenir à la même conclusion, inspecteur ?

— Bien sûr, mentit Shekhawat, en dansant d'un pied sur l'autre. C'est évident. Mais vous m'avez assuré tout à l'heure que vous connaissiez l'identité du tueur.

— Je la connais, inspecteur. Il s'agit d'un homme de main nommé Babua.

La voix de Bobby se fit entendre.

— Mais… Vous voulez dire que… maman a fait… a fait… assassiner Munnalal ?

— Il est difficile de croire qu'elle n'était pas au courant. Mais rien ne prouve qu'elle connaissait ce Babua. C'est le Dr Chandran qui a passé le contrat. Il a contacté le tueur à plusieurs reprises dans les heures qui ont précédé le meurtre.

— Comment le savez-vous ? demanda Shekhawat.

Puri hésita avant de répondre.

— Nous avons chacun nos méthodes d'investigation, inspecteur.

— Mais, pour l'amour du ciel, pourquoi ? intervint Kasliwal, agrippant le dossier du canapé sur lequel reposait son épouse. Tout cela n'a aucun sens !

— Au contraire, monsieur, répondit calmement le détective. Une mère indienne fera tout pour protéger la réputation de son fils.

Il y eut encore un long silence, puis soudain Bobby éclata en sanglots.

— Père, j'ai honte… j'aurais dû te le dire… je ne savais pas… je ne voulais pas…

— Que s'est-il passé, bon sang de bois ? Vas-tu t'expliquer, à la fin ?

Le garçon déglutit péniblement.

— Cet été, avant de partir à Londres, je révisais mes cours… j'étais seul à la maison avec Mary et… nous parlions beaucoup. Elle était si gentille, papa, si intelligente. Elle venait dans ma chambre, je lui apprenais à lire et à écrire, nous jouions à Tigres et Chèvres. Elle gagnait toujours.

Sa lèvre inférieure tremblait.

— Et puis un jour… Oh, je l'ai aimée, papa !

Ajay Kasliwal leva la main pour le faire taire.

— Ça suffit. J'ai compris.

Il s'adressa à Puri.

— Je suppose que ma femme s'en est aperçue ?

— Un mois après le départ de votre fils pour Londres, Mary s'est rendu compte qu'elle était enceinte.

— Enceinte ? s'écria Bobby.

— Au désespoir, ne sachant vers qui se tourner, Mary s'est confiée à votre épouse. Mais l'idée de savoir son fils lié à une servante – une Adivasi qui plus est – l'a mise hors d'elle. Elle a insulté la jeune fille, l'a menacée et lui a ordonné de quitter la maison sur-le-champ.

— Et donc, cette pauvre petite a pris un couteau de cuisine, s'est rendue dans sa chambre et s'est ouvert les veines, murmura Kasliwal.

Facecream avait suivi le cours des événements qui s'étaient déroulés derrière la porte-fenêtre du salon, après l'arrivée de son patron en compagnie du policier moustachu et du fils de la famille. Puri s'était livré à l'un de ses interminables monologues qu'il aimait tant. Après une longue conversation entre les différents protagonistes, le maître de maison s'était brusquement jeté sur le médecin et lui avait collé son poing dans la figure.

Bobby, Shekhawat et Puri avaient tenté de le retenir, mais, dans la confusion, le patron avait lui aussi reçu un coup de poing.

Le policier venait de menotter le médecin et le faisait monter dans sa jeep.

Facecream vit Puri s'approcher de la porte-fenêtre en massant sa joue endolorie. Bobby tentait de calmer son père, qui paraissait dans tous ses états.

Facecream restait sur ses gardes. On n'avait toujours pas mis la main sur le meurtrier de Munnalal.

Quelques minutes plus tard, la silhouette de Jaya se découpa dans la fenêtre de la cuisine, devant l'évier. À ce moment, Facecream entendit tinter la clochette de sa chambre.

Quelqu'un venait de pénétrer dans la propriété par la brèche du mur.

Des brindilles craquèrent sous les pas de l'intrus. Un homme de taille moyenne apparut à l'angle du bâtiment des domestiques, tenant quelque chose de long à la main. Il s'arrêta, jeta un coup d'œil furtif alentour, puis traversa le jardin en prenant soin de rester à couvert.

Facecream bondit et s'élança vers lui ; pieds nus, elle se déplaçait silencieusement dans l'herbe. En quelques secondes, elle parcourut la distance qui les séparait, et, d'un rapide balayage du pied, faucha l'homme par-derrière. Il tomba face contre terre ; elle lui fit aussitôt une clé qui lui verrouilla le bras dans le dos.

L'homme poussa un gémissement de douleur et la supplia de le lâcher. Ses cris alertèrent Jaya, qui sortit en courant de la cuisine.

— Seema ! Mais qu'est-ce que tu fais ? Tu es folle ! Lâche-le !

— Non, Jaya ! Recule-toi ! Cet homme est dangereux ! Il a tué Munnalal !

— Dangereux, lui ? Tu plaisantes ! C'est Dubey. Il conduit des rickshaws. C'est mon… ami.

— Tu es sûre ?

— Puisque je te le dis ! Il veut m'épouser.

Facecream lâcha sa prise et le pauvre Dubey se releva, bouleversé. Il tenait encore à la main la rose rouge qu'il apportait à Jaya. Les pétales étaient tout aplatis.

— Je suis désolée… j'ai cru que vous étiez… s'excusa Facecream.

Mais Dubey avait déjà pris ses jambes à son cou, avec Jaya qui courait derrière lui en lui criant de revenir.

Dix minutes plus tard, Puri retrouva Shekhawat dehors, près de la jeep de la police. Assis à l'arrière, le Dr Chandran, menotté, leur lançait par la vitre des regards haineux.

— Vous pensez qu'il va dénoncer sa sœur ? demanda l'inspecteur.

— J'en doute, répondit Puri. Cela reviendrait à reconnaître sa propre culpabilité. Il dira qu'il s'est fait piéger, il essaiera d'acheter les témoins ou de leur faire peur. Son procès pourra durer des années. Il est difficile de faire tomber un homme qui a autant de relations.

— Et elle ? Restera-t-elle impunie ?

— Oh ! non, inspecteur ! Elle n'ira peut-être pas en prison, mais aucun être humain ne peut échapper à la punition divine. D'une manière ou d'une autre, justice sera faite. On finit toujours par rendre des comptes.

Puri se frotta l'estomac en grimaçant.

— Par exemple, moi, je dois répondre des *kachoris* que j'ai mangés à déjeuner !

L'humour du détective laissa de glace le fier kshatriya. Son orgueil d'inspecteur de police avait été mis à mal dans cette affaire. Il n'admettrait jamais ses erreurs, du moins pas maintenant, et encore moins dans le rapport de conclusion de l'enquête.

— Bien, je dois y aller. N'oubliez pas qu'il me faut retrouver ce Babua. J'ai ma petite idée de l'endroit où il se cache.

— Oh ! inutile, inspecteur ! fit Puri d'un ton désinvolte. J'ai oublié de vous dire qu'il était enfermé dans le coffre de ma voiture.

Une fois n'est pas coutume, Shekhawat ne put dissimuler sa stupéfaction. Ses épais sourcils se rejoignirent, barrant son front.

— Là-dedans ? dit-il en désignant l'Ambassador.

— Oui, inspecteur. L'avantage de ces voitures, c'est qu'elles ont un coffre spacieux et qui ferme bien. Vous alliez me demander comment j'ai retrouvé Babua, n'est-ce pas ? Tout simplement grâce à son téléphone portable. Venez.

Handbrake ouvrit le coffre de l'Ambassador. À l'intérieur se trouvait un homme trapu, bâillonné et ligoté, qui les observait avec colère.

— Permettez-moi de vous présenter Om Prakash, alias Babua, fit Puri, triomphant. Un vrai malfaiteur devant l'Éternel.

29

Au terme de toute enquête importante, Puri en dictait à Elizabeth Rani un compte rendu détaillé, et ce pour deux raisons.

D'une part, certains procès traînant en longueur – des mois, voire des années –, il était impératif de garder une trace écrite des événements, de façon que le détective puisse s'y référer lorsqu'il était amené à témoigner. D'autre part, Puri prévoyait de léguer ses dossiers aux Archives nationales, persuadé que les futures générations de détectives souhaiteraient étudier ses méthodes d'investigation.

Il chérissait aussi l'idée qu'un jour quelqu'un puisse lui proposer de rédiger sa biographie. Il en connaissait déjà le titre : LA CONFIDENTIALITÉ EST MA DEVISE. Et quel scénario pour un film bollywoodien ! Son acteur préféré, Anupam Kher, incarnerait le grand détective Vish Puri, et Rekha serait parfaite pour le rôle de Rumpi ; son personnage à l'écran serait celui d'une parfaite maîtresse de maison, doublée d'une danseuse exotique et sexy.

— Monsieur, il y a une chose que je ne comprends pas, remarqua Elizabeth Rani quand Puri eut fini de lui dicter les incroyables rebondissements de « l'Affaire de la servante disparue ». Qui était la jeune fille retrouvée morte sur Ajmer Road ?

La secrétaire posait toujours ce genre de questions élémentaires. Mais Puri ne rechignait jamais à lui répondre patiemment. Tout le monde ne pouvait pas avoir sa vivacité d'esprit…

— Certainement l'une des centaines de personnes qui disparaissent chaque année en Inde. Nous ne connaîtrons sans doute jamais l'identité de cette pauvre créature. Tant de jeunes filles quittent leur village en quête de travail dans les grandes villes, et beaucoup ne reviennent jamais. On les retrouve mortes sur des voies de chemin de fer ou des berges de canal, après avoir été violées et jetées hors d'un véhicule. Leurs parents sont loin ; personne ne vient identifier les corps. Je vous le dis, madame Rani, cette vague de crimes prend des proportions inquiétantes.

Elle acquiesça.

— Quelle tristesse, monsieur ! Dieu merci, il existe des gentlemans comme vous pour nous protéger.

— Merci, madame Rani, j'apprécie le compliment.

Ils étaient tous deux assis dans le bureau du détective, lui à sa table de travail, la secrétaire penchée sur son ordinateur portable. Elle sauvegarda le document et éteignit l'écran.

— Encore autre chose, monsieur, dit-elle en se levant.

— Oui, madame Rani ? fit Puri, qui se doutait que d'autres questions allaient suivre.

— Vous dites que Mary était enceinte… Qu'est devenu le bébé ?

— Elle a fait une fausse couche dans le train.

— Pauvre petite, comme elle a dû souffrir… Croyez-vous qu'il y ait un espoir pour elle et Bobby ?

— Nous ne sommes pas au cinéma, madame Rani ! Il n'y aura pas de happy end. Mary a refusé de le revoir et, entre nous, je pense qu'elle a eu raison.

Elle a trop souffert. Ce matin, je l'ai emmenée à Delhi, avec Rumpi. Comme nous ne pouvions l'employer à temps complet, nous lui avons trouvé du travail chez Vikas Chauhan. Ajay Kasliwal a en outre promis de lui constituer une dot, si un jour elle se marie. Il s'est montré très généreux, je dois dire.

— Et Bobby, que devient-il ?

Le détective tripota pensivement les pointes de sa moustache avant de répondre.

— Le fils a juré de ne plus adresser la parole à sa mère et d'éviter de se retrouver en sa présence. Qui pourrait pardonner à Mme Kasliwal ? Elle a mal agi, c'est certain. Mais un jeune homme bien élevé et instruit comme Bobby aurait dû réfléchir à deux fois avant de penser à la gaudriole ; la place des relations physiques entre hommes et femmes se situe à l'intérieur du couple. Quand les jeunes gens s'écartent du droit chemin, il n'en découle que tristesse et malheur.

— Vous avez bien raison, monsieur.

Puri remit son stylo dans l'une des poches extérieures de sa saharienne, à côté des deux autres.

— L'Inde se modernise, madame Rani, mais nous devons conserver nos valeurs familiales, n'est-ce pas ? Sans elles, où irions-nous ?

— Je n'ose y penser, monsieur.

— Bien, madame Rani, ce sera tout pour aujourd'hui. Un nouveau succès pour notre agence, n'est-ce pas ? Allez ranger le dossier dans le classeur des « Affaires brillamment résolues ».

— Tout de suite, monsieur.

Dès qu'elle eut refermé la porte, Puri se laissa aller dans son fauteuil et leva les yeux vers les portraits de son père et de Chanakya, ornés de guirlandes de fleurs fraîches. Il joignit les mains devant sa poitrine et leur adressa une salutation respectueuse.

Diwali, la fête des Lumières, le plus important jour férié du calendrier indien, commençant le lendemain, Puri donna congé à toute son équipe et demanda à Handbrake de le conduire à l'aéroport afin d'aller chercher sa benjamine, Radhika.

Il attendit fébrilement dans le hall d'arrivée. Il n'avait pas vu sa *chowti baby* depuis trois mois ; jamais ils n'avaient été séparés aussi longtemps. Son absence lui pesait terriblement.

Pendant que les passagers sortaient de l'aéroport, poussant des chariots bourrés de bagages, guettés par les taxi-wallahs qui se disputaient les clients, Puri, sur la pointe des pieds, se dévissait le cou pour voir au-delà de la foule massée devant la sortie.

Quand il aperçut le petit minois de Radhika, scrutant avidement les visages à la recherche de son père, il sentit sa gorge se nouer.

— Bulbul, Bulbul ! Je suis là ! cria-t-il, l'appelant d'instinct par le surnom qu'il lui donnait quand elle était petite.

— Papa !

Un sourire radieux aux lèvres, elle s'avança et se jeta dans ses bras.

— Laisse-moi te regarder, dit-il en la prenant par les épaules. Toujours aussi jolie… Mon Dieu, comme tu as maigri ! On ne vous nourrit pas comme il faut, à la faculté ? Viens, maman t'a préparé tes plats préférés. Elle t'attend avec impatience. Mummy-ji aussi est à la maison. Et tes sœurs arrivent demain.

Il poussa le chariot vers le parking où Handbrake les attendait, au volant de l'Ambassador.

Entre le moment où elle monta dans la voiture et celui où ils atteignirent la maison, Radhika lui raconta tout ce qui lui était arrivé durant ses trois mois à Pune.

— Papa, tu sais ce que j'ai appris ? Papa, tu ne devineras jamais ce que m'a dit Shikha… Papa, il s'est passé un truc incroyable… Papa, savais-tu que…

Puri écoutait, ravi, ses récits enthousiastes et innocents, partageant ses fous rires communicatifs, ponctuant de temps à autre ses anecdotes d'exclamations étonnées ou admiratives. Mais le plus souvent, il se contentait de boire ses paroles.

Le fardeau qui pesait sur ses épaules s'était depuis longtemps envolé lorsque Handbrake klaxonna devant le portail de la maison.

Comme dans des millions de foyers hindous, sikhs ou jaïns de toute l'Inde, à l'occasion de Diwali, chaque centimètre carré de la maison avait été nettoyé, les placards vidés, les étagères dépoussiérées, les sols de marbre frottés et lavés à grande eau, les meubles amoureusement encaustiqués. Grâce aux plumeaux, envolées les toiles d'araignées ! Robinets, éviers, miroirs étincelaient après un vigoureux astiquage au citron et au vinaigre. Le mur d'enceinte avait été chaulé et on avait même remplacé une dalle fêlée de la véranda.

Rumpi veillait à ce que tout soit prêt pour distraire et nourrir la famille et les amis qui ne manqueraient pas de passer durant ces cinq jours : fruits séchés, amandes, noix de cajou et *burfi* soigneusement empaquetés s'entassaient dans un coin de la cuisine. Monica et Malika avaient mitonné des marmites entières de *chhole* et de halwa à la carotte, des poêlées d'oignons et de paneer pakoras. On avait envoyé Sweetu au marché se procurer des sacs de glaçons, des *matthis* savoureux et de l'huile pour les *diyas*.

À Puri incombait la charge de s'occuper des boissons, pétards et offrandes – noix de coco, bananes et encens – en l'honneur de Lakshmi, déesse de la prospérité, ainsi que des jeux de cartes et des jetons de poker. Pas de Diwali sans une bonne partie de cartes entre amis. Comme l'année précédente, ils passeraient sans doute une nuit entière à jouer au teen patta.

Après avoir déposé Radhika à la maison, Puri se rendit au marché. Celui-ci grouillait de gens venus faire leurs emplettes à la dernière minute. Les boutiques étaient décorées de lumignons multicolores, de paillettes et de guirlandes. Des torrents de musique s'échappaient des temples ; toutes les deux secondes, des fusées colorées explosaient dans le ciel en sifflant.

À son retour, il vit le 4×4 de Rinku garé devant la maison. Avant d'entrer, Puri donna à Handbrake sa prime de Diwali, et de l'argent pour s'offrir un auto-rickshaw jusqu'à la gare centrale. Le lendemain matin, le chauffeur retrouverait son épouse et sa petite fille, qui l'attendaient dans leur village montagneux de l'Himachal Pradesh.

— Merci, monsieur, fit celui-ci, rayonnant de bonheur. Mais avant de vous quitter, j'ai une question à vous poser. Vous m'aviez promis de m'apprendre la règle numéro un de la détection…

— Ah oui ! La règle numéro un… Elle est très simple : s'assurer de toujours avoir un bon *aloo parantha* au petit déjeuner. Pour penser, il faut avoir l'estomac plein. Allez, vite, tu vas manquer ton train !

Il accompagna Handbrake jusqu'au portail puis rentra chez lui. Rumpi, Mummy, Radhika et Rinku l'attendaient en prenant le thé et en grignotant des pakoras.

— Joyeux Diwali, Chubby ! s'exclama Rinku en lui flanquant une vigoureuse claque dans le dos.

— À toi aussi, vieux frère. Tu bois du thé ? Attends, je vais chercher quelque chose de plus fort.

— Non, non, il faut que je m'en aille ! protesta Rinku pour la forme. Il va y avoir une circulation d'enfer jusqu'à Pendjabi Bagh.

— Allons, juste un petit verre, insista Puri.

— Bon d'accord, deux doigts alors, pour trinquer, dit Rinku qui ne se faisait jamais prier quand il s'agissait de whisky. Mais si j'ai des ennuis, ce sera de ta faute !

— Eh bien, nous serons à égalité, pour une fois !

Puri leur servit deux généreux verres de scotch et bientôt ils se racontèrent des histoires sikhs qui les firent tous deux se plier de rire.

Une demi-heure et plusieurs verres plus tard, Rinku se leva pour prendre congé.

— Baby Auntie, avez-vous vu mon nouveau 4×4 ? demanda-t-il à Mummy, en lui adressant un discret clin d'œil.

— Non, pas encore ! Tout le monde en parle, mais je n'ai pas eu cette chance, répondit-elle, jouant le jeu. Il fait un froid de canard, on dirait. Je prends mon châle et j'arrive, beta.

Rinku embrassa toute la famille et quitta la maison, bientôt rejoint par la vieille dame.

— Je me suis occupé du problème de Chubby, chuchota-t-il en se dirigeant vers son véhicule. Ces deux gentlemans ne lui créeront plus d'ennuis.

— Mon petit doigt m'a dit que l'inspecteur Inderjit Singh avait été suspendu, suite à une enquête sur ses activités illégales.

— Oui, et son ami a abandonné l'idée de construire un nouvel immeuble de bureaux dans le quartier.

— On dit que le marché immobilier ralentit, en ce moment… sourit Mummy.

Rinku se pencha pour lui toucher les pieds et lui souhaita un bon Diwali.

— À toi aussi, beta. Et encore merci. Je te suis très reconnaissante.

Elle lui fit au revoir de la main et rentra dans la maison.

— De quoi parliez-vous, tous les deux ? s'enquit Puri qui les observait depuis la porte d'entrée. J'ignorais que tu t'intéressais à ce point aux voitures.

— Rinku me faisait une proposition d'investissement…

Puri éclata de rire.

— Lui ? Et que voulait-il te vendre ? Le palais présidentiel ?

— Ne te moque pas de lui, mon fils. Il m'a donné un bon tuyau. Un terrain à un prix intéressant.

— Fais attention à toi, Mummy-ji. Rinku est un roublard…

— Oh, Chubby, quand comprendras-tu que je suis capable de me débrouiller toute seule ? Allons, viens jouer aux cartes. Ce soir, je sens que la chance me sourit !

GLOSSAIRE

Accha (hindi) : bon, bien, je vois, je comprends, d'accord, ah vraiment ?

Adivasis : littéralement « habitants des origines ». Ces indigènes mal considérés seraient environ 67,5 millions, répartis en 450 groupes ethniques.

Agrawal : communauté influente de l'Inde du Nord, traditionnellement composée de commerçants, et qui comporte aujourd'hui de nombreux politiciens et hommes d'affaires.

Aloo parantha : galette de blé fourrée de pommes de terre épicées, frite et servie avec du yaourt et des pickles, que l'on mange en général au petit déjeuner.

Ashramas : les quatre étapes de la vie : méditation et étude, mariage et famille, détachement de la vie matérielle et pélerinages, renonciation à la vie matérielle.

Ayah : nourrice.

Ay bhai ! (hindi) : Hé, mon frère !

Baba : père, grand-père.

Babu : bureaucrate, officiel (péjoratif).

Badiya (urdu) : formidable, super.

Bagha-Chall : jeu de stratégie d'origine népalaise qui se joue à deux. L'un des joueurs contrôle quatre tigres et l'autre vingt chèvres. Les tigres chassent les chèvres et celles-ci essaient de les bloquer.

Bahuchara Mata : déesse vénérée par les hijras ; représentée assise sur un coq, symbole d'innocence.

Bania : négociant ou marchand appartenant à la classe des hommes d'affaires.

Barsaati (de *barsaat*, pluie) : pièce cubique en béton construite sur le toit des maisons, exposée au soleil, au froid et à la pluie, qui servait à héberger les domestiques. Aujourd'hui, elles se louent très cher dans les quartiers chics de Delhi.

Basti : bidonville.

Beta : terme affectueux : mon fils, mon enfant.

Bhai : frère, ami.

Bhavan : maison.

Bidi : fine cigarette roulée dans une feuille et liée par un fil.

Bindi (du sanskrit *bindu*, goutte, point) : cercle de poudre ou pastille collante traditionnellement rouge que les femmes hindoues portent sur le front.

Burfi : sucrerie faite de lait cuit avec du sucre, jusqu'à ce qu'il durcisse, souvent parfumé de noix de cajou, de mangue, de pistache et d'épices, entouré d'une fine feuille d'argent.

Buss ! : Ça suffit ! Stop !

Chai : thé.

Chai lao ! : Apporte le thé !

Challo ! : Allons-y !

Channa : pois chiches épicés (voir *chhole*).

Chapatti : fine galette de farine et d'eau, cuite sur une plaque (voir *roti*).

Chappals : sandales, tongs.

Charas : variété de résine de cannabis collectée à la main, en Afghanistan, Pakistan, Népal et Inde.

Charpai : lit de cordes tendues sur un cadre de bois ou de bambou.

Chaval : riz.

Chhatri : élément architectural en forme de dôme.

Chhole : voir *channa*.

Chikan kurta : la *kurta* est une chemise longue portée par les hommes et les femmes au Pakistan et dans le nord de l'Inde. *Chikan* fait référence à un style de broderie (fil blanc sur mousseline blanche) typique de Lucknow.

Choli : corsage porté sous le sari, découvrant le nombril.

Chowti baby : en hindi, *chowti* veut dire petite.

Chunni : longue écharpe assortie au costume traditionnel des femmes du Pendjab (tunique et pantalon bouffant), en tissu fin, portée sur les épaules.

Churidaar pyjama : sorte de pantalon moulant avec des plis aux chevilles.

Crore : dix millions de roupies (cent *lakhs*).

Crorepati : multimillionnaire.

Daal : lentilles épicées.

Dabba-wallahs : livreurs de paniers déjeuners.

Dalit : intouchable.

Dhaba : gargote en bord de route, fréquentée par les routiers d'Inde du Nord.

Dharma : en sanskrit, devoir, vertu.

Diya : lampe à huile en terre cuite.

Dosa : galette de farine de lentilles ou de pois chiches, souvent fourrée de pommes de terre épicées.

Dupatta : dans le costume traditionnel féminin, châle porté sur la tête et les épaules, en coton, georgette, soie, mousseline.

Ghee : beurre clarifié.

Gobi parantha : galette au chou-fleur.

Goonda : voyou, gangster, malfrat.

Gora (m.), *gori* (f.) : personne à la peau claire, par extension, Occidental.

Haan-ji ! : Oui, monsieur ! Oui, madame !

Halwa : dessert à base de semoule, de lentilles et de carottes râpées mélangées à du sucre et à du beurre, saupoudré d'amandes, souvent servi en offrande dans les temples hindous et sikhs comme nourriture bénite aux fidèles après les prières.

Hijras : personnes du « troisième sexe », ni hommes ni femmes. Elles se considèrent comme des femmes et s'habillent en femmes. Bien que l'on traduise souvent le mot par « eunuque », peu d'entre elles ont subi une transformation chirurgicale. Le troisième sexe existe dans le sous-continent depuis des temps immémoriaux ; il est cité dans la culture védique, tout au long de l'histoire de l'hindouisme. Ces travestis vivent de la mendicité, de la prostitution ou de la danse. Leur communauté peut être très puissante économiquement dans certaines villes (Mumbai). Une grande fête réunit chaque année, fin avril, toutes les hijras de l'Inde.

Holi : fête du printemps, au cours de laquelle les hindous s'aspergent d'eau mêlée à des poudres de couleur.

Jaïn : adepte du jaïnisme, religion qui professe la non-violence et un strict végétarisme. On compte une dizaine de millions de jaïns en Inde qui forment une communauté souvent riche et influente.

Jaldi karo ! : Dépêche-toi !

Jalebi : beignet sucré en spirale, trempé dans un sirop de safran et d'eau de rose.

-ji : suffixe exprimant un respect amical.

Ji ! : Oui !

Kachori : galette frite fourrée aux lentilles épicées, servie avec du riz.

Kadi chaval : farine de pois chiches revenue dans du beurre, mélangée avec du babeurre ou du yaourt pour obtenir un curry aigre-doux et épicé, servi avec du riz.

Kathi roll : genre de sandwich vendu dans la rue, fourré de poulet ou d'agneau, d'oignons et de chutney.

Khejri : genre d'acacia.

Khichri : plat de riz épicé mélangé à des lentilles ou des pois cassés, épicé de cumin et de coriandre. On le sert en général aux gens malades.

Khukuri : long couteau népalais.

Kirpan : sabre ou poignard de cérémonie que tous les hommes sikhs sont supposés porter.

Kitty party : réunion de femmes de la bonne société indienne au cours de laquelle elles se prêtent mutuellement de l'argent, sans intérêt. Le *kitty* est un fonds collectif. Les participantes, triées sur le volet, apportent de l'argent liquide. Un nom est tiré au sort dans un chapeau et l'heureuse élue reçoit une somme d'argent qu'elle peut utiliser à sa guise.

Ko-I-Noor : « Montagne de Lumière » : diamant ayant appartenu à différents dirigeants moghols et persans et qui fait désormais partie des joyaux de la Couronne britannique.

Kooray-wallah : celui qui collecte les ordures, éboueur.

Kurta : longue chemise.

Ladoo : pâtisserie ronde parfumée au safran, préparée à l'occasion des fêtes et des mariages.

Lakh : cent mille roupies.

Lassi : boisson rafraîchissante au lait caillé, salée ou sucrée, parfois parfumée.

Lathi : longue canne en bambou utilisée par la police indienne pour maintenir l'ordre.

Lungi : pan de tissu noué autour de la taille et tombant sur les chevilles.

Mali : jardinier.

Mangal sutra : ornement porté par les femmes mariées jusqu'à la mort de leur époux.

Manglik : personne née sous la constellation de Mars, qui porte malchance au futur conjoint. On dit qu'un non-manglik épousant un manglik doit mourir. Deux époux manglik annulent les effets négatifs. Les mangliks peuvent aussi, au cours d'une cérémonie symbolique, épouser un arbre ou une idole en or auxquels ils transfèrent leur mauvais sort.

Masala chai : thé épicé.

Matthis : délicieux biscuits servis avec le thé.

Memsahib : féminin de *sahib*.

Meswak : brosse à dents naturelle faite à partir de brindilles d'un arbre odorant.

Mulligatawny : soupe anglo-indienne à base de poulet, de curry, de légumes et de lait de coco.

Na : Hein ?

Naamaalum : cadavre ou patient d'un hôpital dont l'identité est inconnue.

Naan : galette de blé accompagnant légumes et viande.

Namashkar = *namaste* : salutation à l'indienne avec les mains jointes.

Om bhur bhawa swaha tat savitur varay neeyam... : ô Dieu, Tu es Celui qui donne la vie, Celui qui enlève les peines et les chagrins... (mantra Gayatri)

Paan : chique faite de feuilles de bétel fourrées de noix d'arec, de tabac et d'épices.

Paisa : une roupie égale cent *paisa*.

Pakora : beignet de farine de pois chiches, aux oignons et aux pommes de terre.

Pallu : la partie flottante d'un sari.

Pandit : titre honorifique donné à un fondateur de secte, à un brahmane particulièrement érudit.

Paneer : fromage caillé, fait à partir du petit-lait chauffé auquel on a ajouté du jus de citron.

Pukka (hindi) : solide, en dur. Par extension, bien fait, parfait.

Puranas : recueils de textes religieux hindous.

Rajma : haricots rouges cuits avec des oignons, de l'ail, du gingembre, des tomates et des épices. Très apprécié au Pendjab, avec du riz.

Rakhi : la fête hindoue de Raksha Bandhan célèbre les liens entre frères et sœurs. La sœur noue un *rakhi*, ou fil sacré, autour du poignet de son frère en échange de sa protection et d'un cadeau. N'importe quel homme peut être adopté comme frère en nouant ce fil.

Ras malai : dessert à base de fromage, de lait et de noix, parfumé à la cardamome.

Roti : pain cuit au four ou sur une plaque (voir *chapatti*).

Saala, saale : salaud, salopard.

Saala maaderchod ! (insulte pendjabi) : Fils de pute !

Sab changa (pendjabi) : Tout va bien.

Sadhu : hommes ayant renoncé à la vie matérielle pour se consacrer à une recherche mystique. Ils vivent de mendicité, seuls ou en groupes, près des temples et des sanctuaires.

Sahib (féminin *memsahib*) : terme de respect encore utilisé par les gens du peuple pour désigner un homme de condition sociale plus élevée que la leur.

Salwar : longue tunique fendue portée par-dessus un pantalon bouffant.

Samosa : beignet triangulaire fourré de viande ou de légumes.

Sanyasi : ascète qui se détache du monde matériel et consacre son temps à la méditation.

Sardaar : homme sikh.

Seekh kebab : brochette de viande légèrement épicée et rôtie dans un tandoor.

Sindoor : poudre vermillon utilisée par les femmes mariées. Durant la cérémonie du mariage, le marié en applique sur la raie des cheveux de l'épouse. Le *sindoor* est appliqué ensuite chaque jour.

Subzi-wallah : vendeur de légumes.

Teen patta : jeu de cartes, joué pendant la fête de Diwali. Le joueur qui a la meilleure main (trois as, ou trois cartes consécutives de la même suite) a gagné.

Tiffin : gamelle cylindrique à compartiments étagés contenant les repas chauds portés par les *dabba-wallahs*.

Tikka : brochette de poulet rôti avec des épices.

Tonga : carriole à cheval.

Yaar : copain, pote, ou idiot, imbécile.

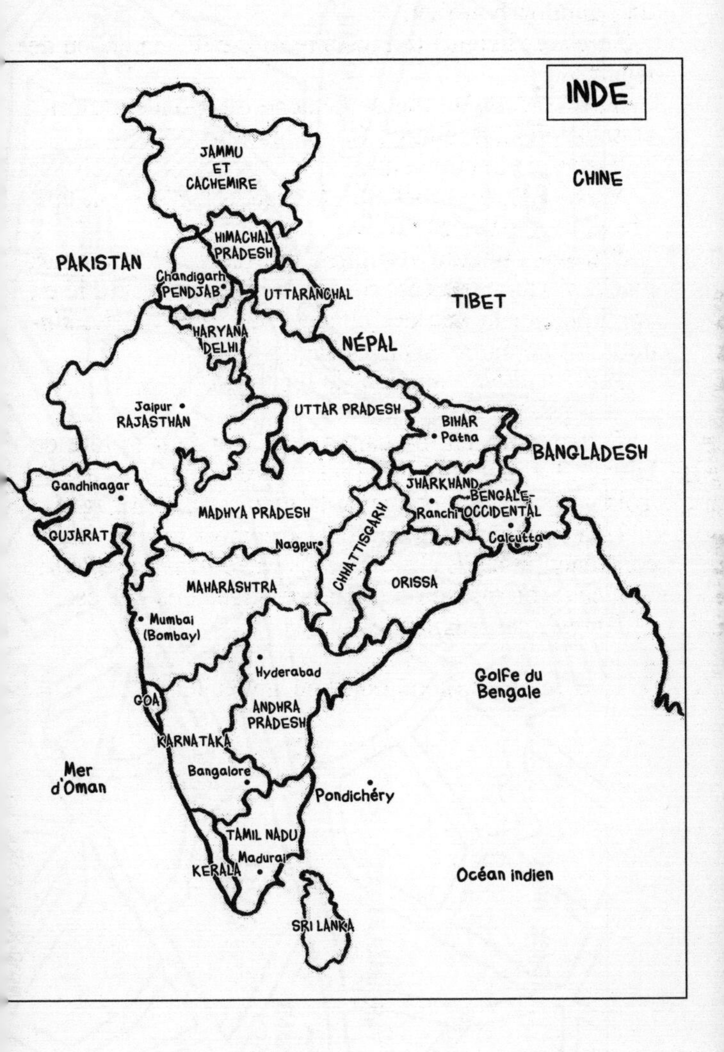
INDE
CHINE
JAMMU
ET
CACHEMIRE
HIMACHAL
PRADESH
PAKISTAN
Chandigarh
PENDJAB
UTTARANCHAL
TIBET
HARYANA
DELHI
NÉPAL
Jaipur
RAJASTHAN
UTTAR PRADESH
BIHAR
Patna
BANGLADESH
Gandhinagar
JHARKHAND
BENGALE-
OCCIDENTAL
Ranchi
MADHYA PRADESH
GUJARAT
Nagpur
CHHATTISGARH
Calcutta
MAHARASHTRA
ORISSA
Mumbai
(Bombay)
Hyderabad
Golfe du
Bengale
GOA
ANDHRA
PRADESH
KARNATAKA
Mer
d'Oman
Bangalore
Pondichéry
TAMIL NADU
Madurai
KERALA
Océan indien
SRI LANKA

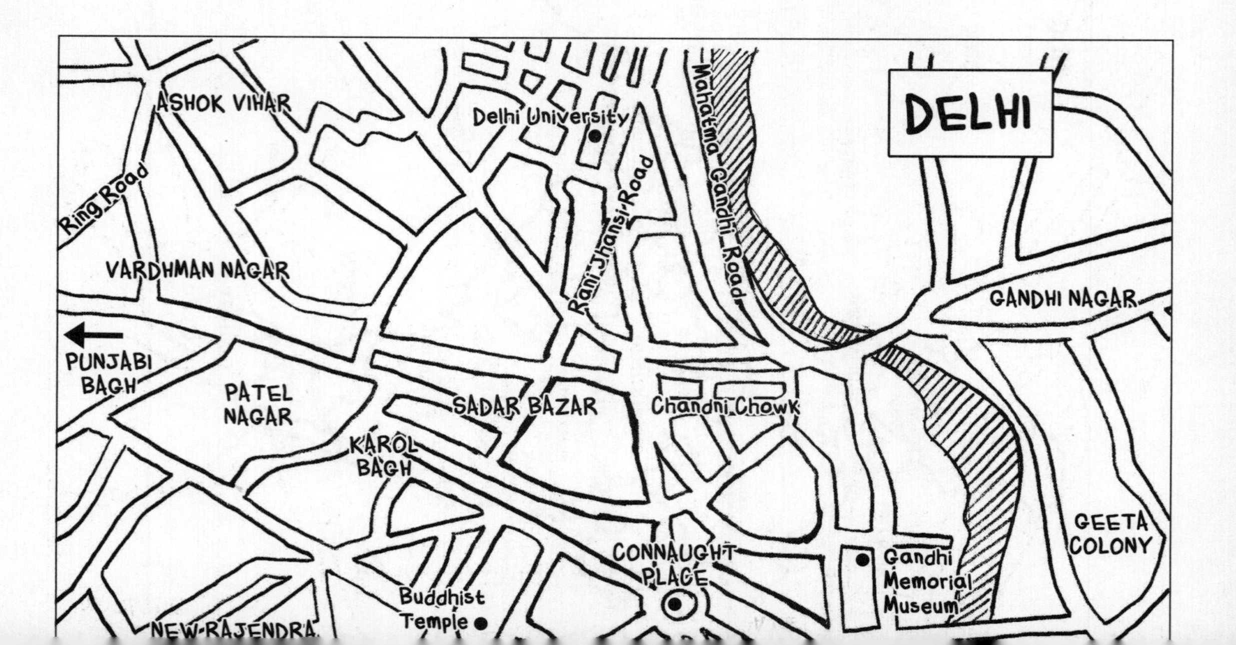
DELHI
ASHOK VIHAR
Delhi University
Ring Road
Rani Jhansi Road
Mahatma Gandhi Road
VARDHMAN NAGAR
GANDHI NAGAR
PUNJABI BAGH
PATEL NAGAR
SADAR BAZAR
Chandni Chowk
KAROL BAGH
GEETA COLONY
CONNAUGHT PLACE
Gandhi Memorial Museum
Buddhist Temple
NEW-RAJENDRA

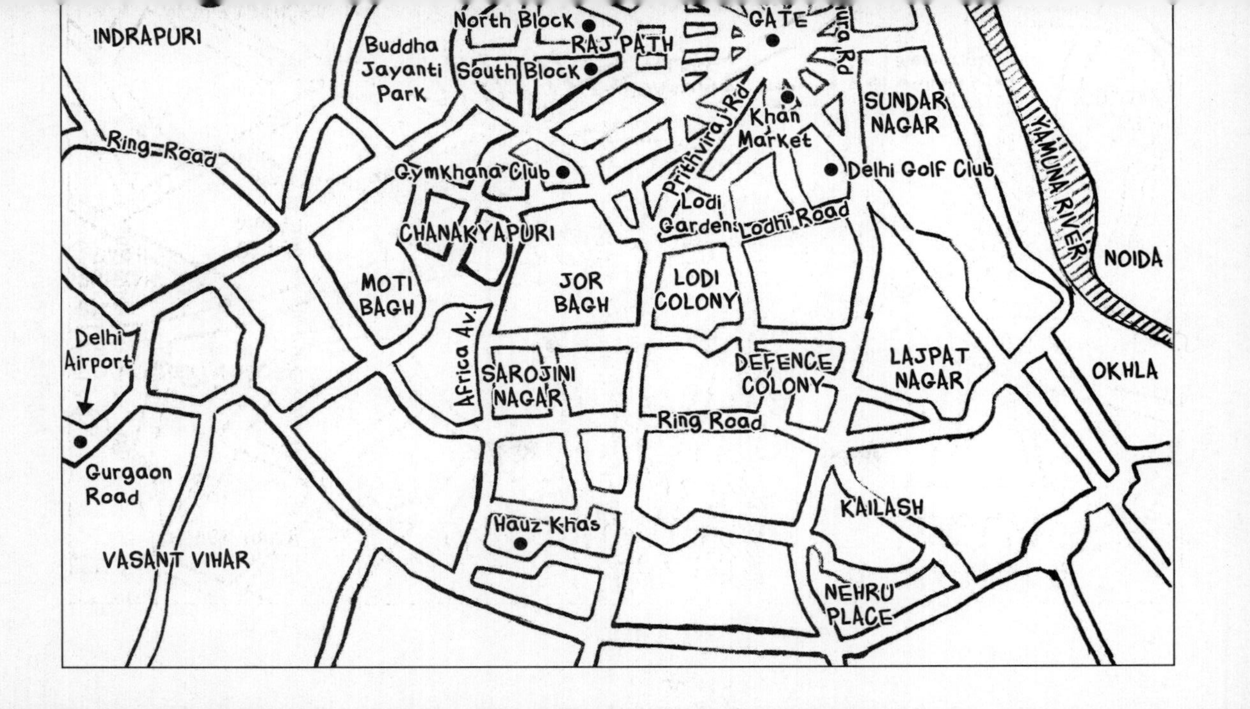
INDRAPURI
North Block
RAJ PATH
South Block
Buddha Jayanti Park
GATE
ura Rd
SUNDAR NAGAR
Khan Market
Prithviraj Rd
Delhi Golf Club
YAMUNA RIVER
NOIDA
Ring Road
Gymkhana Club
Lodi Garden
Lodhi Road
CHANAKYAPURI
MOTI BAGH
JOR BAGH
LODI COLONY
Delhi Airport
Africa Av.
SAROJINI NAGAR
DEFENCE COLONY
LAJPAT NAGAR
OKHLA
Ring Road
Gurgaon Road
KAILASH
Hauz Khas
VASANT VIHAR
NEHRU PLACE

Impression réalisée par

La Flèche (Sarthe), 52805
N° d'édition : 4167
Dépôt légal : juin 2009

Imprimé en France